Los caminos de la libertad I
La edad de la razón

Los caminos de la libertad I
La edad de la razón
JEAN-PAUL SARTRE

Traducción de
Manuel R. Cardoso

Clásicos Losada
Primera edición en esta colección: noviembre de 2005
© Éditions Gallimard, 1947
© Editorial Losada, S. A., 1948
Moreno 3362 - 1209 Buenos Aires, Argentina
Tels. 54-11-4373-4006/4375-5001
www.editoriallosada.com.ar
Título original: *Les chemins de la liberté. L'âge de raison*
Traducción del francés: Manuel R. Cardoso
Tapa: Peter Tjebbes
Maquetación: Taller del Sur
ISBN 978-950-03-0661-4
Queda hecho el depósito que marca la ley 11.723
Libro de edición argentina
Tirada: 1500 ejemplares
Impreso en la Argentina

Sartre, Jean-Paul
    Los caminos de la libertad I. La edad de la razón. -1ª ed.
2ª reimp. - Buenos Aires: Losada, 2016. - 448 p.; 18 x 12 cm.
- (Clásicos Losada, 340)

    ISBN 978-950-03-0661-4
    Traducido por Manuel R. Cardoso

    1. Existencialismo. I. Cardoso, Manuel R., Trad. II.
Título.
    CDD 171.2

I

En medio de la calle Vercingetórix, un tipo alto detuvo por el brazo a Mateo; por la otra acera se paseaba un agente.

—Dame algo, patrón; tengo hambre.

Tenía los ojos muy juntos y los labios gruesos; olía a alcohol.

—¿No será más bien que tienes sed? –preguntó Mateo.

—Te juro que no, amigo –dijo el tipo con dificultad–; te lo juro.

Mateo había encontrado en el bolsillo una moneda de cinco francos.

Y le dio los cinco francos.

—Esto que haces está bien –dijo el tipo apoyándose contra la pared–; y voy a desearte algo formidable. ¿Qué podría desearte?

Ambos reflexionaron y Mateo dijo:

—Lo que tú quieras.

—Bueno, pues te deseo que seas feliz –dijo el tipo–. Eso es. –Rió con aire de triunfo. Mateo vio que el agente de policía se acercaba a ellos y tuvo miedo por el tipo:

—Está bien –dijo–. Salud.

Quiso alejarse, pero el tipo lo volvió a atrapar:

—La felicidad no es bastante –dijo con voz húmeda–; eso no es bastante.

—Bueno, ¿y qué más quieres?

—Querría darte algo...

—Voy a hacer que te encierren por mendicidad –dijo el agente.

Era muy joven, de mejillas rojas y trataba de adoptar un aire duro:

—Ya hace media hora que jorobas a los transeúntes –agregó sin convicción.

—Pero no mendiga –dijo vivamente Mateo–; estamos conversando.

El agente se encogió de hombros y continuó su camino. El tipo se tambaleaba de modo inquietante, ni siquiera parecía haber visto al agente.

—Ya he encontrado lo que te voy a dar. Te voy a dar una estampilla de Madrid.

Sacó del bolsillo un rectángulo de cartón verde y lo tendió a Mateo. Mateo leyó:

"C. N. T. Diario Confederal. Ejemplares 2. Francia. Comité anarco-sindicalista, 41, calle de Belleville, París, 11°. Bajo la dirección estaba pegada una estampilla. Era verde también y ostentaba el sello de Madrid. Mateo extendió la mano:

—Muchas gracias.

—Ah, ¡pero ojo! –dijo el tipo encolerizado–, es... es Madrid.

Mateo le miró: el tipo parecía estar emocionado, y hacía violentos esfuerzos para expresar su pensamiento. Pero renunció y dijo solamente:

—Madrid.

—Sí.

—Yo quería ir, te lo juro. Sólo que no se arregló.

Se había ensombrecido; dijo: "Espera" y pasó lentamente el dedo sobre la estampilla.

—Está bien, puedes guardártela.

—Gracias.

Mateo dio algunos pasos pero el tipo lo volvió a llamar.

—¡Eh!

—¿Eh? –dijo Mateo. El tipo le mostraba de lejos la moneda de cinco francos.

—Hay un sujeto que acaba de largarme cinco francos. Te pago un ron.

—Esta noche, no.

Mateo se alejó lamentándolo vagamente. Había habido una época en su vida, en que rodaba por las calles y por los bares con todo el mundo; cualquiera le podía invitar. Ahora, todo eso había terminado; con esas cosas nunca se conseguía nada. Era divertido. Ha tenido ganas de ir a luchar a España. Mateo apresuró el paso y pensó con fastidio: "De cualquier modo, no teníamos nada que decirnos". Sacó del bolsillo la tarjeta verde: "Viene de Madrid, pero no le ha sido dirigida a él. Alguien debió regalársela. La tocó muchas veces antes de dármela, porque venía de Madrid". Recordaba la cara del tipo y la actitud que había adoptado para mirar la estampilla: una extraña actitud apasionada. Mateo miró la estampilla a su vez, sin dejar de caminar, y luego se volvió a meter el pedazo de cartón en el bolsillo. Silbó un tren y Mateo pensó: "Estoy viejo".

Eran las diez y veinticinco: Mateo estaba adelantado. Pasó sin detenerse, sin volver siquiera la cabeza, ante la casita azul. Pero la miraba de reojo. Todas las ventanas estaban a oscuras, salvo la de la señora Duffet. Marcela no había tenido tiempo aún de abrir la puerta de la calle; estaba inclinada sobre su madre, y la arropaba, con gestos masculinos, en el gran lecho acortinado. Mateo continuaba sombrío; pensaba: "Quinientos francos para tirar hasta el 29, sale a treinta francos por día más o menos. ¿Cómo me las arreglaré?" Dio media vuelta y volvió sobre sus pasos.

La luz se había apagado en el aposento de la señora Duffet. Al cabo de un momento se iluminó la ventana de Marcela; Mateo cruzó la calzada, y costeó la tienda, evitando que crujieran sus zapatos nuevos. La puerta estaba entreabierta; la empujó muy suavemente y chirrió. "El miércoles traeré alcuza y pondré un poco de aceite en los goznes." Entró, volvió a cerrar la puerta, y se descalzó en la oscuridad. La escalera crujía un poco; Mateo la subió con precaución, con sus zapatos en la mano; tanteaba cada escalón con el dedo grueso antes de posar en él el pie; pensó: "¡Qué comedia!"

Marcela abrió la puerta antes de que hubiera llegado al descansillo. Una vislumbre rosada y que olía a lirio se escapó fuera de su habitación y se difundió por la escalera. Marcela se había puesto su camisa verde. Mateo vio por transparencia la curva tierna y gruesa de sus caderas. Entró; siempre le parecía que entraba en una concha marina. Marcela cerró la puerta con llave. Mateo se dirigió hacia el gran armario empotrado en la pared, lo abrió y depositó allí sus zapatos; después miró a Marcela y vio que algo no andaba bien.

—¿Qué es lo que anda mal? –preguntó en voz baja.

—Pero si todo anda bien –dijo Marcela en voz baja–, ¿y tú?

—Yo estoy sin cinco; fuera de eso, bien.

La besó en el cuello y en la boca. El cuello olía a ámbar, la boca olía al guiso cotidiano. Marcela se sentó en el borde de la cama y se puso a mirarse las piernas, mientras Mateo se desvestía.

—¿Qué es eso? –preguntó Mateo.

Había sobre la chimenea una foto que él no conocía. Se acercó y vio una niña delgada y peinada a lo hombre, que sonreía con aire duro y tímido. Vestía chaqueta de hombre y calzaba zapatos de tacón bajo.

—Soy yo –dijo Marcela sin levantar la cabeza.

Mateo se volvió: Marcela se había arremangado la camisa sobre sus gruesos muslos; estaba inclinada hacia adelante, y Mateo adivinaba bajo la camisa la fragilidad de sus pechos pesados.

—¿Dónde la encontraste?

—En un álbum. Es del verano del 28.

Mateo dobló cuidadosamente su chaqueta y la depositó en el armario al lado de los zapatos. Preguntó:

—¿Ahora miras los álbumes de familia?

—No, pero no sé, tuve ganas de volver a mirar cosas de mi vida; cómo era yo antes de conocerte, cuando tenía buena salud. Tráela.

Mateo le llevó la foto y ella se la arrancó de las manos. Mateo se sentó junto a ella. Marcela se estremeció y se apartó un poco. Miraba la foto con una sonrisa vaga.

—Era formidable –dijo.

La niña se mantenía completamente rígida, apoyada contra la verja de un jardín. Tenía la boca abierta; ella también debía decir: "Es formidable", con la misma desenvoltura torpe, con la misma audacia sin aplomo. Sólo que era joven y delgada.

Marcela sacudió la cabeza.

—¡Formidable! Me la sacó un estudiante de farmacia en el Luxemburgo. ¿Ves el blusón que llevo? Me lo había comprado ese mismo día porque íbamos a hacer un gran paseo a Fontainebleau el domingo siguiente. ¡Dios mío...!

Seguramente había algo; jamás sus gestos habían sido tan bruscos, ni su voz tan chocante, tan masculina. Estaba sentada en el borde de la cama, peor que desnuda, indefensa, como un jarrón panzudo en el fondo de la habitación rosada, y era más bien penoso oírla hablar con su voz de hombre en tanto que emanaba de ella un olor fuerte y sombrío. Mateo la tomó por los hombros y la atrajo hacia sí:

—¿Tienes nostalgia de aquellos tiempos?

Marcela dijo secamente:

—De los tiempos, no; pero sí de la vida que hubiera podido tener.

Había comenzado estudios de química y la enfermedad los interrumpió. Mateo pensó: "Se diría que me odia". Abrió la boca para interrogarla, pero miró sus ojos y calló. Marcela miraba la foto con aire triste y tenso.

—¿He engordado, eh?

—Sí.

Ella se encogió de hombros y arrojó la fotografía sobre la cama. Mateo pensó: "Es cierto, lleva una vida siniestra". Quiso besarla en la mejilla, pero ella se desprendió sin brusquedad, con una risita nerviosa y dijo:

—Hace diez años de eso.

Mateo pensó: "Yo no le doy nada". Iba a verla cuatro noches por semana; le contaba minuciosamente todo lo que había hecho; y ella le daba consejos con una voz seria y ligeramente autoritaria. Marcela decía a menudo: "Yo vivo por procuración".

Él preguntó:

—¿Qué hiciste ayer? ¿Saliste?

Marcela tuvo un gesto cansado y concluyente:

—No, estaba fatigada. Leí un poco, pero mamá me interrumpía todo el tiempo por cosas de la tienda.

—¿Y hoy?

—Hoy salí –dijo ella con aire mohíno–. Sentí la necesidad de tomar aire, de codearme con la gente. Llegué hasta la calle de la Gaité, eso me distrajo; y además quería ver a Andrea.

—¿Y la viste?

—Sí, cinco minutos. Cuando salí de su casa había empezado a llover, tenemos un mes de junio tan raro; y además, la gente tenía un aspecto innoble. Tomé un taxi y me volví.

Preguntó perezosamente:

—¿Y tú?

Mateo no tenía ganas de contarle. Dijo:

—Ayer, estuve en el liceo para dictar mis últimas clases. Comí en casa de Santiago; era mortal, como de costumbre. Esta mañana pasé por el economato para ver si podían adelantarme algo; parece que no se hace. Sin embargo, en Beauvais, yo me arreglaba con el ecónomo. Después, vi a Ivich.

Marcela alzó las cejas y lo miró. A Mateo no le gustaba hablarle de Ivich. Mateo agregó:

—Está fastidiada estos días.

—¿Por?

La voz de Marcela se había afirmado y su rostro tomó una expresión razonable y masculina, tenía el aire de un levantino gordo. Mateo dijo con la punta de los labios:

—La van a aplazar.

—Me habías dicho que trabajaba.

—Bueno, sí... a su manera, si te parece; es decir, que

debe de quedarse durante horas enteras delante de un libro sin hacer un solo movimiento. Pero ya sabes cómo es: tiene visiones, como las locas. En octubre, se sabía la botánica, el examinador estaba contento; y después, de golpe, se vio frente a un tipo calvo, que le hablaba de los celenterados. Eso le pareció bufonesco, pensó: "me importan un bledo los celenterados", y el tipo no pudo sacarle una sola palabra.

—Vaya con la mujercita –dijo soñadoramente Marcela.

—De cualquier modo –dijo Mateo–, tengo miedo de que vuelva a empezar con ese asunto. O de que invente algo, ya verás.

Ese tono, ese tono de indiferencia protectora, ¿no era un engaño? Todo lo que podía expresarse con palabras, él lo decía. "¡Pero no sólo hay palabras!"

Vaciló un momento y después bajó la cabeza, desanimado: Marcela no ignoraba nada de su afecto por Ivich; hasta hubiera aceptado que él la amara. En suma, no exigía más que una cosa: que hablara de Ivich precisamente en ese tono. Mateo no había cesado de acariciar la espalda de Marcela y Marcela comenzaba a parpadear: le gustaba que le acariciara la espalda, sobre todo en el nacimiento de los riñones y entre los omóplatos. Pero de pronto se desprendió y se endureció su rostro. Mateo le dijo:

—Oye, Marcela, me importa un bledo que aplacen a Ivich, ella tiene tantas condiciones como yo para ser médico. De todos modos, aun si pasara el P.C.B., se desmayaría en la primera disección al año siguiente, y no volvería a poner los pies en la Facultad. Pero si el asunto no marcha esta vez, va a hacer una gansada. Si llega a fracasar, su familia no quiere dejarla que recomience.

Marcela le preguntó con voz precisa:

—¿A qué género de gansada aludes, exactamente?

—Qué sé yo –dijo él, desazonado.

—Ah, cómo te conozco, Mateo, no te atreves a confesarlo, pero tienes miedo de que se meta una bala en el pellejo. Y con la pretensión de detestar lo novelesco. Dime, se diría que jamás le has visto el pellejo. A mí me daría miedo cortárselo nada más que pasándole el dedo. ¿Y tú te imaginas que las muñecas que tienen esos pellejos van a estropeárselo a balazos? Yo puedo representármela muy bien desplomada en una silla, con todo el pelo sobre la cara, hipnotizándose con una browning pequeñita, puesta delante de ella; esto es muy ruso. Pero en cuanto a figurarme otra cosa, no, no, y no. Un revólver es cosa buena para nuestros pellejos de cocodrilo.

Apoyó su brazo contra el de Mateo. Él tenía la piel más blanca que Marcela.

—Mira, la mía sobre todo, parece tafilete.

Se echó a reír.

—¿No te parece que tengo todo lo necesario para hacer un colador? Yo me figuro un lindo agujerito bien redondo bajo mi seno izquierdo, con bordes precisos y limpios y bien rojos. No estaría tan mal.

Seguía riéndose. Mateo le tapó la boca con la mano:

—Cállate, vas a despertar a la vieja.

Marcela se calló: Mateo dijo:

—¡Qué nerviosa estás!

Ella no contestó. Mateo posó la mano sobre la pierna de Marcela y se la acarició suavemente. Le gustaba esa carne blanca y mantecosa, con sus pelos suaves bajo las caricias, como si se palparan mil estremecimientos. Marcela no se movió: miraba la mano de Mateo. Mateo acabó por retirar la mano.

—Mírame –dijo.

Vio por un instante esos ojos ojerosos, el espacio de una mirada, altanera y desesperada.

—¿Qué te pasa?

—No me pasa nada –dijo ella apartando la cabeza. Siempre era así con ella: estaba anudada. Dentro de un momento, no podría ya retenerse y estallaría. No había nada que hacer sino matar el tiempo hasta ese momento. Mateo temía esas explosiones silenciosas: la pasión en ese aposento-concha era insostenible, porque era menester expresarla en voz baja y sin gestos para no despertar a la señora Duffet. Mateo se levantó, caminó hasta el armario y sacó el pedazo de cartón del bolsillo de su chaqueta.

—Toma, mira.

—¿Qué es eso?

—Un tipo me lo ha dado hace un momento, en la calle. Tenía aspecto simpático y le di un poco de dinero.

Marcela tomó la tarjeta con indiferencia. Mateo se sentía ligado al tipo por una especie de complicidad. Agregó:

—¿Sabes?, para él eso representaba algo.

—¿Era un anarquista?

—No sé. Quería invitarme a una copa.

—¿Y se la rechazaste?

—Sí.

—¿Por qué? –preguntó Marcela descuidadamente–. Hubiera podido ser divertido.

—¡Bah! –dijo Mateo.

Marcela levantó la cabeza y contempló el reloj con aire miope y divertido.

—Es curioso –dijo– siempre me molesta cuando me cuentas cosas como éstas. Y Dios sabe si las hay ahora. Tu vida está llena de ocasiones perdidas.

—¿Tú llamas a eso una ocasión perdida?

—Sí. Antes hubieras hecho cualquier cosa para provocar esa especie de encuentros.

—Puede que haya cambiado un poco –dijo Mateo con buena voluntad–. ¿Qué crees tú? ¿Que he envejecido?

—Tienes treinta y cuatro años –dijo sencillamente Marcela.

Treinta y cuatro años. Mateo pensó en Ivich y tuvo un pequeño sobresalto de disgusto.

—Sí... Escucha, no creo que haya sido esto; era más bien por escrúpulo. Comprende que no hubiera estado en el asunto.

—Es tan raro, ahora, que, tú estés en el asunto –dijo Marcela.

Mateo añadió vivamente:

—Por lo demás, él tampoco hubiera estado en el asunto; cuando uno está borracho, se pone patético. Eso es lo que quería evitar.

Y pensó: "No es completamente cierto; yo no he reflexionado tanto." Quiso hacer un esfuerzo de sinceridad. Mateo y Marcela habían convenido que se dirían siempre todo.

—Lo que hay... –dijo.

Pero Marcela se había echado a reír. Un arrullo bajo y dulce como cuando le acariciaba los cabellos diciéndole: "Amigo mío." Sin embargo no tenía aire de ternura.

—Así si te reconozco –dijo–. ¡Qué miedo tienes de lo patético! ¿Y qué hay? aunque hubieras hecho algo de patetismo con ese pobre muchacho, ¿dónde estaría el mal?

—¿Qué hubiera conseguido? –preguntó Mateo.

Se defendía contra sí mismo.

Marcela tuvo una sonrisa sin amabilidad. "Me está buscando", pensó Mateo, desconcertado. Él se sentía pacífico y un poco embrutecido, de buen humor, en suma, y no tenía ganas de discutir.

—Escucha –dijo–, haces mal en fabricar una montaña con esta historia. Ante todo, yo no tenía tiempo; venía a tu casa.

—Tienes perfecta razón –dijo Marcela–. Eso no es nada. Absolutamente nada, si se quiere; es cosa que no merece la pena… Pero en todo caso, es sintomático.

Mateo se sobresaltó: si al menos hubiera tenido a bien servirse de palabras menos repelentes.

—Bueno, adelante –dijo–. ¿Qué es lo que ves en eso de tan interesante?

—Pues bien –dijo ella–, es siempre tu famosa lucidez. Resultas divertido, amigo mío; tienes tal terror de engañarte a ti mismo, que te negarías la más bella aventura del mundo antes que correr el riesgo de mentirte.

—Exactamente –dijo Mateo–, tú lo sabes bien. Hace mucho que te lo he dicho.

La encontraba injusta. De esa "lucidez" (él detestaba ese término, pero Marecla lo había adoptado desde hacía algún tiempo. El invierno precedente era "urgencia"; las palabras no le duraban mucho más de una estación), de esa lucidez ambos habían adquirido la costumbre juntos, eran responsables de ello uno con respecto al otro, era nada menos que el sentido profundo de su amor. Cuando Mateo se ligó con Marcela, renunció para siempre a los pensamientos de soledad, a los frescos pensamientos umbríos y tímidos que antaño se deslizaban en él con la vivacidad furtiva de los peces. Él no podía amar a Marcela sino con plena lucidez:

ella era su lucidez, su compañera, su testigo, su consejero, su juez.

—Si me mintiera –dijo–, tendría la impresión de mentirte al mismo tiempo. Y eso me sería insoportable.

—Sí –dijo Marcela.

No parecía estar muy convencida.

—¡No pareces estar muy convencida!

—Sí –dijo blandamente.

—¿Tú crees que yo me miento?

—No… en fin, uno nunca puede saber. Pero no me parece. Solamente, ¿sabes lo que creo? Que estás a punto de esterilizarte un poco. Eso lo he pensado hoy. Oh, en ti todo es neto y limpio; huele a colada; es como si te hubieran pasado por una estufa. Sólo que a todo eso le falta sombra. Ya no queda nada de inútil, nada vacilante ni equívoco. Es tórrido. Y no digas que haces eso por mí; sigues tu propia pendiente; tienes el gusto de analizarte.

Mateo estaba desconcertado. Marcela se mostraba a menudo bastante dura; permanecía siempre sobre aviso, un poco agresiva, un poco desconfiada, y si Mateo no era de su opinión, creía a menudo que quería dominarla. Pero raramente había sentido en ella esa voluntad determinada de serle desagradable. Y además, estaba esa foto, sobre la cama… Contempló a Marcela con inquietud: no había llegado aún el momento en que se decidiría a hablar.

—Conocerme no me interesa tanto –dijo sencillamente.

—Lo sé –dijo Marcela–, pero eso no es un objetivo, es un medio. Es para liberarte de ti mismo, mirarte, juzgarte; ésa es tu actitud preferida. Cuando te miras, te figuras que no eres tú lo que miras, que tú no eres nada. En el fondo, tu ideal es ése: no ser nada.

—No ser nada –repitió lentamente Mateo–. No. No es eso. Escucha: yo… yo querría apoyarme sólo en mí mismo.

—Sí. Ser libre. Totalmente libre. Ése es tu vicio.

—Eso no es un vicio –djo Mateo–. Es… ¿Qué otra cosa quieres que haga?

Estaba fastidiado: todo eso se lo había explicado cien veces a Marcela, y ella sabía que era eso lo que más le importaba.

—Sí… si no tratara yo de retomar mi existencia por mi cuenta, me parecería tan absurdo existir.

Marcela había adoptado un aire risueño y obstinado:

—Sí, sí… ése es tu vicio.

Mateo pensó: "Me enerva cuando se hace la traviesa". Pero tuvo remordimientos y dijo dulcemente:

—Eso no es un vicio: así es como soy.

—Si no es un vicio, ¿por qué los otros no son así?

—Son así, sólo que no se dan cuenta.

Marcela había dejado de reír y tenía un pliegue duro y triste en la comisura de los labios.

—Yo no tengo tanta necesidad de ser libre –dijo.

Mateo miro su nuca inclinada, y se sintió incómodo: eran siempre esos remordimientos, esos remordimientos absurdos que lo acosaban cuando estaba con ella. Pensó que jamás se ponía en el lugar de Marcela: "La libertad de que le hablo es una libertad de hombre sano." Le puso la mano en el cuello, y apretó suavemente entre sus dedos esa carne untuosa, algo gastada ya.

—¡Marcela! ¿Tienes algún disgusto?

—No.

Callaron ambos. Mateo sentía placer en la punta de los dedos. Justo en la punta de los dedos. Deslizó lentamente la mano a lo largo de la espalda de Marcela, y Marcela bajó los párpados; él vio sus largas pestañas negras. Y la atrajo hacia sí: no sentía exactamente deseo de ella en ese momento, era más bien el deseo de ver ese espíritu reticente y anguloso fundirse como una aguja de hilo al sol. Marcela dejó caer su cabeza sobre el hombro de Mateo, y él vio de cerca su piel morena, sus orejas azuladas y granuladas. Pensó: "¡Dios mío! ¡Cómo envejece!" Y pensó también que él era viejo. Se inclinó sobre ella con una especie de malestar: hubiera querido olvidarse y olvidarla. Pero hacía mucho tiempo que no se olvidaba ya cuando hacía el amor con ella. La besó en la boca, Marcela tenía una bella boca, justa y severa. Ella se deslizó muy suavemente hacia atrás, y se dejó caer de espaldas en la cama, cerrando los ojos, pesada, deshecha; Mateo se levantó, se quitó el pantalón y la camisa, los dejó doblados al pie de la cama, y luego se tendió contra ella. Pero vio que tenía los ojos bien abiertos y fijos; miraba el techo, con las manos cruzadas bajo la cabeza.

—Marcela –dijo.

Ella no contestó; tenía un aire malhumorado; y luego, bruscamente, se incorporó. Él se volvió a sentar en el borde de la cama, molesto de sentirse desnudo.

—Ahora –dijo firmemente– vas a decirme qué es lo que hay.

—No hay nada –dijo ella con voz acobardada.

—Sí –dijo él con ternura–. Hay algo que te importuna, ¡Marcela! ¿Acaso no nos lo decimos todo?

—Tú no puedes hacer nada y va a fastidiarte.

Él le acarició ligeramente los cabellos.

—Dilo de todos modos.

—Bueno, pues es eso.

—¿Qué? ¿Qué es lo que es eso?

—¡Eso!

Mateo hizo una mueca:

—¿Estás segura?

—Completamente segura. Ya sabes que no me enloquezco nunca: ya van dos meses de retraso.

—¡Cuernos! –dijo Mateo.

Pensaba: "Hace por lo menos tres semanas que hubiera debido decírmelo". Tenía ganas de hacer algo con las manos: por ejemplo, cargar su pipa; pero la pipa estaba en el armario con su chaqueta. Tomó un cigarrillo de la mesa de noche y lo volvió a dejar en seguida.

—¡Bueno, ya está! Ya sabes lo que pasa –dijo Marcela–. ¿Qué es lo que hacemos?

—Bueno, pues lo… lo deshacemos, ¿no?

—Está bien. Yo tengo una dirección –dijo Marcela.

—¿Quién te la dio?

—Andrea. Ella estuvo allí.

—¿Es la individua que la reventó el año pasado? Pero, vamos, tuvo para seis meses antes de reponerse. No quiero.

—¿Entonces? ¿Quieres ser padre?

Ella se desprendió, se volvió a sentar a alguna distancia de Mateo. Tenía un aire duro, pero no de hombre. Había posado sus manos abiertas sobre las caderas, y sus brazos se asemejaban a dos asas de tierra cocida. Mateo advirtió que su cara se había vuelto gris. El aire era rosado y azucarado, uno respiraba lo rosado y se lo comía: y de pronto se encontraba con esa cara gris, con esa mirada fija: se hubiera dicho que ella se reprimía para no toser.

—Espera –dijo Mateo–; tú me lo dices así, bruscamente; hay que reflexionar.

Las manos de Marcela se pusieron a temblar, y dijo con súbita pasión:

—Yo no necesito que reflexiones; no es a ti a quien le corresponde reflexionar:

Había vuelto la cabeza hacia él y lo miraba. Miró el cuello, los hombros y los costados de Mateo, luego su mirada descendió más aún. Tenía un aire atónito. Mateo enrojeció violentamente y apretó las piernas.

—Tú no puedes nada –repitió Marcela. Y agregó con penosa ironía:

—Ahora, esto es un asunto de mujeres.

Su boca se contrajo sobre las últimas palabras; una boca barnizada con reflejos malvas, un insecto escarlata, ocupado en devorar ese rostro ceniciento. "Está humillada, pensó Mateo; me odia." Tenía ganas de vomitar. La habitación parecía haberse vaciado de golpe de su humareda rosada; había grandes vacíos entre los objetos. Mateo pensó: "¡Yo le he hecho *eso*!" Y la lámpara, el espejo con sus brillos plomizos, el pequeño reloj, el sillón, el armario entreabierto, le parecieron de pronto mecanismos implacables: los habían desencadenado, y ellos desarrollaban en el vacío sus gráciles existencias, con una testarudez rígida, como el revés de un platillo obstinado en repetir su ritornelo. Mateo se sacudió, sin poder arrancarse a ese mundo siniestro y acidulado. Marcela no se había movido, miraba siempre el vientre de Mateo, y esa flor culpable que reposaba blandamente sobre sus muslos, con un impertinente aire de inocencia. Mateo sabía que ella tenía ganas de gritar y sollozar, pero que no lo haría por miedo de despertar a la señora Duffet. Cogió bruscamente a Marcela por la cintura y la atrajo hacia sí. Ella se abatió sobre su hombro, y sollozó tres o cuatro veces, sin lágrimas. Era todo lo que podía permitirse; una tormenta en seco.

Cuando levantó la cabeza, estaba calmada. Y dijo, con voz positiva.

—Perdóname, Mateo, necesitaba un desahogo: me estaba conteniendo desde esta mañana. Naturalmente, no te reprocho nada.

—Tendrías todo el derecho del mundo –dijo Mateo–. No me siento orgulloso. Es la primera vez... ¡Caramba, qué porquería! Yo cometo la estupidez y eres tú quien la paga. En fin, ya está hecho, ya está hecho. Oye, ¿quién es esa individua, dónde vive?

—En la calle Morère, 24. Parece que es una individua extraordinaria.

—Me lo imagino. ¿Tú le dirías que ibas de parte de Andrea?

—Sí. No cobra más que cuatrocientos francos. Parece que es un precio irrisorio, ¿sabes? –dijo de pronto Marcela con voz razonable.

—Sí, ya veo –dijo Mateo con amargura–; en suma, es una ocasión.

Se sentía torpe como un novio. Un gran tipo torpe y completamente desnudo, que había cometido una torpeza y sonreía amablemente para hacerse perdonar. Pero ella no podía perdonarlo: ella veía sus muslos blancos, musculosos, algo cortos de desnudez satisfecha y perentoria. Era una pesadilla grotesca. "Si yo fuera ella, tendría ganas de golpear sobre este montón de carne." Dijo:

—Eso es justamente lo que me inquieta: que no cobra bastante.

—Y muchas gracias –dijo Marcela–. Podemos dar por bien servidos de que pida tan poco; justamente,

tengo los cuatrocientos francos, eran para mi costure-
ra, pero tendrá que esperar. Y estoy persuadida, ¿sabes? –agregó con fuerza– de que me va a atender tan
bien como en esas famosas clínicas clandestinas, donde
cobran cuatro mil francos como si fuera un centavo.
Por lo demás, no podemos elegir.

—No podemos elegir –repitió Mateo–. ¿Cuándo
vas a ir?

—Mañana, a medianoche. Parece que no recibe más
que de noche. Delicioso, ¿eh? Creo que está un poco
chiflada, pero a mí me resulta mejor, a causa de mamá.
De día atiende una mercería; no duerme casi nunca. Se
entra por un patio, uno ve luz debajo de una puerta, y
ahí está.

—Bueno –dijo Mateo–, bueno, yo voy a ir.

—¿Estás loco? Te va a echar, te va a tomar por un tipo de la policía.

—Yo voy a ir –repitió Mateo.

—Pero, ¿por qué? ¿Qué le vas a decir?

—Quiero darme cuenta, ver cómo es. Si no me gusta, no vas a ir. No quiero que una vieja loca haga una
carnicería contigo. Diré que voy de parte de Andrea,
que tengo una amiga que anda en dificultades, pero
que está con gripe en ese momento, cualquier cosa.

—¿Y entonces? ¿Adónde voy a ir si eso no resulta?

—Siempre tenemos dos días para movernos, ¿no?
Mañana iré a ver a Sarah, ella conoce seguramente a alguien. Al principio, te acuerdas, ellos no querían hijos.

Marcela parecía algo más tranquila; le acarició la
nuca:

—Qué amable eres, querido mío, no me doy mucha
cuenta de lo que vas a hacer, pero comprendo que quieres hacer algo; tú preferirías que te operaran en mi lu-

gar, ¿eh? –Le echó sus hermosos brazos al cuello y agregó en tono de resignación cómica:

—Si le preguntas a Sarah va a ser seguramente un judío.

Mateo la besó y ella se ablandó toda. Dijo:

—Querido, querido.

—Quítate la camisa.

Marcela obedeció y él la tumbó sobre la cama; le acarició los senos. Le gustaban sus gruesas puntas de cuero, bordeadas por granulaciones febriles. Marcela suspiraba, cerrados los ojos, pasiva y glotona. Pero sus párpados se crispaban. La turbación se demoró un momento, posada sobre Mateo como una mano tibia. Y después, de golpe, Mateo pensó: "Está encinta."

Se volvió a sentar. Su cabeza zumbaba aún con una agria música.

—Escucha, Marcela, esto no marcha, hoy. Los dos estamos demasiado nerviosos. Perdóname.

Marcela dejó oír un pequeño gruñido soñoliento, después se levantó bruscamente y se puso a revolver a dos manos entre sus cabellos.

—Como quieras –dijo fríamente.

Y agregó con mayor amabilidad:

—En el fondo, tienes razón, estamos demasiado nerviosos. Yo deseaba tus caricias, pero les tenía aprensión.

—Desgraciadamente –dijo Mateo– el mal está hecho; ya no tenemos nada que temer.

—Lo sé, pero no era algo razonado. No sé cómo decírtelo; me das un poco de miedo, querido.

Mateo se levantó.

—Bueno. Pues iré a ver a esa vieja.

—Si. Telefonéame mañana para decirme en qué queda.

—¿No podría verte mañana por la noche? Eso sería mucho más sencillo.

—No, mañana por la noche, no. Pasado mañana, si quieres.

Mateo se había puesto la camisa y el pantalón. Besó a Marcela en los ojos:

—¿No me odias?

—Esto no es culpa tuya. Ha ocurrido una sola vez en siete años, nada tienes que reprocharte. Y yo, ¿no te doy asco, por lo menos?

—Estás loca.

—Me doy un poco de asco a mí misma, ¿sabes? Me hace el efecto de ser un gran montón de alimentos.

—Chiquita –dijo Mateo tiernamente–, mi pobre chiquita. Antes de ocho días todo estará arreglado, te lo prometo.

Abrió la puerta sin ruido y, se deslizó afuera, con los zapatos en la mano. Se volvió desde el umbral: Marcela se había quedado en la cama, y le sonreía, pero Mateo sintió la impresión de que le guardaba rencor.

Algo se desprendió en sus ojos fijos, que giraron cómodos en sus órbitas, tranquilos y blandos; Marcela no lo miraba ya, ya no tenía que darle cuenta de sus miradas. Oculta por sus ropas oscuras y por la noche, su carne culpable se sentía al abrigo, volvía a recobrar poco a poco su tibieza y su inocencia, comenzaba a expandirse bajo las telas, la alcuza, traer la alcuza pasado mañana, ¿cómo voy a hacer para acordarme? Estaba solo.

Y se detuvo, traspasado: eso no era cierto, no estaba solo. Marcela no lo había soltado, pensaba en él, pensaba: "Qué miserable, me ha hecho esto, se ha dejado ir en mí, como un mocoso que se orina en la cama." Por mucho que caminara a grandes pasos en la calle desierta, negro, anónimo, hundido en su ropa hasta el cuello, no se le escaparía. La conciencia de Marcela había quedado allá, llena de desgracias y de gritos, y Mateo no la había dejado: él también estaba allá, en la habitación rosada, Glesnudo y sin defensa ante esa pesada transparencia, más molesta que una mirada. "Una sola vez", se dijo con rabia. Y repitió a media voz para convencer a Marcela: "Una sola vez en siete años." Marcela no se dejaba convencer: se había quedado en la habitación y pensaba en Mateo. Era intolerable, ser juzgado así, odiado allá, en silencio. Sin poder defenderse, ni siquiera taparse el vientre con las manos. Si al menos, en el mismo segundo, hubiera podido existir *para otros* con esa fuerza… Pero Santiago y Odette dormían; Daniel estaba borracho o embrutecido. Ivich no pensaba jamás en los ausentes. Boris quizá… Pero la conciencia de Boris no podía luchar contra esa lucidez feroz e inmóvil que fascinaba a Mateo a distancia. La noche había amortajado la mayor parte de las conciencias: Mateo estaba solo con Marcela en la noche. Una pareja.

Había luz en el café de Camus. El patrón amontonaba las sillas unas sobre otras; la sirvienta cerraba un postigo de madera contra una de las hojas de la puerta. Mateo empujó la otra hoja y entró. Tenía ganas de hacerse ver. Simplemente de hacerse ver. Se acodó en el mostrador.

—Buenas noches a todo el mundo.

El patrón lo miró. Había también un empleado de la T.C.R.P., que bebía un "pernod", con la gorra sobre los ojos. Conciencias. Conciencias afables y distraídas.

El empleado se echó hacia atrás la gorra de un papirotazo y miró a Mateo. La conciencia de Marcela soltó su presa y se diluyó en la noche.

—Déme media botella.

—Se le ve poco ahora –dijo el patrón.

—No será porque no tenga sed.

—Cierto que es como para tener sed –dijo el empleado–. Parece que estuviéramos en lo mejor del verano.

Callaron. El patrón ordenaba los vasos, el empleado silboteaba. Mateo estaba contento porque lo miraban de cuando en cuando. Vio su cabeza en el espejo, que emergía, descolorida y redonda, de un mar de plata: en Camus, siempre se tenía la impresión de que eran las cuatro de la mañana a causa de la luz: una bruma plateada que tironeaba los ojos y blanqueaba las caras, las manos, los pensamientos. Mateo bebió. Y pensó: "Está encinta. Es colosal: no tengo la impresión de que sea cierto". Aquello le parecía chocante y grotesco, como cuando se ve a un viejo y a una vieja que se besan en la boca; después de siete años esas historias no deberían ocurrir. "Está encinta." En su vientre había un pequeño charco vidrioso que se hinchaba suavemente, y que al final sería un ojo: "Eso se expande en medio de las porquerías que ella tiene en el vientre, está vivo." Y vio un largo alfiler que avanzaba vacilando en la penumbra. Hubo un ruido blando y el ojo estalló, reventado: no quedó sino una membrana opaca y seca. "Irá a casa de esa vieja; va a hacer que la destrocen." Se sentía venenoso. "Está bien." Y se sacudió; eran pensamientos descoloridos, pensamientos de las cuatro de la mañana.

—Buenas noches.

Pagó y salió.

"¿Qué es lo que he hecho?" Caminaba suavemente, tratando de acordarse. "Hace dos meses..." No se acordaba en absoluto, o entonces tenía que haber sido después de las vacaciones de Pascua. Había tomado a Marcela en sus brazos como de costumbre, por ternura, indudablemente, por ternura más bien que por deseo; y ahora... Estaba arreglado. "Un mocoso. Creí procurarle sólo placer y le hice un mocoso. No comprendí nada de lo que hacía. Ahora le voy a largar cuatrocientos francos a esa vieja, ella va a hundir su instrumento entre las piernas de Marcela y la va a raspar; la vida se marchará como vino; y yo seré tan imbécil como antes; al destruir esta vida, lo mismo que al crearla, no habré sabido lo que hacía." Tuvo una risilla seca: "¿Y los otros? ¿Los que deciden gravemente ser padres y se sienten genitores cuando miran el vientre de su mujer, acaso comprenden mejor que yo? Llegan a eso a ciegas, en tres coletazos. El resto es trabajo de cámara oscura y de gelatina, como la fotografía. Eso se hace sin ellos". Entró en un patio y vio luz debajo de una puerta: "Es aquí." Le daba vergüenza.

Mateo llamó.

—¿Quién es? –dijo una voz.

—Querría hablar con usted.

—Éstas no son horas de hablar con la gente.

—Vengo de parte de Andrea Besnier.

La puerta se entreabrió. Mateo vio una mecha de cabellos amarillos y una gran nariz.

—¿Qué es lo que quiere? No me venga con que es de la policía porque le va a salir mal, estoy en regla. Tengo el derecho de tener luz en mi casa toda la noche, si me da la gana. Si usted es inspector no tiene más que mostrarme su tarjeta.

—Yo no soy de la policía –dijo Mateo–. Tengo una dificultad y me han dicho que podía dirigirme a usted.

—Entre.

Mateo entró. La vieja vestía un pantalón de hombre y una blusa con cierre relámpago. Era muy flaca, con ojos fijos y duros.

—¿Usted conoce a Andrea Besnier?

Lo examinaba con aire furioso.

—Si –dijo Mateo–. Ella vino a verla a usted el año pasado, para Navidad, porque tenía ciertas cuestiones; estuvo bastante enferma y usted fue cuatro veces a su casa para atenderla.

—¿Y qué hay?

Mateo miraba las manos de la vieja. Eran manos de hombre, de estrangulador. Estaban reventadas, endurecidas, con uñas al ras y negras cicatrices y cortaduras. Sobre la primera falange del pulgar izquierdo había equimosis violetas y una gran costra negra. Mateo se estremeció pensando en la carne tierna y morena de Marcela.

—Yo no vengo por ella –dijo–, vengo por una de sus amigas.

La vieja tenía una risa seca.

—Es la primera vez que un hombre tiene el tupé de venir a pavonearse delante de mí. No quiero tratar nada con hombres, ¿comprende?

La pieza estaba sucia y en desorden. Había cajas por todas partes y paja en el piso de baldosas. Sobre una mesa, Mateo vio una botella de ron y un vaso a medio llenar.

—He venido porque me mandó mi amiga. Ella no puede venir hoy, me rogó que me entendiera con usted.

En el fondo de la habitación había una puerta entreabierta. Mateo hubiera jurado que había alguien detrás de esa puerta. La vieja le dijo:

—Esas pobres chicas son demasiado estúpidas. A usted no hay más que mirarlo para ver que es la clase de tipo propio para producir una desgracia, para volear las copas o romper los espejos. Y pese a todo, ellas les confían lo que tienen de más precioso. Al fin y al cabo, no tienen sino lo que merecen.

Mateo siguió siendo cortés.

—Yo querría ver dónde opera usted.

La vieja le lanzó una mirada de odio y de desconfianza:

—¡Pero dígame! ¿Quién le ha dicho a usted que yo opero? ¿De qué está hablando? ¿En qué se mete? Si su amiga quiere verme, que venga. No quiero tratar más que con ella. ¿Usted quería darse cuenta, no? ¿Le pidió ella que se diera cuenta antes de ponerse entre sus patas? Usted ha ocasionado una desgracia. Bueno, pues desee que yo sea más hábil que usted, es todo lo que puedo decirle. Adiós.

—Hasta la vista, señora –dijo Mateo.

Salió. Se sentía liberado. Regresó lentamente hacia la avenida de Orleáns; por primera vez desde que la dejara, podía pensar en Marcela sin angustias, sin horror, con una tierna tristeza. "Mañana iré a casa de Sarah", pensó.

II

Boris miraba el mantel de cuadros rojos y pensaba en Mateo Delarue. Pensaba: "Es un buen tipo". La orquesta había callado, el aire estaba completamente azul, y las gentes conversaban. Boris conocía a todo el mundo en la estrecha salita: no eran gentes que fueran allí para divertirse; iban después del trabajo, estaban graves y tenían hambre. El negro frente a Lola era el cantor del "Paradise"; los seis tipos del fondo con sus compañeras eran los músicos del "Nenette". Estaba claro que les había pasado algo, algo bueno e inesperado, quizá un contrato para el verano (la víspera habían hablado vagamente de una "boite" en Constantinopla), Porque habían pedido champán y generalmente eran más bien mezquinos. Boris vio también a la rubia que bailaba de marinero en el "Java". El flaco alto, de anteojos, que fumaba un cigarro era el director de una "boite" de la calle Tholoze, que la prefectura de policía acababa de hacer cerrar. Decía que la volvería a abrir muy pronto porque tenía influencias en las altas esferas. Boris lamentaba amargamente no haber ido, iría seguramente si la volvían a abrir. El tipo estaba con un marica que de lejos parecía bastante agradable, un rubio de rostro delgado, que no hacía demasiadas contorsiones y tenía gracia. A Boris no le eran muy simpáticos los pederastas, porque lo perseguían continuamente, pero Ivich los apreciaba, porque decía: "ésos al menos tienen el coraje de no ser como todo el mundo". Boris tenía en alta estima las opiniones de su hermana, y hacía leales esfuerzos para estimar a los maricas. El negro comía choucroute. Boris pensó: "No me gusta el choucroute". Hubiera querido saber el nombre del plato que habían servido a la bailarina del "Java": una cosa castaña que tenía buen aspecto. Había una mancha de vino tinto en el mantel. Una hermosa mancha; se hubiera dicho que el mantel era de raso en ese punto; Lola había esparcido un poco de sal sobre la mancha, porque era cuidadosa. La sal es-

taba rosada. No es cierto que la sal absorba las manchas. Había que decir a Lola que la sal no absorbía las
manchas. Pero hubiera sido necesario hablar y Boris
sentía que no podía arrancarse la menor palabra, su voz
estaba muerta. Aquello era voluptuoso; su voz flotaba
en el fondo de su garganta, suave como algodón y no
podía salir: estaba muerta. Boris pensó: "Me gusta Delarue", y se alegró. Se hubiera alegrado más si no hubiera sentido en todo su costado izquierdo, desde la sien
hasta el flanco, que Lola lo miraba. Seguramente era
una mirada apasionada; Lola apenas si podía mirar de
otro modo. Era un poco molesto, porque las miradas
apasionadas exigen en retribución gestos amables o sonrisas, y Boris no hubiera podido hacer el menor movimiento. Estaba paralizado. Sólo que eso no tenía importancia: se suponía que él no veía la mirada de Lola; él la
adivinaba pero eso no era asunto suyo. Así, vuelto como
estaba, con los cabellos sobre los ojos, no veía ni el más
mínimo pedacito de Lola, podía muy bien suponer que
ella miraba la sala y la gente. Boris no tenía sueño, estaba más bien a gusto porque conocía a todo el mundo en
la sala; vio la lengua rosa del negro; Boris sentía estima-
ción por ese negro; una vez el negro se había descalzado,
había tomado una caja de fósforos con los dedos de los
pies, la había abierto, había retirado un fósforo y lo había encendido, siempre con los dedos de los pies. "Ese
sujeto es formidable, pensó Boris con admiración. Todo
el mundo debería saber servirse de los pies como de las
manos." Su costado izquierdo le dolía a fuerza de ser
contemplado: sabía que se aproximaba el momento en
que Lola le había de preguntar: "¿En qué piensas?". Era
absolutamente imposible retardar esta pregunta; la cosa
no dependía de él: Lola la formularía a su hora, con una

especie de fatalidad. Boris sentía la impresión de gozar de un pequeñísimo fragmento de tiempo, infinitamente precioso. En el fondo, era más bien agradable; Boris veía el vaso de Lola (Lola había cenado; ella no comía nunca antes de su turno de cantar). Había bebido Château Gruau, se cuidaba bien, se permitía una cantidad de caprichitos porque le desesperaba tanto envejecer. Quedaba un poco de vino en el vaso, se hubiera dicho que era sangre polvorienta. El jazz comenzó a tocar *If the moon turns green* y Boris se preguntó: "¿Sabría yo cantar esa tonada?" Hubiera sido formidable pavonearse por la calle Pigalle al claro de la luna, silbando un airecillo. Delarue le había dicho: "Usted silba como un cerdo". Boris rió para sí mismo y pensó: "¡Ese idiota!" Desbordaba de simpatía por Mateo. Lanzó una mirada de reojo sin mover la cabeza y percibió los ojos pesados de Lola por debajo de una suntuosa mecha de cabellos rojos. En el fondo, una mirada era cosa que se soportaba muy bien. Bastaba con habituarse a ese calor particular que viene a abrasar nuestro rostro cuando uno siente que alguien lo observa apasionadamente. Boris abandonaba dócilmente a las miradas de Lola su cuerpo, su nuca delgada y ese perdido perfil que ella amaba tanto; a ese precio, podía sumergirse profundamente en sí mismo, y ocuparse de los pensamientos pequeños y graciosos que se le ocurrían.

—¿En qué piensas? –preguntó Lola.

—En nada.

—Siempre se piensa en algo.

—Yo no pensaba en nada –dijo Boris.

—¿Ni siquiera en que te gusta la tonada que tocan o en que querrías aprender a manejar las castañuelas?

—Sí, en pavadas como ésas.

—Ya ves. ¿Por qué no me lo dices? Querría saber todo lo que piensas.

—Eso no se dice, no tiene importancia.

—¡Eso no tiene importancia! ¡Como si no tuvieras lengua más que para hablar de filosofía con tu profe!

Él la miró y sonrió: "Me gusta mucho porque es pelirroja y tiene aspecto de vieja".

—Pedazo de mocoso –dijo Lola.

Boris guiñó los ojos y adoptó un aire suplicante. No le gustaba que le hablaran de él; era siempre tan complicado que se perdía. Lola parecía estar encolerizada, pero era simplemente que lo amaba con pasión y que se atormentaba por él. Había momentos así en que eso era más fuerte que ella, se le subía la sangre a la cabeza sin motivo, miraba a Boris con extravío, no sabía qué hacer con él y sus manos se agitaban solas. Al comienzo Boris se asombraba, pero ahora se había acostumbrado. Lola puso la mano sobre la cabeza de Boris.

—Me pregunto qué hay ahí dentro –dijo–. Me da miedo.

—¿Por qué? Te juro que es inocente –dijo Boris riendo.

—Sí, pero no puedo decirte... la cosa viene por sí sola, yo no hago nada, cada uno de tus pensamientos es una pequeña fuga.

Ella le revolvió los cabellos.

—No me levante la mecha –dijo Boris–. No me gusta que me vean la frente.

Le tomó la mano, se la acarició un poco y la dejó sobre la mesa.

—Tú estás ahí, eres muy tierno –dijo Lola–; creo que estás bien conmigo y luego, ya no hay nadie, me pregunto dónde te has marchado.

—Estoy aquí.

Lola lo miraba de muy cerca. Su rostro descolorido estaba desfigurado por una generosidad triste, era precisamente la clase de aire que ella tomaba para cantar *Los despellejados*. Avanzaba los labios enormes, esos labios enormes de comisuras caídas, que él amara al principio. Después de haberlos sentido sobre su boca, le hacían el efecto de una desnudez húmeda y afiebrada, en medio mismo de una máscara de yeso. Ahora prefería la piel de Lola; era tan blanca que no parecía verdadera. Lola preguntó tímidamente:

—Tú... ¿tú no te aburres conmigo?

—Yo no me aburro nunca.

Lola suspiró y Boris pensó con satisfacción: es colosal el aire de vejez que tiene; ella no lo dice, pero es seguro que debe de andar por los cuarenta. Le gustaba mucho que las gentes ligadas a él parecieran de edad, le parecía tranquilizador. Además, eso les otorgaba una especie de fragilidad algo terrible, que no se distinguía en el primer momento porque todos tenían la piel teñida como un cuero. Boris sintió deseos de besar el rostro conmovido de Lola, pensó que estaba reventada, que había fracasado en su vida, y que estaba sola, todavía más sola quizás desde que él la amaba. "No puedo hacer nada por ella", pensó con resignación. La encontraba, en ese momento, formidablemente simpática.

—Tengo vergüenza –dijo Lola.

Tenía una voz pesada y sombría como una cortina de terciopelo rojo.

—¿Por qué?

Él dijo:

—Me encanta cuando tú dices chiquillo.[1] Es una

[1] En francés "môme". N. del T.

linda palabra para tu voz a causa del acento circunflejo. En *Los despellejados* dices dos veces chiquillo y solamente por eso iría a escucharte. ¿Había gente esta tarde?

—¡Morralla!… Venidos de quién sabe dónde, charloteaban todo el tiempo. Tenían tantas ganas de oírme como de ahorcarse. Sarrunyan tuvo que hacerlos callar; yo estaba molesta, sabes, tenía la impresión de ser indiscreta. De cualquier modo, aplaudieron cuando entré.

—Es natural.

—Estoy harta –dijo Lola–. Me asquea cantar para esos idiotas. Tipos que van allí porque tienen que retribuir una invitación a un matrimonio. Si los vieras gastarse todos en sonrisas; se inclinan, sostienen la silla de la individua mientras ella se sienta.. Entonces, naturalmente, tú los molestas cuando actúas; te miran de arriba abajo. Boris –dijo Lola bruscamente–, yo canto para vivir.

—Claro que sí.

—Si hubiera pensado que acabaría así, no hubiera empezado nunca.

—De cualquier modo, cuando cantabas en el music-hall también vivías de tu canto.

—No era lo mismo.

Hubo un silencio; luego Lola se apresuró a agregar

—Oye, le hablé esta tarde al tipito que canta después de mí, el nuevo. Es cortés, pero es tan ruso como yo.

"Cree que me aburre", pensó Boris. Y se prometió decirle de una vez por todas que no lo aburría jamás. No hoy, más tarde.

—¿Tal vez ha aprendido ruso?

LA EDAD DE LA RAZÓN

—Pero tú –dijo Lola– deberías poder decirme si tiene buen acento.

—Mis padres salieron de Rusia el 17; yo tenía tres meses.

—Es cómico que tú no sepas ruso –concluyó Lola con aire pensativo.

"¡Es formidable!, pensó Boris; se avergüenza de amarme porque es más vieja que yo. A mí eso me parece natural, forzosamente tiene que haber uno de más edad que el otro." Sobre todo era más moral; Boris no hubiera sabido amar a una chica de su edad. Si los dos son jóvenes, no saben conducirse, se embrollan, tienen siempre la impresión de jugar a las muñecas. Con las personas de edad madura no es lo mismo. Son sólidas, lo dirigen a uno y luego su amor tiene peso. Cuando Boris estaba con Lola, tenía la aprobación de su conciencia, se sentía justificado. Naturalmente, prefería la compañía de Mateo porque Mateo no era una pobre mujer: un tipo es más divertido. Y además Mateo le explicaba algunos trucos, Sólo que Boris se preguntaba a menudo si Mateo sentía amistad por él. Mateo era indiferente y brutal, y claro está que los tipos entre sí no deben ser tiernos jamás, pero hay otras mil maneras de demostrar que se aprecia a alguien, y a Boris le parecía que Mateo hubiera podido muy bien de tiempo en tiempo tener una palabra o un gesto que indicara su afección. Con Ivich, Mateo era muy diferente. Boris volvió a ver de pronto el rostro de Mateo un día que ayudaba a Ivich a ponerse el abrigo; y sintió en el corazón un picotazo desagradable. La sonrisa de Mateo: sobre esa boca amarga que a Boris le gustaba tanto, esa absurda sonrisa avergonzada y tierna. Pero inmediatamente la cabeza de Boris se llenó de humo y no pensó ya en nada.

—Ya se marchó de nuevo –dijo Lola.

Lo contemplaba con ansiedad.

—Pensaba en Delarue –dijo Boris de mala gana.

Lola tuvo una sonrisa triste:

—¿No podrías también a veces, pensar un poco en mí?

—No necesito pensar en ti, puesto que estás al lado.

—¿Por qué piensas siempre en Delarue? ¿Querrías estar con él?

—Estoy contento de estar aquí.

—¿Estás contento de estar aquí, o contento de estar conmigo?

—Es lo mismo.

—Para ti es lo mismo. Pero no para mí. Cuando estoy contigo me importa un bledo estar aquí o en otra parte. Por lo demás, nunca estoy contenta de estar contigo.

—¿No? –preguntó Boris con sorpresa.

—Eso no es estar contenta. No hay necesidad de que te hagas el tonto, lo sabes muy bien: yo te he visto con Delarue cuando está él, tú no sabes siquiera dónde estás.

—Eso no es lo mismo.

Lola acercó a él su hermoso rostro arruinado: tenía un aire implorante.

—Pero mírame y dime por qué te importa él tanto.

—No sé. No me importa tanto. Él está bien. Lola, me molesta hablarte de él, porque me has dicho que no podías tragarlo.

Lola sonrió con aire forzado.

—Vean cómo se da vuelta. Pero, niñito mío, yo no te he dicho que no pudiera tragarlo; sencillamente, nunca he comprendido lo que encontrabas en él de tan extraordinario. Explícame, pues; lo único que quiero es comprenderlo.

Boris pensó: "No es cierto; apenas haya dicho yo tres palabras, se pone a toser".

—Yo encuentro que es simpático –dijo prudentemente.

—Siempre me dices eso. No es precisamente esa palabra la que yo elegiría. Dime que tiene aire de inteligencia, que es instruido; estoy de acuerdo. Pero no simpático. En fin, yo te digo mi impresión; para mí un tipo simpático es alguien como Mauricio, alguien de una pieza; pero él pone incómoda a la gente porque no es ni carne ni pescado, engaña a todos. Mira, piensa en sus manos.

—¿Y qué es lo que tienen sus manos? A mí me gustan mucho.

—Son rudas manos de obrero. Y tiemblan siempre un poco como si acabaran de terminar un trabajo de fuerza.

—Bueno, justamente.

—Ah, claro, pero es que él no es obrero. Cuando lo veo cerrar su manaza sobre un vaso de whisky, tiene más bien aspecto duro y de gozador, no me disgusta; sólo que después no hay que verlo a punto de beber con esa boca que tiene, esa boca de cura. Yo no te puedo explicar, lo encuentro austero, y luego, si miras sus ojos, uno ve perfectamente que tiene instrucción, es el individuo al que no le gusta nada sencillamente, ni beber, ni comer, ni acostarse con las mujeres; él tiene que reflexionar sobre todo, lo mismo que esa voz que tiene, una voz cortante de señor que no se equivoca nunca; yo comprendo que es el oficio el que hace eso, cuando se explica a los mocosos; yo tenía un maestro que habla-

ba como él, pero ya no estoy en la escuela, eso me harta; yo comprendo que uno sea o una cosa u otra, un
bruto cualquiera o del género distinguido, maestro o
pastor, pero no las dos cosas a la vez. Yo no sé si hay
mujeres a las que les guste eso, hay que creer que sí, pero a mí, te lo digo francamente, me asquearía que me
tocara un tipo como ése, no me gustaría sentir encima
sus patas de pendenciero, mientras soportara la ducha
helada de sus ojos.

Lola tomó aliento. "Qué le irá a dar", pensó Boris.
Pero estaba muy apacible. Las gentes que lo querían no
estaban obligadas a quererse entre sí, y a Boris le parecía naturalísimo que cada uno de ellos tratara de apar-
tarlo de los otros.

—Yo te comprendo muy bien –prosiguió Lola con
aire conciliador–; tú no lo ves con los mismos ojos que
yo, porque ha sido tu profe, estás influido; me doy
cuenta de eso en un montón de tonterías; por ejemplo,
tú que eres tan severo para la manera de vestir de las
gentes, y jamás las encuentras suficientemente elegan-
tes, justamente él está siempre como una bolsa, se pone corbatas que no querría el mozo de mi hotel, y, sin
embargo, a ti no te importa.

Boris, que se sentía entumecido y pacífico, explicó:

—No tiene importancia que uno ande arreglado a la
diabla cuando no se ocupa de su arreglo. Lo zopenco es
querer "epatar" y no conseguir nada.

—Tú sí que lo consigues, so putito –dijo Lola.

—Sé lo que me sienta bien –dijo Boris modestamente.

Pensó que vestía una tricota azul con gruesas nerva-
duras y se puso contento: era una bonita tricota. Lola
le había tomado la mano y la hacía saltar entre las suyas. Boris miró su mano que saltaba y recaía, y pensó:

no es mía, parece un buñuelo. Ya no la sentía; aquello lo divirtió y removió un dedo para hacerla revivir. El dedo rozó la palma de Lola, y Lola le lanzó una mirada de agradecimiento. "Eso es lo que me intimida", pensó Boris con fastidio. Se dijo que seguramente le sería más fácil mostrarse tierno, si Lola no manifestara tan a menudo esas expresiones humildes y derretidas. Por lo que se refiere a dejarse manosear las manos en público por una jamona, eso no lo molestaba en absoluto. Hacía mucho que pensaba que ése era su estilo; hasta cuando estaba solo, en el subte, por ejemplo, la gente lo miraba con aire de escandalizado, y las muchachitas que salían del taller se le reían en la cara. Lola dijo bruscamente:

—No me dijiste al fin por qué lo encontrabas tan bien.

Ella era así; jamás podía detenerse cuando empezaba. Boris estaba seguro de que ella sufría, pero en el fondo debía de gustarle. La miró: el aire estaba azul a su alrededor, y su rostro era de un blanco azulado. Pero los ojos seguían afiebrados y duros.

—Dime, ¿por qué?

—Pues porque lo está. Oh –gimió Boris–, me desespera. A él nada le importa.

—¿Y está bien que no le importe nada? ¿A ti nada te importa?

—Nada.

—Sin embargo, yo te importo un poquito, me parece.

—Ah, sí, tú me importas.

Lola adoptó un aire desdichado y Boris apartó la cabeza. Realmente no le gustaba mirarla mucho cuando tenía ese aire. Lola se atormentaba; a Boris aquello le parecía estúpido, pero no podía hacer nada. Hacía cuanto de él dependía. Era fiel a Lola, le telefoneaba a menudo, iba a buscarla tres veces por semana a la salida de "Sumatra" y esas noches se acostaba con ella. Lo demás, era una cuestión de carácter probablemente. También una cuestión de edad, pues los viejos son ásperos y siempre se diría que es su vida la que está en juego. Una vez, cuando Boris era pequeño, había tirado su cuchara; se le ordenó que la recogiera y él se negó empecinándose. Entonces, su padre dijo en tono de majestad inolvidable: "Bueno, pues seré yo quien la recoja". Boris había visto un gran cuerpo que se encorvaba con rigidez, un cráneo calvo, oyó crujidos, aquello era un sacrilegio intolerable: terminó estallando en sollozos. Desde entonces Boris consideró a los adultos como divinidades voluminosas e impotentes. Si se inclinaban, daban la impresión de que iban a romperse; si daban un paso en falso y se balanceaban en el aire, se sentía uno dividido entre las ganas de reír y el horror religioso. Y si tenían lágrimas en los ojos, como Lola en ese momento, uno no sabía ya dónde meterse. Las lágrimas de los adultos eran una catástrofe mística, algo como los llantos que Dios derrama sobre la malignidad del hombre. Desde otro punto de vista, naturalmente, alababa a Lola por ser tan apasionada. Mateo le había explicado que era menester tener pasiones, cosa que también había dicho Descartes.

—Delarue tiene pasiones –dijo, prosiguiendo en voz alta su pensamiento–, pero eso no impide que nada lo retenga. Él es libre.

—Con ese criterio yo también soy libre: lo único que me retiene eres tú.

Boris no respondió.

—¿No soy libre yo? –preguntó Lola.

—No es lo mismo.

Demasiado difícil de explicar. Lola era una víctima y además no tenía suerte, y además era demasiado emocionante. Todo eso no iba en su favor. Y además se hacía la heroína. Eso estaba bien, en cierto sentido; hasta estaba completamente bien, en principio; Boris había hablado de eso con Ivich y los dos habían convenido en que estaba bien. Pero había que considerar la manera: si uno lo hace para destruirse, o por desesperación, o para afirmar su libertad, no merece más que elogios. Pero Lola lo hacía con un abandono goloso, era su momento de relajamiento. Y por lo demás ni siquiera estaba intoxicada.

—Me haces reír –dijo Lola secamente–. Siempre pones a Delarue, por principio, por encima de los demás. Porque, mira, entre nosotros, yo me pregunto cuál de los dos es más libre, si él o yo: él vive en su casa, tiene un sueldo fijo, una jubilación asegurada, vive como un pequeño funcionario. Y además, tiene ese acomodo del que tú me has hablado, esa fulana que no sale nunca; está completo, como libertad no se puede pedir más. Yo no tengo más que mi propio andrajo, soy sola, vivo en el hotel, ni siquiera sé si tendré un contrato para el verano.

—No es lo mismo –repitió Boris.

Estaba harto. A Lola le importaba un bledo la libertad. Se embalaba con ella esa noche porque quería vencer a Mateo en su propio terreno.

—Oh, te mataría, cariño mío, cuando te pones así. ¿Qué? ¿Qué es lo que no es lo mismo?

—Tú, tú eres libre sin quererlo –explicó él–; ha ocurrido así, eso es todo. Mientras que en Mateo es razonado.

—Sigo sin comprender –dijo Lola sacudiendo la cabeza.

—Bueno, él se fastidia en su departamento; vive allí como viviría en otra parte, y tengo la idea de que se fastidia también con su fulana. Sigue con ella porque con alguien hay que acostarse. Su libertad no se ve, es interior.

Lola tenía un aire ausente; Boris sintió ganas de hacerla sufrir un poco para bajarte el copete y agregó:

—A ti te importo yo demasiado; él jamás consentiría en que lo pescaran de ese modo.

—Ah –gritó Lola, herida–; ¿a mí me importas tú demasiado, pedazo de bruto? ¿Y tú crees que a él por su parte no le importa demasiado tu hermana? No había más que mirarlo la otra noche, en el "Sumatra".

—¿Ivich? –preguntó Boris–. Pues me caigo de un quinto piso.

Lola rió, sarcástica, y el humo llenó de pronto la cabeza de Boris. Transcurrió un momento y después resultó que el jazz tocaba *St. James infirmary* y Boris sintió ganas de bailar.

—¿Bailamos esto?

Bailaron. Lola había cerrado los ojos y Boris percibía su aliento breve. El pequeño pederasta se había levantado para ir a invitar a la bailarina del "Java". Boris pensó que iba a verlo de cerca y se alegró. Lola estaba pesada en sus brazos; bailaba bien y olía bien, pero estaba demasiado pesada. Boris pensó que prefería bailar con Ivich. Ivich bailaba formidablemente bien. Y pensó: "Ivich debería aprender las *claquettes*". Después ya no pensó en nada a causa del olor de Lola. Estrechó a Lola contra su cuerpo y respiró con fuerza. Ella abrió los ojos y lo miró con atención:

—¿Me quieres?

—Sí –dijo Boris haciendo una mueca.

—¿Por qué pones mala cara?

—Porque sí. Me molestas.

—¿Por qué? ¿No es cierto que me ames?

—Sí.

—¿Por qué no me lo dices jamás espontáneamente? ¿Es preciso siempre que yo te lo pregunte?

—Porque no se me ocurre. Esas son tonterías; a mí me parece que no se debe decir.

—¿Te disgusta cuando yo te digo que te amo?

—No, tú puedes decirlo, desde el momento en que se te ocurre, pero no debes preguntarme si te amo.

—Querido mío, es raro que yo te pregunte alguna cosa. La mayor parte del tiempo me basta con mirarte y sentir que te amo. Pero hay momentos en que es tu amor, el tuyo, el que deseo tocar.

—Comprendo –dijo Boris seriamente–, pero deberías esperar que se me ocurriera. Si eso no se produce espontáneamente, carece ya de sentido.

—Pero tontito, tú mismo dices que eso no se te ocurre cuando no se te pregunta nada.

Boris se echó a reír.

—Es cierto –dijo–, me haces decir estupideces. Pero mira, uno puede tener buenos sentimientos respecto a alguien y no tener ganas de hablar de ello.

Lola no respondió. Se detuvieron, aplaudieron, y la música recomenzó. Boris vio con satisfacción que el pequeño marica se acercaba a ellos al bailar. Peto cuando pudo mirarlo de bien cerca, recibió un duro golpe: el sujeto podía tener cuarenta años. Conservaba sobre la cara el barniz de la juventud y había envejecido por debajo. Tenía grandes ojos azules de muñeca y una boca

47

infantil, pero tenía también bolsas debajo de sus ojos de porcelana y arrugas alrededor de la boca: las aletas de su nariz estaban apretadas como si fuera a morirse, y además sus cabellos, que de lejos hacían el efecto de una bruma de oro, difícilmente conseguían ocultar su cráneo. Boris miró con horror a ese niño viejo y calvo: "Ha sido joven", pensó. Había tipos que estaban hechos para tener treinta y cinco años –Mateo, por ejemplo–, porque jamás habían tenido juventud. Pero cuando un sujeto había sido verdaderamente joven, quedaba marcado para toda la vida. La cosa podía marchar hasta los veinticinco años. Despues... era espantoso. Se puso a mirar a Lola y le dijo precipitadamente:

—Lola, mírame. Te amo.

Los ojos de Lola enrojecieron y pisó el pie de Boris. Dijo solamente:

—Querido mío.

Boris tuvo ganas de gritar: "Pero apriétame más fuerte, hazme sentir que te amo". Pero Lola no decía nada, estaba sola a su vez ¡a buen puerto iba por agua! Ella sonreía vagamente, había bajado los párpados, su rostro había vuelto a cerrarse sobre su dicha. Un rostro tranquilo y desierto. Boris se sintió abandonado y el pensamiento, un pensamiento gritón, lo invadió de súbito; yo no quiero, no quiero envejecer. El año pasado estaba tan tranquilo, jamás pensaba en esas pavadas, y ahora, era siniestro, sentía continuamente que la juventud se le iba de entre las manos. "Hasta los veinticinco años. Yo todavía tengo cinco años por delante, pensó Boris; después me hago saltar los sesos." No podía soportar más esa música ni sentir a esas gentes a su alrededor. Dijo:

—¿Nos vamos?

—En seguida, tesorito mío.

Volvieron a su mesa. Lola llamó al mozo y pagó; después echó sobre los hombros su manteleta de terciopelo.

—¡Vamos! –dijo.

Salieron. Boris no pensaba en gran cosa, pero se sentía siniestro. La calle Blanche estaba llena de tipos, de tipos duros y viejos. Encontraron al maestro Piranese, de "El Gato con Botas", y lo saludaron: sus piernecillas bailaban bajo su grueso abdomen. "Quizá yo también llegue a tener panza. No poder mirarse ya en un espejo, sentir sus gestos secos y cortantes como si uno fuera de madera seca... Y cada instante que pasaba, cada instante, gastaba un poco más de juventud. Si al menos pudiera economizarme, vivir muy despacio, al 'ralenti', ganaría quizá algunos años. Pero para eso sería preciso que no me acostara todas las noches a las dos de la mañana." Y miró a Lola con odio: "Me está matando".

—¿Qué tienes? –preguntó Lola.

—No tengo nada.

Lola vivía en un hotel en la calle Navarin. Tomó su llave en el tablero y subieron en silencio. La habitación estaba desnuda, había en un rincón una valija cubierta de etiquetas, y en la pared del fondo, una foto de Boris fijada con chinches. Era una foto de identidad que Lola había hecho ampliar. "Eso quedará, pensó Boris; cuando yo me haya convertido en una vieja ruina, allí tendré siempre aire de juventud." Tenía ganas de romper la foto.

—Estás siniestro –dijo Lola–, ¿qué es lo que pasa?

—Estoy reventado –dijo Boris–; me duele la cabeza.

Lola pareció inquieta.

—¿No estás enfermo, querido mío? ¿No quieres una tableta?

—No, está bien, ya va a pasar.

Lola le tomó la barbilla y le levantó la cabeza:

—Parece que me odias. ¿No me odias al menos? ¡Sí! ¡Me odias! ¿Qué te he hecho?

Parecía enloquecida.

—Yo no te odio, estás loca –protestó blandamente Boris.

—Tú me odias. ¿Pero qué es lo que te he hecho? Harías mejor diciéndomelo, porque entonces podría explicarte. Es seguramente un malentendido. Esto no puede ser irreparable, Boris, te lo suplico, dime lo que pasa.

—Pero si no pasa nada.

Pasó sus brazos alrededor del cuello de Lola y la besó en la boca. Lola se estremeció. Boris respiraba un hálito perfumado, y sentía contra su boca una húmeda desnudez. Estaba turbado. Lola cubrió su rostro de besos jadeando un poco.

Boris sintió que deseaba a Lola y se alegró: el deseo chupaba las ideas negras, lo mismo que las demás, por otra parte. Se hizo un gran remolino en su cabeza, que se vació rápidamente por arriba. Había pasado la mano sobre la cadera de Lola, y tocaba su carne a través de la ropa de seda: Boris no fue ya más que una mano extendida sobre una carne de seda. Crispó un poco la mano y la tela se deslizó bajo sus dedos como una fina película, acariciante y muerta; la verdadera piel resistía debajo, elástica, helada como un guante de cabritilla. Lola echó al voleo su manteleta sobre la cama, sus brazos surgieron desnudos y se anudaron en torno al cuello de Boris: olía bien. Boris veía sus axilas afeitadas y picadas de puntos minúsculos y duros, de un negro azulado: parecían cabezas de espinas profundamente incrustadas. Boris y Lola seguían de pie, en el mismo lugar en que el deseo los sorprendiera, pues carecían de fuerza para marcharse de allí. Las piernas de Lola comenzaron a temblar, y Boris se preguntó si no iban a dejarse caer suavemente sobre la alfombra. Apretó a Lola contra si, y sintió el espeso dulzor de sus senos.

—Ah –dijo Lola.

Se había echado hacia atrás, y él se sentía fascinado por esa cabeza pálida, de labios hinchados, una cabeza de Medusa. Pensó: "Son sus últimos días buenos". Y la apretó más fuerte: "Una de estas mañanas se derrumbará de golpe." No la odiaba ya: se sentía contra ella, duro y delgado, todo hecho de músculos; la envolvía con sus brazos, y la defendía contra la vejez. Después tuvo un segundo de extravío y de sueño: miró los brazos de Lola, blancos como la cabellera de una vieja, creyó que tenía la vejez entre sus manos y que había que apretarla con todas sus fuerzas, hasta ahogarla.

—Cómo me aprietas –gimió Lola feliz–; me haces daño. Tengo necesidad de ti.

Boris se desprendió: estaba un poco escandalizado.

—Pásame el pijama; voy a desvestirme en el baño.

Entró en el baño y cerró la puerta con llave; detestaba que Lola entrara mientras él se desvestía. Se lavó la cara y los pies y se entretuvo poniéndose talco en las piernas. Se había serenado completamente. Pensó: "Es estupendo". Tenía la cabeza vaga y pesada, no sabía bien lo que pensaba: "Tendré que hablarle a Delarue", concluyó. Del otro lado de la puerta ella esperaba y seguramente estaba ya desnuda. Pero él no tenía ganas de apresurarse. Un cuerpo desnudo, pleno de olores desnudos, una cosa trastornadora; esto era lo que Lola no quería comprender. Iba a ser necesario ahora dejarse caer hasta el fondo de una sensualidad pesada, de fuerte sabor. Una vez que uno estaba dentro, podía pasar, pero antes uno no podía evitar el tener miedo. "En todo caso, pensó con irritación, no quiero acabar reventado como la otra vez." Se peinó con cuidado encima del lavabo, para ver si perdía el pelo. Pero ni uno solo cayó sobre la porcelana blanca. Cuando se hubo puesto el pijama, abrió la puerta y entró en la habitación.

Lola estaba extendida en la cama, completamente desnuda. Era otra Lola, perezosa y temible, que lo acechaba a través de las pestañas. Su cuerpo era de un blanco argentado sobre la colcha azul, con una mata de pelos rojos en triángulo. Estaba hermosa. Boris se aproximó a la cama y la contempló con una mezcla de turbación y de asco; ella le tendió los brazos:

—Espera –dijo Boris.

Hizo girar la llave y la luz se apagó. La habitación quedó completamente roja: en el tercer piso de la casa de enfrente, habían colocado hacía poco un aviso luminoso. Boris se tendió junto a Lola y se puso a cariciarle los hombros y los senos. Tenía la piel tan suave que se hubiera jurado que había conservado su ropa de seda. Sus senos eran un poco blandos, pero a Boris eso le gustaba; eran los senos de una persona que ha vivido. Por mucho que hubiera apagado la luz, veía igualmente a causa de ese maldito aviso la cara de Lola, pálida entre lo rojo, con los labios negros; tenía aire de sufrimiento y sus ojos estaban duros. Boris se sintió pesado y trágico, exactamente lo mismo que en Nimes, cuando el primer toro había saltado a la arena; algo iba a producirse, algo inevitable, terrible y marchito, como la sangrienta muerte del toro.

—Quítate el pijama –suplicó Lola.

—No –dijo Boris.

Era de ritual. Todas las veces Lola le pedía que se quitara el pijama y Boris estaba obligado a negarse. Las manos de Lola se deslizaron debajo de su chaqueta y le acariciaron dulcemente. Boris se echó a reír.

—Me haces cosquillas.

Se besaron. Al cabo de un momento Lola tomó la mano de Boris y se la apoyó sobre el vientre, contra la mata de sus pelos colorados; siempre tenía exigencias raras y a veces, Boris se veía obligado a defenderse. Dejó durante algunos instantes que su mano pendiera inerte, contra los muslos de Lola, y luego la volvió a subir suavemente hasta los hombros.

—¡Ven! –dijo Lola, trayéndolo sobre ella–, ¡te adoro, ven, ven!

Gimió bien pronto y Boris se dijo: "¡Ya está, ya me voy a ir al diablo". Una onda pastosa subía desde sus riñones hasta su nuca. "No quiero" se dijo Boris, apretando los dientes. Pero de pronto le pareció que lo levantaban por el cuello, como a un conejo, se dejó ir sobre el cuerpo de Lola y no fue ya más que un vértigo rojo y voluptuoso.

—Querido mío –dijo Lola.

Lo hizo deslizarse suavemente de costado y salió de la cama. Boris permaneció aniquilado, con la cabeza en la almohada. Oyó que Lola abría la puerta del baño y pensó: "Cuando haya terminado con ella, seré casto, no quiero más historias. Me asquea hacer el amor. Para ser justo, no es tanto que me asquee, cuanto que tengo horror de irme al diablo. Uno ya no sabe lo que hace, uno se siente dominado, y además, de qué sirve haber elegido su fulana si ha de ser lo mismo con todas,

es algo fisiológico". Repitió con asco "fisiológico".
Lola procedía a su tocado nocturno. El rumor del agua
era agradable e inocente; Boris lo escuchó con placer.
Los alucinados por la sed, en el desierto, oían ruidos semejantes, rumores de fuentes. Boris trató de imaginarse que él estaba alucinado. La habitación, la luz roja,
los chapoteos, eran alucinaciones; iba a despertarse en
pleno desierto, acostado sobre la arena, con el casco de
corcho sobre los ojos. De pronto se le apareció el rostro de Mateo: "Es estupendo, pensó, me gustan más los
tipos que las fulanas. Cuando estoy con una fulana no
soy ni la cuarta parte de feliz que cuando estoy con un
tipo. Sin embargo, por nada del mundo querría acostarme con un tipo". Y se regocijó pensando: "¡Cuando
haya dejado a Lola, me haré monje!". Se sintió seco y
puro. Lola saltó sobre la cama y lo tomó en sus brazos.

—¡Chiquito –dijo–, chiquito mío!

Le acarició los cabellos y hubo un largo momento
de silencio. Boris veía ya estrellas girantes cuando Lola
comenzó a hablar. Su voz era completamente extraña
en la roja oscuridad.

—Boris, yo no tengo más que a ti, estoy sola en el
mundo, tienes que amarme mucho, yo no puedo pensar
sino en ti. Si pienso en mi vida, me dan ganas de echar-
me al agua, tengo que pensar en ti todo el día. No seas
puerco, mi amor, no me hagas daño, tú eres todo lo que
me queda. Estoy en tus manos, mi amor, no me hagas
daño; ¡no me hagas daño, estoy completamente sola!

Boris se despertó sobresaltado y contempló la situación con claridad.

—Si estás sola es porque te gusta –dijo con nítida
voz–, porque eres orgullosa. A no ser por eso, amarías
a algún otro más viejo que tú. Yo soy demasiado joven

y no puedo impedir que estés sola. Tengo la idea de que me has elegido por eso.

—No sé –dijo Lola–, yo te amo apasionadamente, es todo lo que sé.

Lo estrechaba ferozmente entre sus brazos. Boris oyó todavía que murmuraba: "Te adoro", y luego se durmió completamente.

III

Verano. El aire era tibio y espeso; Mateo caminaba por el centro de la calzada, bajo un cielo brillante, y sus brazos se agitaban apartando pesadas colgaduras de oro. Verano. El verano de los otros. Para él comenzaba una jornada negra que se arrastrarla serpenteando hasta la tarde, un entierro bajo el sol. Una dirección. Dinero. Habría que correr hasta los cuatro rincones de París. Sarah le daría la dirección. Daniel le prestaría el dinero. O Santiago. Había soñado que era un asesino y le quedaba un poco de su sueño en el fondo de los ojos aplastados bajo la deslumbrante pasión de la luz. 16, calle Delambre. Era allí: Sarah vivía en el sexto piso, y naturalmente el ascensor no funcionaba. Mateo subió a pie. Detrás de las puertas cerradas las mujeres hacían la limpieza de la casa, en delantal, con un pañuelo atado alrededor de la cabeza; para ellas también comenzaba la jornada. ¡Qué jornada! Mateo estaba ligeramente sofocado cuando llamó pensando: "Debería hacer gimnasia". Y siguió pensando con hastío: "Me lo repito cada vez que subo una escalera". Oyó un taconeo menudo; y le abrió sonriendo un hombre calvo, de ojos claros. Mateo lo reconoció: era un alemán, un emigrado, al que había visto a menudo en el "Dôme", saboreando extasiado un café con leche, o inclinado sobre un tablero de ajedrez, cubriendo las piezas con la mirada y humedeciendo sus gruesos labios.

—Querría ver a Sarah –dijo Mateo.

El hombrecillo se tornó grave, se inclinó y entrechocó los talones; tenía las orejas violetas.

—Weymüller –dijo rígidamente.

—Delarue –dijo Mateo sin sorprenderse.

El hombrecillo volvió a presentar su sonrisa afable:

—Entre, entre –dijo–, está abajo en el estudio; quedará encantada.

Lo hizo entrar en el vestíbulo y desapareció rápidamente. Mateo empujó la puerta de cristales y entró en el estudio de Gómez. En el descansillo de la escalera interior se detuvo, deslumbrado por la luz; caía en oleadas por los grandes ventanales polvorientos; Mateo pestañeó, le dolía la cabeza.

—¿Quién es? –dijo la voz de Sarah.

Mateo se inclinó por encima de la barandilla. Sarah estaba sentada en el diván, vestida con un kimono amarillo, y él veía su cráneo bajo los cabellos rígidos y escasos. Una antorcha ardía frente a ella: esa cabeza pelirroja de braquicéfalo... "Es Brunet", pensó Mateo contrariado. No lo había visto desde hacía seis meses, pero no experimentaba placer alguno al encontrarlo en casa de Sarah: eso amontonaba las cosas, tenían demasiadas que decirse, y su amistad moribunda yacía entre ellos. Además Brunet traía consigo el aire de afuera, todo un universo sano, corto y empecinado, de revueltas y violencias, de trabajo manual, de esfuerzo paciente, de disciplina: no había necesidad ninguna de que oyera el vergonzoso secretillo de alcoba que Mateo iba a confiar a Sarah. Sarah levantó la cabeza y sonrió:

—Buenos días, buenos días –dijo.

Mateo le devolvió su sonrisa: veía desde arriba ese rostro chato y carente de gracia, roído por la bondad, y por debajo, los gruesos y blandos senos que salían a medias del kimono. Se apresuró a bajar.

—¿Qué buen viento lo trae? –preguntó Sarah.

—Necesito preguntarle una cosa –dijo Mateo.

La cara de Sarah enrojeció de codicia.

—Todo lo que usted quiera –dijo.

Y agregó, encantada con el favor que pensaba hacerle:

—¿Sabe quién está aquí?

Mateo se volvió hacia Brunet y le estrechó la mano. Sarah los vigilaba con su mirada enternecida.

—Salud, social-traidor –dijo Brunet.

Mateo se sintió contento, pese a todo, al escuchar esa voz. Brunet era enorme y sólido, con un lento rostro de campesino. No tenía un aspecto particularmente amable.

—Salud –dijo Mateo–. Creía que te habías muerto. Brunet rió sin responder.

—Siéntese a mi lado –dijo Sarah con avidez.

Iba a hacerle un favor y lo sabía; ahora, Mateo era su propiedad. Se sentó. El pequeño Pablo jugaba con unos cubos debajo de la mesa.

—¿Y Gómez? –preguntó Mateo.

—Siempre lo mismo. Está en Barcelona –dijo Sarah–. ¿Ha tenido noticias?

—La semana pasada. Cuenta sus hazañas –respondió Sarah con ironía.

Brillaron los ojos de Brunet:

—¿Sabes que lo han hecho coronel?

Coronel. Mateo pensó en el tipo de la víspera y su corazón se oprimió. Gómez sí había partido. Un día se enteró de la caída de Irún, en *París-Soir*. Se paseó largo tiempo por el taller, pasándose los dedos entre sus negros cabellos. Luego bajó, sin sombrero y a cuerpo, como si fuera a comprar cigarrillos en el "Dôme". Y no había vuelto. La pieza había permanecido en el estado en que la dejara: una tela inconclusa en el caballete, una placa de cobre a medio grabar sobre la mesa, en medio de los frascos de ácido. El cuadro y el grabado representaban a la señora Stimson. En el cuadro, estaba desnuda. Mateo la volvió a ver, borracha y soberbia, cantando del brazo de Gómez con estropeada voz. Pensó: "De cualquier modo, Gómez era demasiado sinvergüenza con Sarah".

—¿Le abrió el ministro? –preguntó Sarah con voz alegre.

No quería hablar de Gómez. Se lo había perdonado todo: sus traiciones, sus fugas, su dureza. Pero no eso. No su partida para España: había partido para matar hombres, había matado hombres. Para Sarah, la vida humana era sagrada.

—¿Qué ministro? –preguntó Mateo, atónito.

—El ratoncito de orejas rotas es un ministro –dijo Sarah con ingenuo orgullo–. Fue del gobierno socialista de Munich, el 22. Ahora, se muere de hambre.

—Y naturalmente, usted lo ha recogido.

Sarah se echó a reír:

—Vino a casa, con su valija. No, seriamente –continuó–, no tiene dónde ir. Lo echaron de su hotel porque no podía pagar más.

Mateo contó con los dedos:

—Con Annia, López y Santi, son ya cuatro pensionistas –dijo.

—Annia está por irse –dijo Sarah con aire de excusa–. Ha encontrado trabajo.

—¡Qué insensatez! –dijo Brunet.

Mateo se sobresaltó y se volvió hacia él. La indignación de Brunet era pesada y tranquila: miraba a Sarah con su aire más campesino y repetía:

—¡Qué insensatez! –repitió Brunet.

—¿Qué? ¿Qué es lo insensato?

—Ah –dijo vivamente Sarah, poniendo la mano sobre el brazo de Mateo–, ¡venga en mi ayuda, mi querido Mateo!

—¿Pero de qué se trata?

—Pero eso no le interesa a Mateo –dijo Brunet a Sarah con aire descontento.

Ella ya no lo escuchaba:

—Quiere que eche a mi ministro –dijo lastimosamente.

—¿En la puerta?

—Dice que es criminal que lo proteja.

—Sarah exagera –dijo apaciblemente Brunet.

Se volvió hacia Mateo y explicó de mala gana:

—El hecho es que tenemos malos informes sobre ese hombrecillo. Parece que rondaba hace seis meses por los pasillos de la embajada de Alemania. No hay que ser muy perspicaz para adivinar lo que un emigrado judío puede combinar allí.

—¡Ustedes no tienen pruebas! –dijo Sarah.

—No. No tenemos pruebas. Si las tuviéramos no estaría aquí. Pero aun cuando no hubiera más que presunciones, Sarah, es de una imprudencia absurda albergándolo.

—Pero, ¿por qué, por qué? –dijo Sarah apasionadamente.

—¡Sarah! –dijo Brunet tiernamente–, usted haría saltar París entero para evitar una molestia a sus protegidos.

Sarah sonrió débilmente.

—Todo París no –dijo–. Pero lo seguro es que no sacrificaré a Weymüller por sus historias de partido. Es... es tan abstracto, un partido.

—Exactamente, lo que yo decía –dijo Brunet.

Sarah sacudió violentamente la cabeza. Había enrojecido y sus ojos verdes y salientes se habían nublado.

—El pequeño ministro –dijo con indignación–. Usted lo ha visto, Mateo. ¿Acaso puede hacer daño a una mosca?

La tranquilidad de Brunet era enorme. Era la calma del mar. Era apaciguante y exasperante a la vez. Jamás tenía aspecto de ser un solo hombre; tenía la vida lenta, silenciosa y rumorosa de una multitud. Explicó:

—A veces, Gómez nos envía mensajeros. Vienen aquí y nos encontramos con ellos en casa de Sarah; te imaginas que los mensajes son confidenciales. ¿Sería éste el lugar que tú elegirías entre todos para instalar a un tipo que tiene la reputación de ser espía?

Mateo no respondió. Brunet había empleado la forma interrogativa, pero era un efecto oratorio: no le pedía su opinión; hacía mucho tiempo que Brunet había dejado de pedir su opinión a Mateo sobre cualquier cosa que fuera.

—Mateo, hágase cargo: si despido a Weymüller se tirará al Sena. ¿Acaso se puede, realmente –agregó con desesperación– obligar a un hombre al suicidio por una simple sospecha?

Se había rehecho, horrible y radiante. Hacía nacer

en Mateo la complicidad embadurnada que uno siente por los aplastados, los accidentados, los enfermos de flemones y de úlceras.

—¿En serio? –preguntó–. ¿Se arrojaría al Sena?

—Claro que no –dijo Brunet–. Volverá a la embajada de Alemania y tratará de venderse totalmente.

—Que viene a ser lo mismo –dijo Mateo–. De todas las maneras está reventado.

Brunet se encogió de hombros:

—Claro que es así –dijo con indiferencia.

—Ya lo oye, Mateo –dijo Sarah, mirándolo con angustia–. Bueno, ¿quién tiene razón? Diga algo.

Mateo no tenía nada que decir. Brunet no le pedía su opinión, no tenía nada que hacer con la opinión de un burgués, de un sucio intelectual, de un perro de guardia. "Me escuchará con una cortesía helada, se conmoverá tanto como una roca, y me juzgará por lo que diga, eso es todo." Mateo no quería que Brunet lo juzgara. Tiempo hubo en que por principio ninguno de los dos juzgaba al otro. "La amistad no ha sido hecha para criticar", decía entonces Brunet. "Ha sido hecha para dar confianza." Puede que lo dijera aún, pero ahora pensando en sus camaradas del Partido.

—¡Mateo! –dijo Sarah.

Brunet se inclinó hacia ella y se dio un golpecito en la rodilla:

—Escuche, Sarah –dijo suavemente–. Yo quiero mucho a Mateo y estimo mucho su inteligencia. Si se tratara de esclarecer un pasaje de Spinoza o de Kant, seguramente sería a él a quien consultara. Pero este asunto es completamente tonto, y le juro que no tengo necesidad de un árbitro, aunque sea profesor de filosofía. Tengo mi opinión.

"Evidentemente, pensó Mateo. Evidentemente." Su corazón se había oprimido, pero no guardaba rencor a Brunet. "¿Quién soy yo para dar consejos? ¿Y qué he hecho de mi vida?" Brunet se había levantado.

—Tengo que largarme –dijo–. Naturalmente, usted, Sarah, procederá como quiera. Usted no pertenece al Partido y lo que hace por nosotros es ya considerable. Pero si continúa albergándolo, le pediré simplemente que pase por mi casa cuando Gómez le mande noticias suyas.

—Entendido –dijo Sarah.

Sus ojos brillaban y parecía aliviada.

—Y no deje nada por ahí. Quémelo todo –dijo Brunet.

—Se lo prometo.

Brunet se volvió a Mateo.

—Entonces, hasta la vista, gran amigo.

No le tendió la mano; lo contemplaba atentamente, con aire duro, con la mirada de Marcela de la noche antes, con su asombro implacable. Estaba desnudo bajo esas miradas, un gran tipo desnudo, de miga de pan. Un torpe. ¿Quién soy yo para dar consejos? Guiñó los ojos: Brunet parecía duro y nudoso. Y yo, llevo el aborto en la cara. Brunet habló: no tenía en absoluto la voz que Mateo esperaba.

—Tienes mala cara –dijo suavemente–. ¿Qué es lo que no marcha?

Mateo también se había levantado.

—Tengo… tengo algunas molestias. Cosas sin importancia.

Brunet le puso la mano en el hombro. Y lo miraba, vacilando.

—Es idiota. Uno se pasa todo el tiempo corriendo

de acá para allá, y no tiene tiempo ya para ocuparse de los viejos amigos. Si reventaras, me enteraría de tu muerte un mes después por casualidad.

—No reventaré tan pronto –dijo Mateo riendo.

Sentía el puño de Brunet sobre su hombro, pensaba: "No me juzga" y se hallaba penetrado de humilde agradecimiento.

Brunet permaneció serio:

—No –dijo–. No tan pronto. Pero...

Por fin pareció decidirse.

—¿Estás libre a eso de las dos? Yo tengo un momento, podría pegar un salto hasta tu casa; podríamos charlar un ratito como antes.

—Como antes. Estoy enteramente libre, te esperaré –dijo Mateo.

Brunet le sonrió amistosamente. Seguía sonriendo con sonrisa ingenua y alegre. Giró sobre sí mismo y se dirigió a la escalera.

—Lo acompaño –dijo Sarah.

Mateo los siguió con los ojos. Brunet subía los escalones con agilidad sorprendente. "No todo está perdido", se dijo. Y algo se removió en su pecho, algo tibio y modesto, que se parecía a la esperanza. Dio algunos pasos. Se oyó el golpe de la puerta por encima de su cabeza. El pequeño Pablo lo miraba con gravedad. Mateo se aproximó a la mesa y tomó un buril. Una mosca que se había posado en la placa de cobre salió volando. Pablo seguía mirándolo. Mateo se sintió molesto, sin saber por qué. Tenía la impresión de ser devorado por los ojos del niño. "Los mocosos, pensó, son animalitos voraces; todos sus sentidos son bocas." La mirada de Pablo no era humana todavía, y sin embargo había ya en ella algo más que la vida: no hacía mucho que el mocoso había salido de un vientre y se le notaba; ahí estaba, indeciso, pequeñito, conservando aún cierto aterciopelado malsano de cosa vomitada; pero detrás de los turbios humores que llenaban sus órbitas, se había emboscado una pequeña conciencia ávida. Mateo jugaba con el buril. "Hace calor", pensó. La mosca zumbaba a su alrededor; en una habitación rosada, en el fondo de otro vientre, había un tumor que se hinchaba.

—¿Sabes lo que he soñado? –preguntó Pablo.

—Dilo.

—Soñé que era una pluma.

"¡Y esto piensa!", se dijo Mateo.

Preguntó:

—¿Y qué hacías cuando eras una pluma?

—Nada. Dormía.

Mateo dejó caer bruscamente el buril sobre la mesa: la mosca espantada se puso a revolotear en redondo, y después se posó sobre la placa de cobre, entre dos delgadas ranuras que representaban un brazo de mujer. Era menester andar de prisa, porque el tumor se hinchaba durante ese tiempo, hacía oscuros esfuerzos para soltarse, para arrancarse a las tinieblas y volverse semejante a *eso*, a esa pequeña ventosa descolorida y blanda que chupaba al mundo.

Mateo dio algunos pasos hacia la escalera. Oía la voz de Sarah. Ha abierto la puerta de la calle, permanece en el umbral y sonríe a Brunet. ¿Qué espera para volver a bajar? Mateo dio media vuelta, miró al niño y miró la mosca. Un niño. Una carne pensante que grita y que sangra cuando se la mata. Una mosca es más fácil de matar que un niño. Se encogió de hombros: "Yo no voy a matar a nadie. Voy a impedir que nazca un niño". Pablo se había puesto a jugar de nuevo con sus cubos; había olvidado a Mateo. Mateo extendió la mano y tocó la mesa con el dedo. Se repetía atónito: "Impedir que nazca...". Se hubiera dicho que había en alguna parte un niño completamente terminado que esperaba la hora de saltar de este lado de acá del decorado, a esa pieza, bajo ese sol, y que Mateo le cerraba el paso. Y de hecho, era más o menos eso: había todo un hombrecillo pensante y enclenque, mentiroso y doloroso, de blanca piel, grandes orejas y lunares, con un puñado de signos distintivos como los que se ponen en los transportes, un hombrecillo que no había de correr nunca por las calles, con un pie por la acera y el otro en el arroyo; había unos ojos, un par de ojos verdes como los de Mateo, o negros como los de Marcela, que no verían jamás los cielos glaucos del invierno, ni el mar, ni ningún rostro, nunca; había unas manos que no tocarían jamás la nieve, ni la carne de las mujeres, ni la corteza de los árboles: había una imagen del mundo, sangrienta, luminosa, mohína, apasionada, siniestra, llena de esperanzas, una imagen poblada de jardines y de casas, de altas muchachas dulces y de nsectos horribles, que iban a hacer estallar de un alfilerazo como un globo del Louvre.

—Acá estoy –dijo Sarah–, ¿lo he hecho esperar?

Mateo alzó la cabeza y se sintió aliviado: estaba inclinada sobre la barandilla, pesada y deforme; era una adulta, carne vieja con aire de salir de la salazón y de no haber nacido jamás; Sarah le sonrió y bajó rápidamente la escalera, con el kimono volando alrededor de sus cortas piernas.

—¿Qué es lo que pasa? –dijo ávidamente.

Sus ojos salientes y turbios lo contemplaban con insistencia. Él volvió la cabeza y dijo secamente:

—Marcela está encinta.

—¡Oh!

Sarah tenía un aire más bien regocijado. Y preguntó con timidez.

—Entonces... ¿ustedes se van?...

—No, no –dijo Mateo vivamente–, no queremos chicos.

—Ah, sí –dijo ella–, ya veo. –Bajó la cabeza y guardó silencio. Mateo no pudo soportar esa tristeza que ni siquiera era un reproche.

—Creo que esto les ocurrió a ustedes alguna vez, Gómez me lo dijo –replicó con brutalidad.

—Sí. Una vez.

Sarah alzó de pronto los ojos y agregó sin respirar:

—Eso no es nada, ¿sabe?, si se toma a tiempo.

No se permitía juzgarlo, abandonaba sus reservas y sus reproches, y no tenía más que un deseo: tranquilizarlo.

—No es nada en absoluto...

Él iba a sonreír, a contemplar el porvenir con confianza; ella sería la única en llevar el luto por esa muerte minúscula y secreta.

—Escuche, Sarah –dijo Mateo irritado–; trate de comprenderme: yo no quiero casarme. No es por egoísmo, yo encuentro que el matrimonio...

Se calló: Sarah era casada, se había casado con Gómez cinco años antes. Y agregó al cabo de un instante:

—Y además, Marcela no quiere hijos.

—¿No le gustan los chicos?

—No le interesan.

Sarah pareció desconcertada:

—Claro –dijo–, claro... entonces, en efecto.

Y le tomó las manos.

—Mi pobre Mateo, ¡qué disgustado debe de estar!

Querría poder ayudarle.

—Bueno, justamente –dijo Mateo–, ¡usted puede ayudarnos! Cuando usted tuvo esa... molestia, fue a ver a alguno, a un ruso, creo.

—Sí –dijo Sarah. Su rostro cambió–. ¡Era horrible!

—¿Sí? –dijo Mateo con voz alterada–. ¿Es... es muy doloroso?

—No demasiado, pero... –Y agregó con aire lastimoso–: Yo pensaba en el chiquito. Usted sabe que fue Gómez el que quiso hacerlo. Y cuando él quería algo en esa época... Pero era un horror; yo jamás... Ahora podría suplicarme de rodillas, pero no lo volvería a hacer.

Miró a Mateo con ojos extraviados.

—Después de la operación me dieron un paquetito y me dijeron: "Esto tírelo a la cloaca". En una cloaca. ¡Como una rata muerta! Mateo –continuó apretándole fuertemente el brazo–, usted no sabe lo que va a hacer.

—¿Y cuando se echa una criatura al mundo, se sabe mejor? –preguntó Mateo con cólera.

Una criatura; una conciencia más, una lucecita enloquecida que volaría en redondo, se daría contra las paredes y no podría escapar.

—No, pero quiero decir que usted no sabe lo que exige de Marcela; temo que ella lo odie más tarde.

Mateo volvió a ver los ojos de Marcela, grandes ojos duros y ojerosos.

—¿Y usted odia a Gómez? –preguntó secamente.

Sarah tuvo un gesto mísero y desarmado: ella no podía odiar a nadie, y a Gómez menos que a cualquiera.

—En todo caso –dijo con aire decidido–, yo no puedo mandarlo a casa de ese ruso, que sigue operando, pero que ahora bebe; ya no le tengo ninguna confianza. Y ha tenido una historia turbia, hace dos años.

—¿Y no conoce a nadie más?

—A nadie –dijo lentamente Sarah. Pero de pronto toda su bondad refluyó sobre su rostro, y exclamó–: Claro que sí, ya tengo lo que necesita, cómo no lo pensé antes; le voy a arreglar eso. Waldmann. ¿No lo ha visto en casa? Un judío, un ginecólogo. Es el especialista del aborto, en cierto modo; con él puede estar tranquilo. En Berlín tenía una clientela formidable. Cuando los nazis tomaron el poder, fue a establecerse en Viena. Después de eso vino el Anschluss, y desembarcó en París con una valijita. Pero hacía mucho que había mandado todo su dinero a Zurich.

—¿Le parece que consentirá?

—Naturalmente. Iré a verlo hoy mismo.

—Estoy contento –dijo Mateo–, enormemente contento. ¿No cobra muy caro?

—Allá cobraba hasta 2.000 marcos.

Mateo palideció:

—¡10.000 francos!

Sarah agregó vivamente:

—Pero era un robo, hacía pagar su reputación. Aquí nadie lo conoce, será razonable: yo le voy a proponer 3.000 francos.

—Bueno –dijo Mateo con los dientes apretados.

Y se preguntaba: "¿Dónde encontraré ese dinero?".

—Escuche –dijo Sarah–, ¿por qué no ir esta misma mañana? Vive en la calle Blaise-Desgoffes, es muy cerca. Me visto y bajo. ¿Me espera?

—No, tengo... tengo una cita a las diez y media. Sarah, usted es una perla –dijo Mateo.

La tomó por los hombros y la sacudió sonriendo. Ella acababa de sacrificarle sus repugnancias más profundas, y de hacerse, por generosidad, cómplice de un acto que le inspiraba horror: estaba radiante de alegría.

—¿Dónde va a estar a eso de las once? –preguntó–. Podría telefonearle.

—Bueno, pues estaré en el "Dupont-Latin", en el bulevar Saint-Michel. Puedo quedarme hasta que usted me llame.

—¿En el "Dupont-Latin"? De acuerdo.

El peinador de Sarah se había abierto ampliamente sobre sus enormes senos. Mateo la apretó contra su pecho, por ternura y para no ver su cuerpo.

—Hasta luego –dijo Sarah–, hasta luego, mi querido Mateo.

Alzó hacia él su rostro tierno y desagradable. Había en ese rostro una humildad turbadora y casi voluptuosa, que provocaba un sigiloso deseo de hacerle daño, de agobiarle de vergüenza: "Cuando la veo, decía Daniel, comprendo el sadismo". Mateo la besó en las dos mejillas.

"¡Verano!" El cielo invadía la calle, era un fantasma mineral; la gente flotaba en el cielo y sus rostros llameaban. Mateo respiró un dolor desenfadado y viviente, un polvo joven; entornó los ojos y sonrió. "¡Verano!" Dio algunos pasos; el alquitrán negro y derretido, picado de gránulos blancos, se pegó a sus zapatos; Marcela estaba encinta, no era ya el mismo verano.

Marcela dormía, su cuerpo se bañaba en una sombra espesa, transpiraba durmiendo. Sus hermosos senos morenos y malvas se habían aplastado y alrededor de sus puntas brotaban gotitas blancas y saladas como flores. Marcela duerme. Duerme siempre hasta el mediodía. El tumor, en el fondo de su vientre, no duerme, no tiene tiempo de dormir: se nutre y crece. El tiempo corría con sacudidas rígidas e irremediables. El tumor se inflaba y el tiempo corría. "Es menester que encuentre el dinero dentro de las cuarenta y ocho horas."

El Luxemburgo, cálido y blanco, estatuas y palomas y niños. Los niños corren, las palomas vuelan. Carreras, blancos relámpagos, ínfimas desbandadas. Mateo se sentó en una silla de hierro: "¿Dónde encontraré el dinero? Daniel no me lo va a prestar. Se lo pediré, sin embargo... y además, en último término, tengo el recurso de dirigirme a Santiago". El césped ondulaba hasta sus pies, una estatua le tendía su joven culo de piedra, las palomas arrullaban, pájaros de piedra: "Después de todo, no es más que cuestión de quince días, ese judío consentiría en esperar hasta fin de mes, y el 29 cobro mi sueldo".

Mateo se detuvo bruscamente: se *veía* pensar, sentía horror de sí mismo: "A estas horas Brunet camina por las calles, a gusto, entre la luz; es ligero porque espera, camina a través de una ciudad de vidrio hilado que él va a romper con precaución, porque todavía no ha llegado la hora de romperlo todo, espera y espera. ¡Pero yo! ¡Pero yo! Marcela está encinta. ¿Convencerá Sarah a ese judío? ¿Dónde encontrar el dinero? ¡Esto es lo que yo pienso!" De pronto volvió a ver dos ojos muy juntos bajo unas espesas cejas negras: "Madrid. Yo quería ir. Te lo juro. Y después, no se arregló". Mateo pensó de pronto: "Estoy viejo".

Estoy viejo. Aquí estoy, aplastado sobre una silla, hundido hasta el cuello en mi propia vida y sin creer en nada. Sin embargo, yo también he querido partir para una España. Y después eso no se arregló. ¿Acaso hay

Españas? Yo estoy aquí, me asqueo, siento el viejo sabor de sangre y de agua ferruginosa, mi sabor, yo *soy* mi propio sabor, yo existo. Existir es eso; beberse sin sed. Treinta y cuatro años. Treinta y cuatro años paladeándome, y estoy viejo. He trabajado, he esperado, he tenido lo que quería: Marcela, París, la independencia, asunto acabado. Ya no espero nada. Contemplaba ese jardín rutinario, siempre nuevo siempre el mismo, como el mar, recorrido desde hacía cien años por las mismas olillas de colores y ruidos. Había eso: esos niños que corrían en desorden, los mismos desde hacía cien años, ese mismo sol sobre las reinas de yeso de dedos rotos, y todos esos árboles; estaba Sarah y su kimono amarillo. Marcela encinta, el dinero. Todo eso era tan natural, tan normal, tan monótono, que bastaba para colmar una vida; era la vida. El resto, las Españas, los castillos en el aire eran… ¿qué? ¿Una tibia religioncita laica para mi propio uso? ¿El acompañamiento discreto y seráfico de mi verdadera vida? ¿Una coartada? Así es como me ven ellos, Daniel, Marcela, Brunet, Santiago; el hombre que quiere ser libre. Come, bebe, como todo el mundo, es funcionario del gobierno, no se mete en política, lee *La Obra* y *El Popular*, tiene dificultades de dinero. Sólo que quiere ser libre como otros quieren una colección de estampillas. La libertad es un jardín secreto. Su pequeña connivencia consigo mismo. Un tipo perezoso y frío, algo quimérico pero muy razonable en el fondo, que se ha confeccionado sigilosamente una sólida y mediocre felicidad de consideraciones elevadas. ¿Seré yo eso?

Tenía siete años, estaba en Pithiviers, en casa de su tío Julio, el dentista, completamente solo en la sala de espera, y jugaba a no permitirse existir; era menester tratar de no tragar, como cuando se conserva sobre la lengua un líquido demasiado frío, reteniendo el pequeño movimiento de deglución que lo hará deslizarse hacia la garganta. Había llegado a vaciarse completamente la cabeza. Pero ese vacío era todavía un sabor. Era en un día de tonterías. Él se acurrucaba en un calor provinciano que olía a moscas, y justamente acababa de atrapar una mosca y de arrancarle las alas. Había comprobado que la cabeza de la mosca se parecía al extremo azufrado de un fósforo de cocina, había ido a buscar la lija a la cocina y la había frotado contra la cabeza de la mosca para ver si se inflamaba. Pero todo eso descuidadamente: se trataba de una mísera comedia desocupada, no llegaba a interesarse en sí mismo, sabía muy bien que la mosca no se inflamaría. Sobre la mesa había unas revistas rotas y un hermoso jarrón de China, verde y gris, con asas como garras de loro; el tío Julio le había dicho que ese jarrón tenía tres mil años. Mateo se aproximó al jarrón con las manos detrás de la espalda, y lo miró contoneándose con inquietud: era aterrador ser una bolita de miga de pan, en este viejo mundo refrito, frente a un impasible jarrón de tres mil años. Le volvió la espalda y se puso a bizquear y a olfatear delante del espejo, sin conseguir distraerse; y después, de golpe, volvió junto a la mesa, levantó el jarrón, que era muy pesado, y lo arrojó al suelo; la cosa se produjo tal cual, e inmediatamente después se sintió ligero como un hilo de la Virgen. Miró maravillado los restos de tres mil años, entre esos muros quincuagenarios, bajo la antigua luz del verano; algo extremadamente irreverente que se parecía a una mañana. Pensó: "¡Yo he hecho esto!", y se sintió muy orgulloso, liberado del mundo y de sus lazos, sin familia, sin orígenes, un pequeño brote testarudo que había reventado la costra terrestre.

Tenía dieciséis años, era un pequeño bruto, estaba acostado sobre la arena en Arcachon, y contemplaba las largas olas chatas del Océano. Acababa de propinar una paliza a un joven bordelés que le había tirado piedras, y lo había obligado a comer arena. Sentado a la sombra de los pinos, sin aliento, con la nariz colmada por el olor de la resina, tenía la impresión de ser una pequeña explosión en suspenso en el aire, redonda, abrupta, inexplicable. Se había dicho: "Yo seré libre", o más bien no se había dicho nada, pero era eso lo que quería decirse y era una apuesta; había apostado que su vida entera se asemejaría a ese minuto excepcional. Tenía veintiún años, leía a Spinoza en su habitación, era el martes de Carnaval, había grandes carros multicolores que pasaban por la calle cargados de muñecos de cartón; él levantó los ojos y apostó de nuevo, con ese énfasis filosófico que le era común desde hacía poco a Brunet y a él. Se dijo: "¡Yo haré mi salvación!". Diez veces, cien veces, había reafirmado su apuesta. Las palabras cambiaban con la edad y con las modas intelectuales, pero eran una sola y misma apuesta; y Mateo no era a sus propios ojos un tipo algo pesado que enseñaba filosofía en un liceo de varones, ni el hermano de Santiago Delarue, el abogado; ni el amante de Marcela, ni el amigo de Daniel y de Brunet: no era cosa alguna, sino esa apuesta.

¿Qué apuesta? Se pasó la mano por los ojos, cansados por la luz; ya no lo sabía bien; ahora tenía, cada vez más a menudo, largos momentos de exilio. Para comprender su apuesta era menester que estuviera en lo mejor de sí mismo.

—La pelota, por favor.

Una pelota de tenis rodó hasta sus pies y un chiquilín corrió hacia él con una raqueta en la mano. Mateo recogió la pelota y se la tiró. Cierto que no estaba en lo mejor de sí mismo: estaba acurrucado en ese calor sombrío, y sufría la antigua y monótona sensación de lo cotidiano: por mucho que se repitiera las frases que antaño lo exaltaban: "Ser libre. Ser causa de sí, poder decir: soy porque lo quiero; ser mi propio comienzo", sólo eran palabras vacías y pomposas, palabras fastidiosas de intelectual.

Se levantó. Se levantó un funcionario, un funcionario que tenía apuros de dinero y que iba a encontrarse con la hermana de uno de sus antiguos alumnos. Y pensó: "¿Está hecha la jugada? ¿No soy ya más que un funcionario?". Había esperado tanto tiempo: sus últimos años no fueron sino una vela de armas. Esperaba a través de las mil pequeñas preocupaciones cotidianas; naturalmente, durante ese tiempo corría tras las mujeres, viajaba y además era menester que se ganara la vida. Pero a través de todo eso, su único cuidado había sido el conservarse disponible. Para un acto. Un acto libre y reflexivo que comprometiera toda su vida, y que sería el comienzo de una nueva existencia. Jamás había podido entregarse completamente a un amor, a un placer: jamás había sido verdaderamente desdichado. Siempre le parecía que estaba en otra parte, que aún no había nacido del todo. Esperaba. Y durante ese tiempo, suavemente, sigilosamente, los años llegaron y lo atacaron por la espalda: treinta y cuatro años. "A los veinticinco hubiera tenido que definirme. Como Brunet. Sí, pero entonces uno no se define con pleno conocimiento de causa. Uno se queda en pelota. Yo no quería tampoco quedarme en pelota." Había pensado en

74

partir para Rusia, en abandonar sus estudios, en aprender un trabajo manual. Pero lo que lo retuvo una y otra vez, al borde de esas rupturas violentas, fue que le faltaban *razones* para hacerlo. Sin razones, no hubieran sido más que disparates. Y continuó esperando...

Unos barquitos de vela giraban en el estanque del Luxemburgo, azotados de tiempo en tiempo por el surtidor. Se detuvo para mirar su pequeño carrousel náutico. Y pensó: "Ya no espero. Ella tiene razón: me he vaciado y esterilizado para no ser más que una espera. Y ahora estoy vacío, es cierto. Pero ya no espero nada".

Allá lejos, junto al surtidor, un barquillo naufragaba dando bandazos. Todo el mundo reía contemplándolos y un chico trataba de engancharlo con un bichero.

IV

Mateo miró su reloj: "Las diez y cuarenta; va a llegar tarde". No le gustaba que llegara tarde: siempre temía que se hubiera dejado morir. Lo olvidaba todo, se huía, se olvidaba de un minuto al otro, se olvidaba de comer, se olvidaba de dormir. Un día se olvidaría de respirar y todo habría acabado. Dos jóvenes se habían detenido junto a Mateo: consideraban con guasa una de las mesas.

—*Sit down* –dijo uno.

—Yo *sit down* –dijo el otro. Rieron y se sentaron: tenían manos cuidadas, dura expresión y tez tierna: "Aquí no hay más que criaturas", pensó Mateo, irritado. Estudiantes o alumnos de liceo; los jóvenes machos, rodeados de hembras grises, parecían insectos chispeantes y resueltos. "Es estupenda la juventud, pensó Mateo; por fuera resplandece y por dentro no se siente nada." Ivich sentía su juventud. Boris también, pero con excepciones. Mártires de la juventud. "Yo, por mi parte, no sabía que era joven, ni tampoco Brunet, ni Daniel. Nos hemos dado cuenta después."

Pensó sin mayor placer que iba a llevar a Ivich a la exposición Gauguin. Le gustaba mostrarle hermosos cuadros, hermosas películas, hermosos objetos porque él mismo no era hermoso; era una manera de excusarse. Ivich no lo excusaba; esa mañana, como otras veces, miraría los cuadros con su aire maniático y feroz; Mateo permanecería junto a ella, feo, importuno, olvidado. Y sin embargo no hubiera querido ser hermoso: Ivich nunca estaba más sola que frente a la belleza. Se dijo: "No sé lo que quiero de ella". Y en ese momento la vio; venía por el bulevar, al lado de un muchachón rizadito, de anteojos; Ivich alzaba el rostro hacia él, le ofrecía su sonrisa iluminada, conversaba con animación. Cuando vio a Mateo, sus ojos se apagaron, hizo un rápido saludo a su compañero y atravesó la calle Des Écoles con aire adormecido. Mateo se levantó.

—Muy buenos días, Ivich.

—Buenos días –dijo ella.

Ostentaba su cara más vestida: había amontonado sus rizos rubios hasta la nariz, y por arriba su masa descendía hasta los ojos. En invierno, el viento sacudía sus cabellos, desnudaba sus grandes mejillas descoloridas y esa frente baja que ella llamaba "mi frente de kalmuko"; entonces aparecía una ancha faz, pálida, infantil y sensual, como la luna entre dos nubes. Hoy Mateo no veía más que un rostro artificial, estrecho y puro, que Ivich llevaba delante del verdadero como una máscara triangular. Los jóvenes vecinos de Mateo se volvieron hacia ella; visiblemente pensaban: ¡linda muchacha! Mateo la miró con ternura; era el único, entre toda esa gente, en saber que Ivich era fea. Ella se sentó, tranquila y tristona. No estaba pintada, porque el colorete estropea la piel.

—¿Y para la señora? –preguntó el mozo.

Ivich le sonrió, porque le gustaba que la llamaran señora; después se volvió hacia Mateo con aire de incertidumbre:

—Tome un pippermint –dijo Mateo–: a usted le gusta.

—¿Me gusta? –dijo ella divertida–. Entonces de acuerdo. ¿Y qué es? –preguntó cuando el mozo se hubo alejado.

—Es menta verde.

—¿Esa cosa verde y viscosa que bebí el otro día? Oh, no quiero, deja la boca pegajosa. Yo digo que sí a todo, pero no debería hacerle caso a usted, porque no tenemos los mismos gustos.

—Usted dijo que le gustaba –dijo Mateo, contrariado.

—Sí, pero después he reflexionado, me he acordado del sabor. –Se estremeció–. Jamás volveré a beberlo.

—¡Mozo! –gritó Mateo.

—No, no, deje, lo va a traer y es bonito de mirar. No lo tocaré, eso es todo; no tengo sed.

Se calló. Mateo no sabía qué decirle, a Ivich le interesaban muy pocas cosas, y además él no tenía ganas de hablar. Marcela estaba allí; no la veía, no la mencionaba, pero estaba allí. A Ivich la veía, podía llamarla por su nombre o tocarle el hombro, pero estaba fuera de alcance, con su cintura frágil y su bello y duro seno; parecía pintada y barnizada como una tahitiana en una tela de Gauguin, inutilizable. El empleado llamaría: "Señor Delarue"; Mateo oiría en el extremo del hilo una voz negra: "Quiere diez mil francos, ni un centavo menos". Hospital, cirugía, olor de éter, cuestiones de dinero. Mateo hizo un esfuerzo y se volvió hacia Ivich, que había cerrado los ojos y se pasaba ligeramente un dedo por los párpados. Ella volvió a abrir los ojos.

—Tengo la impresión de que se mantienen abiertos por sí solos. De tiempo en tiempo los cierro para que descansen. ¿Están enrojecidos?

—No.

—Es el sol, en verano siempre me duelen los ojos. En días como éste uno sólo debería salir ya de noche; si no, uno no sabe dónde meterse, el sol la persigue en todas partes. Y además, la gente tiene las manos húmedas.

Mateo se tocó con los dedos, debajo de la mesa, la palma de su propia mano; estaba seca. Era el otro, el muchachón rizadito, el que tenía las manos mojadas. Y miró a Ivich sin turbación; se sentía culpable y liberado, porque ella le importaba menos.

—¿Le molesta que la haya obligado a salir esta mañana?

—De cualquier modo era imposible que me quedara en mi habitación.

—¿Pero por qué? –preguntó Mateo asombrado.

Ivich lo miró con impaciencia:

—Usted no sabe lo que es una residencia de estudiantes. Allí protegen a las niñas decididamente, sobre todo en períodos de examen. Y además la fulana me ha tomado afecto, entra a cada momento en mi pieza con distintos pretextos y me acaricia el pelo. Yo detesto que me toquen.

Mateo la escuchaba apenas; sabía que ella no pensaba en lo que estaba diciendo. Ivich sacudió la cabeza con aire irritado:

—Esa gorda de la Residencia me quiere porque soy rubia. Siempre es lo mismo; dentro de tres meses me va a aborrecer: dirá que soy solapada.

—Y usted es solapada –dijo Mateo.

—Si le parece... –dijo ella con un tono arrastrado que hacía pensar en sus mejillas descoloridas.

—Y además, qué quiere usted, las gentes de cualquier modo acaban por darse cuenta de que usted les oculta sus mejillas y que baja los ojos ante ellos como una santita.

—Muy bien. ¿Y a usted le gustaría que supieran quién es? –Ivich agregó con cierto desprecio–: Es cierto que usted no es sensible a estas cosas. En cuanto a lo de mirar a la gente a la cara –continuó–, yo no puedo; los ojos me picotean en seguida.

—Al principio usted me violentaba muy a menudo –dijo Mateo–. Me miraba por encima de la frente, a la altura de los cabellos. Yo, que tengo miedo de quedarme calvo... Creía que usted había notado algún punto poco poblado y que no podía separar de él los ojos.

—Yo miro así a todo el mundo.

—Sí, o si no de reojo: así...

Y le lanzó una ojeada rápida y sigilosa. Ivich rió, divertida y furiosa:

—¡Basta!, no quiero que me imiten.

—No era con mala intención.

—No, pero me da miedo cuando usted me quita mis expresiones.

—Lo comprendo –dijo Mateo sonriendo.

—Sin embargo, no lo parece: aunque fuera usted el mejor tipo del mundo, me daría lo mismo.

Y agregó con voz cambiada:

—Me gustaría que no me dolieran tanto los ojos.

—Escuche –dijo Mateo–, voy a ir a una farmacia a buscar una tableta. Pero estoy esperando una llamada telefónica. Si me llaman, usted tendrá la amabilidad de decirle al empleado que vuelvo en seguida y que me llamen de nuevo.

—No, no vaya –dijo ella fríamente–, se lo agradezco mucho, pero no me haría nada; es el sol.

Callaron ambos. "Estoy harto", pensó Mateo con extraño y chirriante placer. Ivich se afilaba la falda con las manos, levantando un poco los dedos como si fuera a golpear las teclas de un piano. Sus manos estaban siempre enrojecidas, porque tenía mala circulación; en general, las mantenía en el aire y las agitaba un poco para hacerlas palidecer. Casi no le servían para tomar las cosas; eran dos pequeños ídolos inútiles en el extremo de sus brazos; rozaban las cosas con gestos menudos e inconclusos y más que cogerlas, parecían modelarlas. Mateo miró las uñas de Ivich, largas y puntiagudas, violentamente pintadas, casi chinas: bastaba contemplar esos adornos incómodos y frágiles, para comprender que Ivich no podía hacer nada con su diez dedos. Un día se le había caído una de las uñas, ella la conservaba en un pequeño ataúd, y de tiempo en tiempo la examinaba con una mezcla de horror y de placer. Mateo la había visto; la uña, que conservaba el barniz, parecía un escarabajo muerto. "Me pregunto qué es lo que la preocupa: jamás ha estado tan fastidiosa. Debe ser por su examen. A menos de que se harte conmigo: después de todo, yo soy una persona mayor."

—Seguramente que no ha de empezar así, cuando uno se va a quedar ciego –dijo de pronto Ivich con aire neutro.

—Seguro que no –dijo Mateo sonriendo–. Ya sabe

lo que le dijo el doctor de Laon: usted tiene un poco de conjuntivitis.

Hablaba dulcemente, sonreía dulcemente, se sentía pringoso de dulzura: con Ivich había que sonreír siempre, hacer gestos dulces y lentos. "Como Daniel con sus gatos."

—Me duelen tanto los ojos –dijo Ivich–, basta una nada... –Vaciló–: Me... me duele en el fondo de los ojos. Bien en el fondo. ¿No era eso lo que ocurría también al comienzo de esa locura de que usted me hablaba?

—¡Ah! ¿Esa historia del otro día? –preguntó Mateo–. Escuche, Ivich, la última vez era su corazón, tenía miedo de una crisis cardíaca. Es usted una persona cómica, parece que tuviera necesidad de atormentarse; y después otras veces se declara de golpe más fuerte que un roble; una cosa u otra.

Su voz le dejaba un sabor de azúcar en el fondo de la boca.

Ivich miraba hacia sus pies con aire cerrado.

—Algo me va a pasar.

—Ya sé –dijo Mateo–, su línea de la vida está quebrada. Pero me había dicho usted que no creía realmente en eso.

—No, no creo realmente en eso... Pero lo que hay es que no puedo imaginarme mi porvenir. Está cerrado.

Se calló y Mateo la miró en silencio. Sin porvenir... De pronto sintió mal gusto en la boca y comprendió que Ivich le importaba con toda su alma. Era cierto que no tenía porvenir. Ivich a los treinta años, Ivich a los cuarenta años, la cosa carecía de sentido. Y pensó: no es viable. Cuando Mateo estaba solo, o cuando hablaba con Daniel o con Marcela, su vida se extendía delante de él, clara y monótona: algunas mujeres, algunos viajes, algunos libros. Una larga pendiente muelle; Mateo la descendía lentamente, lentamente, y a menudo hasta le parecía que no iba bastante rápido. Y de pronto, cuando veía a Ivich, le parecía vivir una catástrofe. Ivich era un pequeño sufrimiento, voluptuoso y trágico, que carecía de mañana; partiría, se volvería loca, moriría de una crisis cardíaca, o bien sus padres la secuestrarían en Laon. Pero Mateo no podría soportar el vivir sin ella. Hizo un gesto tímido con la mano; hubiera querido tomar el brazo de Ivich por encima del codo y apretarlo con todas sus fuerzas. "Detesto que me toquen." La mano de Mateo volvió a caer. Dijo muy de prisa:

—¡Qué linda blusa tiene, Ivich!

Era una tontería: Ivich inclinó la cabeza con rigidez y golpeteó su blusa con aire molesto. Acogía los halagos como ofensas; era como si esculpieran a hachazos una imagen de ella grosera y fascinante, en la que tuviera miedo de reconocerse. Sólo ella podía pensar como convenía a su persona. Y lo pensaba sin palabras; era una pequeña incertidumbre tierna, una caricia. Mateo miró con humildad los frágiles hombros de Ivich, su cuello recto y redondo. Ella decía a menudo: "Detesto a la gente que no siente su cuerpo." Mateo sentía su cuerpo, pero lo sentía más bien como un paquete pesado y embarazoso.

—¿Sigue con la idea de que vayamos a ver los Gauguin?

—¿Qué Gauguin? ¿Ah, la exposición de que me habló? Bueno, podemos ir.

—No parece tener muchas ganas.

—Sí.

—Si no tiene ganas, Ivich, es mejor que lo diga.

—Pero usted sí, tiene ganas.

—Bien sabe que yo ya he ido. Tengo ganas de mostrársela si eso la complace, pero si no tiene interés, yo tampoco.

—Bueno, entonces preferiría que fuéramos otro día.

—Sólo que la exposición termina mañana –dijo Mateo decepcionado.

—Oh, bueno, mala suerte –dijo Ivich, con aire tristón–, ya abrirán otra. –Y con ímpetu–: Esas cosas se repiten siempre, ¿no es cierto?

—Ivich –dijo Mateo con dulzura irritada–, así es usted. Diga que no tiene ganas de ir, pero eso no se repetirá en mucho tiempo.

—Bueno –dijo ella gentilmente–, no quiero ir porque estoy fastidiada a causa de ese examen. Es infernal hacer esperar tanto los resultados.

—¿No es para mañana?

—Justamente. –Y agregó rozando la manga de Mateo, con la punta de los dedos–: Hoy no hay que hacerme caso, no soy yo misma. Dependo de otros; es envilecedor; veo todo el tiempo la imagen de una hojita blanca pegada contra una pared gris. Ellos le imponen a uno que piense en eso. Cuando me levanté hoy, sentí que ya estaba en el día de mañana; hoy es una jornada que no sirve de nada, un día tachado. Ellos me lo han robado, y ya no me quedan tantos.

Y agregó en voz baja y rápida:

—He fracasado en mi programa de Botánica.

—Comprendo –dijo Mateo.

Hubiera querido encontrar en sus recuerdos una angustia que le hiciera comprender la de Ivich. En vísperas de la licenciatura, quizá… No, de todos modos no es semejante. Él había vivido sin riesgos, apaciblemente. Y ahora se sentía frágil, en medio de un mundo amenazante, pero era *a través* de Ivich.

—Si paso en el escrito –dijo Ivich–, beberé un poco antes de ir al oral.

Mateo no respondió.

—Muy poquito –repitió Ivich.

—Usted dijo lo mismo en febrero, antes de su suspenso, y después al final, bonita cosa, se tomó cuatro vasitos de ron y quedó completamente ebria.

—Por lo pronto, no pasaré en el escrito –dijo ella con aire falso.

—Naturalmente, ¿pero si por casualidad pasara?

—Bueno, pues no bebería.

Mateo no insistió, estaba seguro de que se presentaría ebria al oral: "No seré yo quien tenga la culpa; he sido bien prudente". Estaba irritado contra Ivich y asqueado de sí mismo. El mozo trajo una copa, y la llenó hasta la mitad de menta verde.

—En seguida le traigo el hielo.

—Muchas gracias –dijo Ivich.

Ella miraba el vaso y Mateo la miraba a ella. Un deseo violento e impreciso lo había invadido: *ser* por un instante esa conciencia extraviada y colmada de su propio olor, sentir desde adentro esos brazos largos y delgados, sentir en el pliegue del codo la piel del antebrazo, pegarse como un labio a la piel del brazo, sentir ese cuerpo y todos los besitos discretos que se prodigaba sin cesar. Ser Ivich sin dejar de ser yo. Ivich tomó el baldecito de hielo de manos del mozo, y puso en su vaso un cubo de hielo.

—No es para beber –dijo–, pero es más bonito así.

Guiñó un poco los ojos y sonrió con aire infantil.

—Es bonito.

Mateo miró el vaso con irritación, y se dedicó a observar la agitación espesa y torpe del líquido, la blancura turbia del hielo. En vano. Para Ivich, aquello era una pequeña voluptuosidad viscosa y verde que la pringaba hasta la punta de los dedos; para él, aquello no era nada. Menos que nada: un vaso lleno de menta. Podía *pensar* lo que sentía Ivich, pero él no sentía nunca nada, para ella las cosas eran presencias sofocantes y cómplices, amplios remolinos que la penetraban hasta su carne, pero Mateo las veía siempre de lejos. Le arrojó una ojeada y suspiró: estaba atrasado, como siempre. Ivich no miraba ya el vaso; tenía aire de tristeza y tironeaba nerviosamente un bucle de sus cabellos.

—Querría un cigarrillo.

Mateo sacó del bolsillo el paquete de *Gold Flake* y se lo tendió:

—Le voy a dar fuego.

—Gracias, prefiero encender yo misma.

Encendió el cigarrillo y aspiró algunas bocanadas. Había acercado la mano a la boca, y se divertía con aire maniático haciendo correr el humo a lo largo de la palma. Explicó como para sí misma:

—Querría que el humo pareciera salir de mi mano. Sería raro, una mano que humeara.

—Eso no es posible, el humo va demasiado rápido.

—Ya sé, me fastidia pero no puedo impedirlo. Siento mi aliento que me cosquillea la mano, y pasa justo por el medio; se diría que está cortada en dos por una pared.

Tuvo una risita, se calló y siguió soplándose sobre la mano, descontenta y obstinada. Después arrojó el cigarrillo y sacudió la cabeza: el olor de sus cabellos llegó hasta la nariz de Mateo. Era un olor de pastel y de azúcar con vainilla, porque se lavaba la cabeza con yema de huevo; pero ese perfume de confitería dejaba un sabor carnal.

Mateo se puso a pensar en Sarah.

—¿En qué piensa, Ivich? –preguntó.

Ella permaneció un instante con la boca abierta, desconcertada, después retomó su aire meditativo y su rostro se cerró. Mateo se sentía cansado de mirarla; le dolía el rabillo de los ojos.

—¿En qué piensa? –repitió.

—En... –Ivich se sacudió–. Usted siempre me pregunta eso. En nada preciso. Son cosas que uno no puede decir. Eso no se formula.

—¿Pero aun así?

—Bueno, pues miraba a ese buen hombre que se acerca, por ejemplo. ¿Qué quiere que le diga? Habría que decir, es gordo, se enjuga la frente con un pañuelo, lleva una corbata de nudo hecho... Es grotesco que usted me obligue a contar todo eso –dijo irritada y avergonzada bruscamente–, eso no vale la pena que se diga.

—Sí, para mí, sí. Si pudiera formular un deseo, desearía que se viera obligada a pensar en alta voz.

Ivich sonrió a su pesar.

—Eso es vicio –dijo–; la palabra no ha sido hecha para eso.

—Es colosal, usted tiene por la palabra un respeto salvaje; parece creer que está hecha sólo para anunciar las muertes y los casamientos, o para decir misa. Por otra parte, usted no miraba a la gente, Ivich, yo la he visto, se miraba la mano y después se miró el pie. Y además, yo sé lo que está pensando.

—Entonces, ¿para qué lo pregunta? No se necesita ser muy vivo para adivinarlo: pensaba en ese examen.

—Tiene miedo de que la suspendan, ¿no es eso?

—Naturalmente, tengo miedo de que me suspendan. O más bien no, no tengo miedo: yo sé que estoy suspendida.

Mateo sintió de nuevo en la boca un sabor de catástrofe: si está suspendida, no la veré más. Y seguramente la suspenderían: era evidente.

—Yo no quiero volverme a Laon –dijo Ivich desesperada–. Si vuelvo suspendida, no saldré más de allí: me dijeron que ésta era mi última oportunidad.

Y volvió a tironearse el pelo.

—Si yo tuviera valor… –dijo vacilando.

—¿Qué haría usted? –preguntó Mateo, inquieto.

—Cualquier cosa. Todo antes que volver allá, yo no quiero pasar allí mi vida, ¡no quiero!

—Pero usted me dijo que su padre vendería quizá el aserradero dentro de uno o dos años y que toda la familia vendría a instalarse a París.

—¡Paciencia! Así son todos ustedes –dijo Ivich volviendo hacia él sus ojos chispeantes de furor–. ¡Querría verlo allá! ¡Dos años en esa cueva! ¡Tener paciencia durante, dos años! ¿Entonces no acaba de meterse en la cabeza que son dos años los que me roban? Por mi parte, no tengo más que una vida –dijo rabiosamente–. Oyéndolo hablar, uno supondría que usted se cree eterno. ¡Según usted, un año perdido puede reemplazarse! –Los ojos se le llenaron de lágrimas–. No es cierto que pueda reemplazarse, es mi juventud la que se filtrará allí gota a gota. Yo quiero vivir inmediatamente, todavía no he empezado y no tengo tiempo de esperar, ya estoy vieja, tengo veintiún años.

—Ivich, por favor –dijo Mateo–, me da usted miedo. Trate una vez al menos de decirme claramente cómo le ha ido en los trabajos prácticos. Tan pronto parece estar satisfecha como desesperada.

—He fracasado en todo –dijo Ivich con aire sombrío.

—Yo creí que le había ido bien en física.

—¡Cómo no! –dijo Ivich con ironía–. Y además en química he estado lamentable, yo no puedo meterme las dosis en la cabeza, es demasiado árido.

—Pero entonces, ¿por qué ha elegido eso?

—¿Qué?

—El P.C.B.

—De algún modo había que salir de Laon –dijo ella, en tono feroz.

Mateo hizo un gesto de impotencia; ambos callaron. Una mujer salió del café y pasó lentamente delante de ellos; era hermosa, con una nariz pequeñita en un rostro liso y parecía buscar a alguien. Ivich debió sentir ante todo su perfume: levantó lentamente la sombría cabeza, la vio y se le transformó la cara.

—¡Qué soberbia criatura! –dijo en voz baja y profunda.

Mateo sintió horror de esa voz.

La mujer se inmovilizó, entornando los ojos al sol; podía tener treinta y cinco años. Se veían por transparencia sus largas piernas a través del ligero "crêpe" de su vestido, pero Mateo, no tenía deseo de mirarlas: miraba a Ivich. Ivich se había vuelto casi fea; apretaba las manos con fuerza una contra la otra. Un día había dicho a Mateo: "Las naricitas me producen ganas de morderlas." Mateo se inclinó un poco y la vio de tres cuartos; tenía un aire adormecido y cruel y Mateo pensó que tenía ganas de morder.

—Ivich –dijo dulcemente.

Ella no respondió; Mateo sabía que no podía responder: ya no existía para ella, estaba completamente sola.

—¡Ivich!

Era en esos momentos cuando se sentía más ligado a ella, cuando su cuerpecillo encantador y casi melindroso se hallaba habitado por una fuerza dolorosa, por un amor ardiente y turbio, desgraciado, por la belleza. Mateo pensó: Yo no soy bello, y se sintió solo a su vez.

La mujer se marchó. Ivich la siguió con los ojos y murmuró rabiosamente:

—Hay momentos en que querría ser hombre.

Emitió una risita seca y Mateo la miró tristemente.

—Llaman al señor Delarue al teléfono –gritó el empleado.

—Soy yo –dijo Mateo.

Y se levantó:

—Excúseme, es Sarah Gómez.

Ivich le sonrió con frialdad; Mateo entró en el café y bajó la escalera.

—¿El señor Delarue? Primera cabina.

Mateo tomó el auricular; la puerta de la cabina no cerraba.

—¿Hola? ¿Sarah?

—Buenos días otra vez –dijo la voz gangosa de Sarah. Bueno, está arreglado.

—Ah, me alegro.

—Sólo que hay que apresurarse: se va el domingo para los Estados Unidos. Querría hacerlo pasado mañana a más tardar, para tener tiempo de vigilarla un poco los primeros días.

—Sí... Bueno, pues voy a prevenir a Marcela hoy mismo; sólo que estoy sin fondos... Necesito encontrar dinero. ¿Cuánto quiere?

—Ah, lo siento tanto –dijo la voz de Sarah–, pero

quiere cuatro mil contantes y sonantes; yo he insistido, se lo juro, le he dicho que usted andaba necesitado, pero no ha querido saber nada. Es un cochino judío –agregó riendo.

Sarah desbordaba de piedad inaplicada, pero cuando había emprendido la tarea de hacer un favor, se volvía brutal y ocupada como una hermana de la caridad. Mateo había alejado un poco el auricular y pensaba: Cuatro mil francos, y oía la risa de Sarah crepitar sobre la plaquita negra: era una pesadilla.

—¿De aquí a dos días? Bueno, ya... ya me arreglaré. Gracias, Sarah, usted es una perla. ¿Estará en su casa esta tarde antes de comer?

—Todo el día.

—Bueno. Iré, todavía hay cosas que arreglar.

—Hasta luego.

Mateo salió de la cabina.

—Querría una ficha telefónica, señorita. Pero no, no, no vale la pena.

Echó unos céntimos a un platillo y subió lentamente la escalera. No valía la pena de llamar a Marcela antes de haber arreglado esa cuestión de dinero. "Iré a ver a Daniel al mediodía." Volvió a sentarse junto a Ivich y la miró con ternura.

—Ya no me duele la cabeza –dijo ella gentilmente.

—Me alegro mucho –dijo Mateo.

Tenía el corazón lleno de hollín.

Ivich lo miró de reojo a través de sus largas pestañas. Sonreía con sonrisa confusa y coqueta.

—Podríamos... podríamos de todas las maneras ir a ver los Gauguin.

—Como quiera –dijo Mateo con sorpresa.

Se levantaron, y Mateo notó que el vaso de Ivich estaba vacío.

—Taxi –gritó.

—Ése no –dijo Ivich–, es descubierto, nos dará el viento en la cara.

—No, no –dijo Mateo al chófer–, continúe, no era a usted.

—Llame a ése –dio Ivich–, mire qué hermoso es, parece una carroza del Santo Sacramento, y además es cerrado.

El taxi se detuvo y subió Ivich. "Ya que estoy en esto, pensó Mateo, pediré mil francos más a Daniel; eso me permitirá acabar el mes."

—Galería de Bellas Artes, faubourg Saint-Honoré.

Y se sentó en silencio junto a Ivich; ambos se sentían incómodos.

Mateo vio, entre sus pies, tres cigarrillos semiconsumidos, con boquilla dorada.

—Alguien se ha desesperado en este taxi.

—¿Por qué?

Mateo le mostró los cigarrillos.

—Era una mujer –dijo Ivich–, hay huellas de rouge.

Sonrieron y callaron. Mateo dijo:

—Una vez encontré cien francos en un taxi.

—Qué alegría para usted.

—Oh, se los devolví al chófer.

—Toma –dijo Ivich–, yo me los hubiera guardado; ¿por qué lo hizo?

—No sé –dijo Mateo.

El taxi atravesó la plaza Saint-Michel, y Mateo estuvo a punto de decir: "Mire qué verde está el Sena", pero no dijo nada. Ivich dijo de pronto:

—Boris pensaba que fuéramos los tres al "Sumatra" esta noche; a mí me gustaría...

Había vuelto la cabeza, y miraba los cabellos de Mateo adelantando la boca con aire tierno. Ivich no era precisamente coqueta, pero de tiempo en tiempo tomaba cierto aire de ternura, por el gusto de sentir su rostro pesado y dulce como un fruto. Mateo la juzgó fastidiosa y fuera de lugar.

—Me alegraré de ver a Boris y de estar con usted –dijo–: lo que me molesta un poco, ya sabe, es Lola; ella no me puede tragar.

—¿Y eso qué importa?

Hubo un silencio. Era como si ambos se hubieran representado al mismo tiempo que eran un hombre y una mujer encerrados juntos en un taxi. "Esto no debe ser", se dijo él con fastidio; Ivich continuó:

—A mí no me parece que Lola valga la pena de que se le preste atención. Es hermosa y canta bien, eso es todo.

—Yo la encuentro simpática.

—Naturalmente. Así es su moral, usted quiere siempre ser perfecto. En cuanto una persona lo detesta, usted hace lo que puede para descubrirle cualidades. Yo no la encuentro simpática –agregó.

—Es muy amable con usted.

—No puede ser de otro modo; pero yo no la quiero, representa una comedia.

—Es gracioso que usted no lo haya notado: lanza suspiros gordos como ella misma para que la crean desesperada y después se encarga buenos platitos.

Y agregó con malignidad solapada:

—Yo hubiera creído que a las personas desesperadas no les importa reventar; por eso me asombro siempre cuando las veo calcular sus gastos centavo a centavo y hacer economías.

—Eso no impide que esté desesperada. Así hacen las personas cuando envejecen: cuando están asqueadas de sí mismas y de sus vidas piensan en el dinero y se cuidan.

—Bueno, pues uno no debería envejecer jamás –dijo Ivich secamente.

Él la miró con aire molesto y se apresuró a agregar:

—Tiene razón, no es nada agradable ser viejo.

—Oh, pero usted, usted no tiene edad –dijo Ivich–; me parece que usted ha sido siempre como es, tiene la juventud de un mineral. A veces trato de imaginarme cómo era usted en su infancia, pero no puedo.

—Tenía rizos –dijo Mateo.

—Bueno, pues yo me figuro que usted era como ahora, sólo que un poco más chico.

Esta vez Ivich no debía saber que tenía aire de ternura. Mateo quiso hablar, pero tenía un diablo de cosquilleo en la garganta, y estaba fuera de sí mismo. Había dejado tras de sí a Marcela, a Sarah y los interminables corredores de hospital en que se arrastraba desde la mañana; no estaba ya en parte alguna, se sentía libre; aquel día de verano lo rozaba con su masa densa y cálida y tenía ganas de dejarse caer en él con todo su peso. Un segundo más y le pareció que permanecía en suspenso en el vacío, con una intolerable impresión de libertad, y después bruscamente extendió el brazo, tomó a Ivich por los hombros y la atrajo hacia sí. Ivich se dejó ir con rigidez, toda de una pieza, como si perdiera el equilibrio. Y no dijo nada; tenía un aire ausente.

El taxi se había introducido en la calle de Rivoli y las arcadas del Louvre volaban pesadamente a lo largo de las ventanillas como palomas gordas. Hacía calor.

Mateo sentía un cuerpo cálido contra su costado, a través del vidrio de delante veía árboles y una bandera tricolor en la punta de un mástil. Recordó el gesto de un tipo que había visto una vez, en la calle Mouffetard. Un tipo bastante bien puesto, de cara gris. El tipo se había aproximado a una freiduría, había mirado largamente una lonja de carne fría colocada sobre un plato, en el escaparate, después extendió la mano y cogió el pedazo de carne; daba la impresión de que aquello le pareciera de lo más sencillo, había debido sentirse libre él también. El patrón gritó y un agente se llevó al tipo que parecía atónito. Ivich seguía sin decir nada.

"Me está juzgando", pensó Mateo con irritación.

Para castigarla, se inclinó y rozó con la punta de los labios una boca fría y cerrada; quedó inclinado. Ivich callaba. Al levantar la cabeza vio sus ojos y su rabiosa dicha se desvaneció. Pensó:. "Un hombre casado que manosea a una chica en un taxi" y su brazo recayó inerte y algodonoso; el cuerpo de Ivich se enderezó de nuevo con una oscilación mecánica, como un péndulo, al que se ha apartado de su posición de equilibrio. "Ya está", se dijo Mateo, es irremediable. Tenía la espalda encorvada, hubiera querido borrarse. Un agente levantó su varita, el taxi se detuvo. Mateo miraba derecho ante sí, pero no veía los árboles; miraba su amor.

Aquello era amor. Ahora era amor. Mateo pensó: "¿Qué es lo que he hecho?" Cinco minutos antes ese amor no existía; había entre ellos un sentimiento raro y precioso, que no tenía nombre, que no podía expresarse con gestos. Y justamente, él había hecho un gesto, el único que no había que hacer –por lo demás no lo había hecho expresamente–, había venido espontáneamente. Un gesto y ese amor había aparecido ante Mateo como un gran objeto molesto y ya vulgar. Ivich pensaría en adelante que él la amaba; pensaría: "es como los otros"; en adelante, Mateo amaría a Ivich como a las otras mujeres a quienes amara. "¿Qué es lo que piensa?" Ella permanecía a su lado, rígida y silenciosa, y había ese gesto entre ellos, detesto que me toquen, ese gesto torpe y tierno que tenía ya la impalpable obstinación de las cosas pasadas. "Ivich está furiosa, me desprecia, piensa que soy como los demás." No era eso lo que yo quería de ella, pensó con desesperación. Pero ya no conseguía recordar lo que quería antes. El amor allí, rotundo, fácil, con sus deseos simples y sus conductas triviales, y era Mateo quien lo había hecho nacer, con plena libertad. "No es cierto, pensó con fuerza, yo no la deseo, jamás la he deseado." Pero ya sabía que iba a desearla: la cosa siempre acaba así, miraré sus piernas y sus senos. Y después, un día... Vio bruscamente a Marcela tendida sobre la cama, completamente desnuda con los ojos cerrados; odiaba a Marcela.

El taxi se había detenido; Ivich abrió la puerta y bajó a la acera. Mateo no la siguió de inmediato; contemplaba con ojos agrandados ese amor tan nuevo y ya viejo, ese amor de hombre casado, vergonzoso y solapado, humillante para ella, humillado de antemano, y lo aceptaba ya como una fatalidad. Bajó por fin, pagó, y se reunió con Ivich que lo esperaba bajo la puerta de entrada. "Si al menos pudiera ella olvidar." Le lanzó una ojeada furtiva y le pareció que tenía aire duro. "Poniéndose con el mejor de los casos hay algo acabado entre nosotros", pensó. Pero no tenía deseos de prohibirse ese amor. Entraron a la Exposición sin cambiar una palabra.

V

"¡El Arcángel!" Marcela bostezó, se enderezó un poco, sacudió la cabeza y su primer pensamiento fue: "El Arcángel viene esta noche." Le gustaban sus misteriosas visitas, pero ese día pensaba en ellas sin complacencia. A su alrededor había en el aire un horror fijo, un horror de mediodía. Llenaba la habitación un calor debilitado, un calor que ya había servido afuera, que había dejado su luminosidad en los pliegues de la cortina y se estancaba allí, inerte y siniestro como un destino. "Si lo supiera él, que es tan puro, yo le daría asco." Se había sentado al borde de la cama, como la víspera, cuando Mateo estaba completamente desnudo a su lado, miraba los pulgares de sus pies con un disgusto mohíno, y la velada de la víspera estaba allí aún, impalpable, con su luz muerta y rosada como un olor enfriado. "No pude... No pude decirle." Él hubiera dicho: "Bueno, está bien, vamos a arreglarnos" con un aire animado y alegre, el aire de quien traga una droga. Marcela sabía que no hubiera podido soportar esa cara; se le había quedado en la garganta. Pensó: ¡Mediodía! El techo estaba gris, como un alba, pero había un calor de mediodía, Mareela se dormía tarde y nunca veía las mañanas; a veces le parecía que su vida se había detenido un día a las doce, que era un eterno mediodía aplastado sobre las cosas, blando, lluvioso, sin esperanza y tan Inútil. Afuera estaban la luz plena, los tocados claros. Mateo caminaba afuera, entre el espolvoreo vivo y alegre de esa jornada comenzada sin ella y que tenía ya un pasado. "Piensa en mí, se agita", pensó inamistosamente. Le fastidiaba imaginar esa robusta piedad a pleno sol, esa piedad

activa y torpe de hombre sano. Se sentía lenta y moja-
da, toda embadurnada de sueño todavía; y sentía ese
casco de acero sobre su cabeza, ese sabor de tinta en la
boca, esa tibieza a lo largo de sus flancos, y bajo los
brazos, en la punta de los pelos negros, esas perlas de
frío. Tenía ganas de vomitar, pero se contenía, su jornada no había comenzado aún, estaba allí, apoyada
contra Marcela, en equilibrio inestable, y el menor
gesto la haría derrumbarse como un alud. Lanzó una
risita sarcástica y dura:. "¡Su libertad!" Cuando uno
se despertaba por la mañana con el estómago revuel-
to y teniendo por delante quince horas que matar antes de volver a acostarse, ¿qué diablos podía impor-
tarle el ser libre? "La libertad no ayuda a vivir." Unas
delicadas plumitas embadurnadas de áloe le acaricia-
ban el fondo de la garganta, y después un asco de todo, hecho una bola sobre la lengua, le hacía retirar los
labios hacia atrás. "Tengo suerte. Parece que hay algunas que vomitan todo el día en el segundo mes; yo
devuelvo un poco por la mañana, estoy cansada por la
tarde, pero me mantengo; y mamá ha conocido mujeres que no podían soportar el olor del tabaco, no me
faltaría más que eso." Se levantó bruscamente y corrió al lavabo; vomitó un agua espumosa y turbia, que
parecía clara de huevo algo batida. Marcela se aferró
al reborde de porcelana, y miró el líquido henchido de
aire: finalmente aquello se parecía más bien al esper-
ma. Sonrió con malignidad y murmuró: "Recuerdo de
amor". Después en su cabeza se hizo un gran silencio
metálico y comenzó la jornada. No pensaba ya en nada, se pasó la mano por la cabeza y esperó: "Por la
mañana devuelvo siempre dos veces". Y luego, de golpe, volvió a ver el rostro de Mateo, su arte ingenuo y

convencido al decir: "¿Lo deshacemos, no?" y se sintió atravesada por un relámpago de odio.

Ya viene. Pensó primero en la manteca y sintió horror, le parecía que masticaba un trozo de manteca amarilla y rancia; después sintió algo parecido a una risotada en el fondo de la garganta, y se inclinó por encima del lavabo. Un largo filamento pendía de sus labios y tuvo que toser para que se desprendiera. Aquello no la asqueaba. Se asqueaba fácilmente de sí misma, sin embargo el invierno pasado, cuando había tenido diarrea, no permitía ni que la tocara Mateo, le parecía todo el tiempo que conservaba cierto olor. Miró las viscosidades que se deslizaban lentamente hacia el agujero de desagüe, dejando rastros brillantes y viscosos como los caracoles. Y dijo a media voz: "¡Estupendo! ¡Estupendo!" Aquello no la asqueaba, era la vida, como las eclosiones pegajosas de una primavera; no era más repugnante que la goma roja y olorosa que unge las yemas. "No es esto lo repugnante." Hizo correr un poco de agua para limpiar el lavabo. Y se quitó la camisa con gestos blandos. Pensó: "Si fuera un animal, me dejarían tranquila". Podría abandonarse a esa languidez viviente, bañarse en ella como en el seno de una gran fatiga dichosa. Pero no era un animal. "¿Lo deshacemos, no?" Desde la noche anterior se sentía acosada.

El espejo le devolvía su imagen rodeada de lumbres plomizas. Se aproximó más. No se miró ni los hombros, ni los senos: su cuerpo no le gustaba. No miró más que su vientre, su amplio estanque fecundo. Siete años antes, una mañana –Mateo había pasado la noche con ella por primera vez–, se había aproximado al espejo con el mismo asombro vacilante y había pensado: "Es cierto entonces que se me puede amar" contemplando su carne pulida y sedosa, casi una tela que convertía su cuerpo en una superficie, nada más que en una superficie, hecha para reflejar los juegos estériles de la luz, y para fruncirse bajo las caricias como el agua bajo el viento. Hoy, ya no era la misma carne; miraba su vientre y volvía a sentir ante la abundancia apacible de esas grasas praderas nutricias, una impresión qáe había tenido de pequeña ante los senos de las mujeres que amamantaban en el Luxemburgo: por encima del miedo y del asco, una especie de esperanza. Pensó: "está aquí". En ese vientre una pequeña fresa de sangre se apresuraba a vivir, con una precipitación cándida; una pequeña fresa de sangre completamente estúpida, que ni siquiera era todavía animal y que iban a raspar con la punta de un cuchillo. "En este momento hay otras que miran su vientre y que piensan también: está aquí. Pero ellas están orgullosas." Se encogió de hombros: bueno, pues sí, estaba hecho para la maternidad ese cuerpo que se expandía absurdamente. Pero los hombres habían decidido lo contrario: iría a la casa de esa vieja; no había más que imaginarse que era un fibroma. "Por lo demás, en este momento, no es nada más que un fibroma." Iría a la casa de la vieja, levantaría las piernas en el aire, y la vieja le rascaría con su instrumento entre los muslos. Y luego no se hablaría más de eso, no sería ya más que un recuerdo innoble; todo el mundo tiene alguno así en la vida. Volvería a su habitación rosada, continuaría leyendo, y sufriendo del intestino, y Mateo seguiría viéndola cuatro noches por semana, y la trataría por algún tiempo aún con una delicadeza enternecida como a una joven madre, y cuando hiciera el amor redoblaría sus precauciones, y Daniel, Daniel el arcángel, vendría también de tiempo en tiempo... ¡Una ocasión perdida, vaya! Sorprendió sus ojos en el espejo y se apartó vivamente: no quería odiar a

Mateo. Y pensó: "Es necesario asimismo que comience mi arreglo."

Pero no tenía ánimo. Se volvió a sentar en la cama, se posó con dulzura la mano sobre el vientre, justo por encima de los pelos negros, apoyó un poco, no demasiado y pensó con cierta ternura: "es aquí". Pero el odio no se rendía. Se elijo con aplicación: "No quiero odiarlo. Está en su derecho, siempre ha dicho que en caso de accidente... Él no podía saber; es culpa mía, jamás le dije nada." Por un instante pudo creer que iba a sentirse aliviada, nada temía tanto como tener que despreciarlo. Pero casi inmediatamente se sobresaltó. "¿Y cómo hubiera podido decírselo? Jamás me pregunta nada." Evidentemente, habían convenido, de una vez por todas, que se lo contaría todo, pero eso no era cómodo sobre todo para él. Le gustaba sobre todo hablar de sí mismo, exponer sus pequeños casos de conciencia, sus delicadezas morales. En cuanto a Marcela, tenía confianza en ella: por pereza. No se atormentaba por ella, pensaba: "Si le pasara algo, me lo diría." Pero Marcela no podía hablar: la cosa no salía. "Sin embargo él debería saber que yo no puedo hablar de mí misma, que no me quiero tanto como para eso." Salvo con Daniel; Daniel sabía interesarla en sí mismo: tenía una manera tan encantadora de interrogarla, mirándola con sus hermosos ojos acariciadores, y además, ambos tenían un secreto. Daniel era tan misterioso: la veía a escondidas y Mateo ignoraba todo acerca de aquella intimidad; no hacían nada de malo, era casi una farsa, pero esa complicidad creaba entre ellos un lazo encantador y liviano. Y además a Marcela no le disgustaba tener algo de vida personal, salvo que fuera verdaderamente de ella y que no estuviera obligada a compartir: "Mateo hubiera debido proceder como Daniel, pensó. ¿Por qué sólo Daniel sabe hacerme hablar? Si me hubiera ayudado un poco..." Durante todo el día de la víspera había sentido la garganta apretada, hubiera querido decirle:

"¿Y si lo conserváramos?" ¡Ah, si él hubiera vacilado, aunque hubiera sido un segundo, se lo hubiera dicho! Pero Mateo llegó, tomó su aire ingenuo: "¿Lo deshacemos, no?" Y ella no había podido hablar. "Cuando se marchó estaba inquieto; no quería que esa individua me destruyera. Claro que no: va a buscar direcciones y eso lo va a ocupar ahora que ya no tiene sus clases, y tal vez eso sea mejor para él que arrastrar consigo a esa chica. Además, está disgustado como alguien que ha roto un florero. Pero en el fondo, tiene la conciencia perfectamente tranquila... Sin duda se ha hecho la promesa de colmarme de amor." Rió brevemente. "Está bien. Sólo que tiene que apresurarse, porque bien pronto habré pasado la edad del amor."

Crispó la mano sobre la colcha porque se sentía aterrada: "Si me pongo a detestarlo, ¿qué me queda?" ¿Sentía siquiera si deseaba realmente el chico? Marcela veía de lejos en el espejo una masa sombría y algo aplastada: era su cuerpo de sultana estéril. "¿Sé siquiera si hubiera podido vivir? Yo estoy podrida." Iría a casa de esa vieja. Ocultándose, de noche. Y la vieja le pasaría la mano por la cabeza, como a Andrea, y la llamaría gatita mía con aire de complicidad inmunda: "Cuando una no es casada, un embarazo es tan reventador como una blenorragia; tengo una enfermedad venérea, eso es lo que tengo que comprender."

Pero no pudo dejar de pasarse dulcemente la mano por el vientre. Y pensó: es aquí. Ahí. Una cosa viviente y sin suerte como ella. Una vida absurda y superflua como la suya... Y de pronto pensó con pasión: "Hubiera sido *mío*. Aun idiota, aun deforme, hubiera sido mío". Pero ese deseo secreto, ese oscuro juramento, era tan solitario, tan inconfesable, era menester disimularlo a tanta gente, que se sintió bruscamente culpable y tuvo horror de sí misma.

VI

Veíase ante todo por encima de la puerta el escudo "R. F." y las banderas tricolores; aquello daba inmediatamente el tono. Y después uno entraba en los grandes salones desiertos, se sumergía en una luz académica que caía de una vidriera opaca. Aquello se le metía a uno en los ojos, dorado, y en seguida comenzaba a fundirse, se volvía gris. Paredes claras, colgaduras de terciopelo *beige*. Mateo pensó: "el espíritu francés". Un baño de espíritu francés que se vertía sobre todo, sobre los cabellos de Ivich, sobre las manos de Mateo: era ese sol expurgado y el silencio oficial de aquellos salones; Mateo se sintió agobiado por una nube de responsabilidades cívicas: convenía hablar bajo, no tocar los objetos expuestos, ejercer con moderación pero con firmeza el espíritu crítico, no olvidar en ningún caso la más francesa de las virtudes: la Penitencia. Además de eso, naturalmente, había muchas manchas en las paredes, los cuadros; pero Mateo no tenía ya ningún deseo de mirarlos. Arrastró sin embargo a Ivich, y le mostró sin hablar un paisaje bretón con un calvario, un Cristo en la cruz, un ramillete, dos tahitianas de rodillas en la arena, una ronda de jinetes maoríes. Ivich no decía nada y Mateo se preguntaba qué podía estar pensando.

Trataba a veces de mirar los cuadros, pero con eso no adelantaba nada. "Los cuadros no se apoderan de uno, pensaba con fastidio; se nos proponen. Depende de mí que existan o no, yo soy libre frente a ellos." Demasiado libre: aquello le creaba una responsabilidad suplementaria, y se sentía en falta.

—Éste es Gauguin –dijo.

Era una pequeña tela cuadrada con una etiqueta: "Autorretrato del artista." Gauguin, descolorido y peinado, con un mentón enorme, tenía cierto aire de inteligencia fácil y la gravedad triste de un niño. Ivich no respondió y Mateo le lanzó una ojeada furtiva: no vio más que sus cabellos desdorados por el falso brillo de la luz. La semana anterior, al contemplar ese retrato por primera vez, Mateo lo había encontrado hermoso. Ahora se sentía inerte. Además, no veía ya el cuadro: Mateo estaba sobresaturado de realidad, de verdad, transido por el espíritu de la Tercera República; veía todo cuanto era real, veía todo lo que podía iluminar esta luz clásica, las paredes, las telas en sus cuadros, los colores como costras sobre las telas. Pero no los cuadros; los cuadros se habían extinguido, y parecía monstruoso, en el fondo de aquel pequeño baño de penitencia, que hubiera habido personas que pintaran, que figuraran sobre las telas inexistentes objetos.

Entraron un señor y una señora. El señor era alto y rosado, con ojos como botones de botines, y suaves cabellos blancos; la señora pertenecía más bien al género gacela, podía tener unos cuarenta años. Apenas dentro parecieron sentirse en su casa; debía ser una costumbre, había una relación innegable entre su aire de juventud y la calidad de la luz; debía ser la luz de las exposiciones nacionales la que los conservaba tan bien.

Mostró a Ivich una gran mohosidad sombría en uno de los lados de la pared del fondo.

—También es él.

Gauguin, desnudo hasta la cintura bajo un cielo de tormenta, fijaba sobre ellos la mirada dura y falsa de los alucinados. La soledad y el orgullo habían devorado su rostro, su cuerpo se había convertido en un fruto gordo y blando de los trópicos con bolsas llenas de agua. Había perdido la Dignidad –esa Dignidad Humana que Mateo conservaba aún sin saber qué hacer con ella–, pero conservaba el orgullo. Detrás de él había unas presencias oscuras, todo un barullo de formas negras. La primera se había sentido emocionado; pero estaba solo. Hoy estaba junto a él un pequeño cuerpo rencoroso y Mateo sentía vergüenza de sí mismo, estaba de más; era una gorda inmundicia delante de la pared.

El señor y la señora se acercaron y vinieron a plantarse desenfadadamente delante de la tela. Ivich tuvo que dar un paso al costado, porque le impedían ver. El señor se echó hacia atrás y contempló el cuadro con severidad consternada. Era una autoridad: tenía la roseta.

—Psch, psch, psch –pronunció sacudiendo la cabeza–, ¡qué poco me gusta eso! Palabra de honor que se tomaba por el Cristo. Y ese ángel negro, allí, allí, detrás de él, eso no es serio.

La dama se echó, a reír:

—¡Dios mío, qué cierto! –dijo con una voz florida–, ese ángel es literario, como todo.

—A mí no me gusta Gauguin cuando piensa –dijo el señor con profundidad–. El *verdadero* Gauguin es el Gauguin que *decora*.

Miraba a Gauguin con sus ojos de muñeca, seco y

delgado dentro de su hermoso traje de franela gris, frente a ese grueso cuerpo desnudo. Mateo oyó un cloqueo extraño y se volvió: Ivich estaba tentada por una risa loca, y le arrojó una mirada desesperada mordiéndose los labios: "Ya no me odia", pensó Mateo con un relámpago de alegría. La tomó del brazo y la condujo, doblada en dos, hasta un sillón de cuero, en el mismo centro de la pieza. Ivich se dejó caer riendo en el sillón; tenía todo el cabello sobre la cara.

—Es formidable –dijo en voz alta–. ¿Cómo decía: "A mí no me gusta Gauguin cuando piensa"? ¡Y la mujer! ¡Le queda tan bien eso de estar con una mujer así!

El señor y la señora se mantenían muy derechos: parecían consultarse con la mirada sobre qué partido tomar.

—Hay otros cuadros en la sala de al lado –dijo Mateo tímidamente.

Ivich dejó de reír.

—No –dijo en tono mohíno–; ahora ya no es lo mismo, hay gente.

—¿Quiere que nos vayamos?

—Lo preferiría; todos estos cuadros me han vuelto a dar dolor de cabeza. Querría pasearme un poco al aire libre.

Se levantó. Mateo la siguió lanzando una ojeada de tristeza al gran cuadro de la pared izquierda; hubiera querido mostrárselo. Dos mujeres hollaban una hierba rosada con sus pies desnudos. Una de ellas llevaba un capuchón: era una bruja. La otra extendía el brazo con tranquilidad profética. Ninguna de las dos era totalmente viviente. Parecía que las hubieran sorprendido en el momento de metamorfosearse en cosas.

Fuera, la calle llameaba; Mateo sintió la impresión

de atravesar un horno.

—Ivich –dijo involuntariamente.

Ivich hizo una mueca y se llevó las manos a los ojos.

—Es como si me los reventaran a alfilerazos. ¡Oh –dijo con furor–, odio el verano!

Dieron algunos pasos. Ivich titubeaba un poco, con las manos siempre apretadas sobre los ojos.

—Cuidado –dijo Mateo–, se acaba la acera.

Ivich bajó bruscamente las manos y Mateo vio sus pálidos ojos extraviados. Cruzaron la calle en silencio.

—Eso no debería ser público –dijo Ivich de golpe.

—¿Se refiere a las exposiciones? –preguntó Mateo, atónito.

—Sí.

—Si no fueran públicas –trataba de retomar el tono familiarmente alegre que les era habitual–, me pregunto cómo haríamos para ir a ellas.

—Bueno, pues no iríamos –dijo Ivich secamente.

Callaron ambos y Mateo pensó: "Sigue guardándome rencor". Y luego, de súbito, se sintió traspasado por una certidumbre insoportable: "Quiere largarse. No piensa más que en eso. Debe estar buscando en su cabeza una frase de despedida cortés, y cuando la haya encontrado, me plantará. Yo no quiero que se vaya", pensó con angustia.

—¿No tiene nada que hacer en especial? –preguntó.

—¿Cuándo?

—Ahora.

—No, nada.

—Ya que quiere pasear, yo pensaba… ¿la molestaría acompañarme hasta la casa de Daniel, en la calle Montmartre? Podríamos separarnos en la puerta, y usted me permitiría que le ofreciera un taxi para volver a la Residencia.

—Como quiera, pero no vuelvo a la Residencia, voy a ver a Boris.

"Se queda." Lo cual no probaba que lo hubiera perdonado. Ivich tenía horror de dejar los lugares y las personas, aun cuando los odiara, porque el porvenir lo daba miedo. Se abandonaba con enfurruñada indolencia a las situaciones más desagradables, y acababa por encontrar en ellas una especie de descanso. De cualquier modo, Mateo estaba contento: mientras permaneciera con él, le impedirla pensar. Si hablara sin cesar, si se imponía, podría retardar un poco la eclosión de los pensamientos coléricos y despreciativos que iban a nacer en ella. Había que hablar, hablar inmediatamente, sobre cualquier cosa. Pero Mateo no encontraba nada que decir. Acabó por preguntar torpemente:

—¿Los cuadros le han gustado, de cualquier modo?

Ivich se encogió de hombros.

—Naturalmente.

Mateo tenía ganas de enjugarse la frente, pero no se atrevió a hacerlo. "Dentro de una hora estará libre, me juzgará sin apelación y yo no podré defenderme, no es posible dejar que se marche así, decidió. Es menester que se lo explique."

Se volvió hacia ella, pero vio sus ojos un poco extraviados y las palabras no le acudieron.

—¿Usted cree que estaba loco? –preguntó súbitamente Ivich.

—¿Gauguin? No lo sé. ¿Pregunta eso por lo del retrato?

—Por sus ojos. Y además, esas formas negras, detrás de él, parecían cuchicheos.

Y agregó como si lo lamentara:

—Era hermoso.

—Toma –dijo Mateo sorprendido–, es una idea que no se me hubiera ocurrido.

Ivich tenía una manera de hablar de los muertos ilustres que lo escandalizaba un poco: entre los grandes pintores y sus cuadros no establecía relación alguna; los cuadros eran cosas, bellas cosas sensuales que hubiera habido que poseer; parecíale que habían existido siempre; los pintores eran hombres como los demás: no les agradecía para nada sus obras y no los respetaba. Preguntaba si habían sido bromistas graciosos, si habían tenido queridas; un día, Mateo le preguntó si le gustaban las telas de Toulouse-Lautrec, y ella le contestó: "¡Qué horror, era tan feo!". Mateo se había sentido personalmente herido.

—Sí, era hermoso –dijo Ivich con convicción.

Mateo se encogió de hombros. Ivich podía comerse con los ojos cuanto quisiera a los estudiantes de la Sorbona insignificantes y frescos como chicas; Mateo mismo lo había encontrado encantador un día que ella miró largamente a un joven pupilo de orfelinato acompañado de dos religiosas, y dijo con gravedad algo inquieta: "Creo que me estoy volviendo pederasta". Podía también encontrar hermosas a las mujeres. Pero no a Gauguin. No a ese hombre maduro que había hecho *para ella* cuadros que le gustaban.

—Lo que pasa –dijo Mateo– es que no lo encuentra simpático.

Ivich hizo una mueca despreciativa y calló.

—¿Qué pasa, Ivich? –dijo vivamente Mateo–, ¿me critica porque he dicho que no era simpático?

—No, pero me pregunto por qué ha dicho usted eso.

—Porque sí. Porque es mi impresión; ese aire de orgullo que tiene le hace tener ojos de pescado hervido.

Ivich se puso a tironearse un rizo; había adoptado un aire de insulsa obstinación.

—Tiene un aire noble –dijo en tono neutro.

—Sí... –dijo Mateo en el mismo tono–; tiene ceño, si eso es lo que quiere decir.

—Naturalmente –dijo Ivich con una risita.

—¿Por qué dice naturalmente?

—Porque estaba segura de que usted le llamarla ceño a eso.

Mateo dijo con dulzura.

—Yo no quería hablar de él. Usted sabe que a mí me gustan los orgullosos.

Hubo un silencio bastante largo. Después Ivich dijo bruscamente con aire tonto y cerrado:

—A los franceses no les gusta lo noble.

Ivich hablaba con gusto del temperamento francés cuando estaba encolerizada y siempre con ese aire tonto. Agregó en tono bonachón:

—Por lo demás, yo lo comprendo. Desde afuera lo noble debe parecer tan exagerado.

Mateo no respondió: el padre de Ivich era noble. Sin la revolución de 1917 Ivich hubiera sido educada en Moscú, en el pensionado de las señoritas de la nobleza; hubiera sido presentada a la Corte, y se hubiera casado con un oficial de la guardia, alto y hermoso, de frente estrecha y mortecina mirada. Ahora, el señor Serguin era propietario de un aserradero mecánico en Laon. Ivich estaba en París, y se paseaba con Mateo, un burgués francés a quien no le gustaba la nobleza.

—¿Fue él el que... partió? –preguntó de pronto Ivich.

—Sí –dijo Mateo premiosamente–; ¿quiere que le

cuente su historia?

—Creo que la sé; era casado, tenía hijos, ¿no es eso?

—Sí, trabajaba en un banco. Y los domingos se iba a los arrabales con un caballete y una caja de colores. Era lo que se llama un pintor dominical.

—¿Un pintor dominical?

—Sí; al principio, era eso: quiero decir un aficionado que embadurna telas los domingos como quien pesca con caña. Un poco por higiene, ya se imagina, porque uno pinta los paisajes en el campo y respira aire puro.

Ivich se echó a reír, pero no con la risa que Mateo esperaba.

—¿Le divierte que haya comenzado por ser un pintor dominical? –preguntó Mateo con inquietud.

—No pensaba en él.

—¿Y qué pensaba?

—Me preguntaba si se habla también a veces de escritores dominicales. Escritores dominicales: pequeños burgueses que escribían anualmente una novela o cinco o seis poemas para introducir algo de ideal en sus vidas. Por higiene–. Mateo se estremeció.

—¿Quiere decir que yo soy uno de ellos? –preguntó alegremente–. Bueno, pues ya ve que con eso se llega a todo. Puede que un buen día me marche a Tahití.

Ivich se volvió hacia él y lo miró bien a la cara. Tenía un aspecto maligno y atemorizado: debía espantarse de su propia audacia.

—Me asombraría –dijo en tono incoloro.

—¿Por qué no? –dijo Mateo–. Tal vez no a Tahití, pero sí a Nueva York. Me gustaría mucho ir a América.

Ivich se tironeaba de los rizos con violencia.

—Sí —dijo—, si fuera en misión... con otros profesores.

Mateo la miró en silencio y ella continuó:

—Puede que me engañe... Me lo imagino muy bien pronunciando una conferencia en una universidad ante los estudiantes americanos, pero no en el puente de un barco entre los emigrantes. Quizá sea porque usted es francés.

—¿Le parece que yo necesito cabinas de lujo? –preguntó él enrojeciendo.

—No –dijo Ivich brevemente–, de segunda clase.

A él le costó un poco tragar saliva. "Me gustaría verla a ella en el puente de un barco, con los emigrantes: reventaría."

—En fin –concluyó–, de cualquier modo, me hace usted gracia decidiendo así que yo no puedo marcharme. Además, se engaña: antes lo he deseado muy a menudo. Se me pasó, porque lo encontraba idiota. Y además esta historia es tanto más cómica, cuanto que ha venido a propósito de Gauguin, precisamente, que siguió siendo un burócrata hasta los cuarenta años.

Ivich estalló en irónica risa.

—¿No es cierto acaso? –preguntó Mateo.

—Sí... ya que usted lo dice. En todo caso no hay más que mirarlo en el retrato.

—¿Y qué?

—Bueno, que me imagino que no debe de haber muchos burócratas de su especie. Tenía un aire... perdido.

Mateo volvió a ver un rostro pesado, de enorme barbilla. Gauguin había perdido la dignidad humana, había consentido en perderla.

—Ya veo –dijo–. ¿En la gran tela del fondo? En ese

momento estaba muy enfermo.

Ivich sonrió con desprecio.

—Yo hablo del cuadrito en que todavía es joven: allí se le ve capaz de cualquier cosa.

Miró al vacío con aire algo extraviado y Mateo sintió por segunda vez la mordedura de los celos.

—Evidentemente, si eso es lo que quiere decir, yo no soy un hombre perdido.

—Oh, no –dijo Ivich.

—Y además, no veo por qué eso sería una casualidad –dijo–; o de lo contrario no comprendo bien lo que quiere decir.

—Bueno, pues no hablemos más.

—Naturalmente. Usted siempre es así: hace reproches disimulados y luego se niega a explicarse; es demasiado cómodo.

—Yo no hago reproches a nadie –dijo ella con indiferencia.

Mateo dejó de caminar y la miró. Ivich se detuvo de mala gana. Saltaba sobre uno y otro pie y evitaba la mirada de Mateo.

—Ivich, me va a decir lo que quiere insinuar con eso.

—¿Con qué? –dijo ella con asombro.

—Con esa historia de hombre "perdido".

—¿Todavía seguimos hablando de eso?

—Parece idiota –dijo Mateo–, pero yo querría saber lo que quiere insinuar.

Ivich comenzó a tironearse el pelo: era exasperante.

—Pero yo no insinúo nada, es una cosa que se me ha ocurrido.

Se detuvo como buscando algo, de cuando en cuando abría la boca y Mateo creía que iba a hablar, pero no pasaba nada. Por fin dijo:

—Me importa un bledo que sea así o de otro modo.

Se había enroscado un rizo alrededor del dedo, y tiraba de él como para arrancárselo.

De pronto agregó rápidamente, mirándose la punta de los zapatos:

—Usted está instalado y no cambiaría eso por todo el oro del mundo.

—Ah, ¿es eso? –dijo Mateo–. ¿Qué sabe usted?

—Es una impresión: uno tiene la impresión de que usted tiene hecha su vida y firmes sus ideas sobre todo. De modo que extiende la mano hacia las cosas cuando cree que están a su alcance, pero no se molestaría para ir a tomarlas.

—¡Qué sabe usted! –repitió Mateo. No encontraba nada más que decir: pensaba que Ivich tenía razón.

—Creía eso –dijo ella con cansancio–. Creía que usted no quería arriesgar nada, que era demasiado inteligente para eso. –Y agregó con aire taimado–: Pero ya que me dice que no es así…

Mateo pensó de pronto en Marcela y sintió vergüenza:

—No –dijo en voz baja–; yo soy así, yo soy como usted cree.

—Ah –dijo Ivich en tono de triunfo.

—Usted… ¿usted encuentra eso despreciable?

—Por el contrario –dijo Ivich con indulgencia–. Me parece que es mucho mejor así. Con Gauguin la vida debía ser imposible. –Y agregó sin que se pudiera discernir la menor ironía en su voz–: Con usted una se siente segura, nunca tiene que temer lo imprevisto.

—En efecto –dijo Mateo secamente–. Si quiere decir que no tengo caprichos… Usted sabe que podría tenerlos como cualquier otro, pero me parece, estúpido.

—Ya sé –dijo Ivich–, todo lo que usted hace es siempre tan... metódico... –Mateo se sintió palidecer.

—¿A propósito de qué dice eso, Ivich?

—A propósito de todo –dijo Ivich vagamente.

—Oh, usted tiene al respecto una ideíta particular.

Ella refunfuñó sin mirarlo:

—Todas las semanas llega usted con la *Semana de París*, confecciona un programa...

—¡Ivich –dijo Mateo indignado–, era por usted!

—Ya sé –dijo Ivich cortésmente–, le estoy muy agradecida.

Mateo estaba más sorprendido aún que herido.

—No comprendo, Ivich. ¿Acaso no le gusta oír conciertos o ver cuadros?

—Claro que sí.

—Con qué pocas ganas lo dice.

—Realmente me gusta mucho... Detesto –dijo con violencia súbita– que se me creen deberes para con las cosas que amo.

—¡Ah...! A usted... ¡no le gusta eso! –repitió Mateo.

Ivich había levantado la cabeza y echado atrás sus cabellos; su ancho rostro descolorido estaba descubierto, sus ojos chispeaban. Mateo estaba aterrado: miraba los labios finos y flojos de Ivich y se preguntaba cómo había podido besarlos:

—Había que decirlo –repitió lastimosamente–; yo no la hubiera obligado jamás.

La había arrastrado a los conciertos, a las exposiciones, le explicaba los cuadros, y durante ese tiempo ella lo odiaba.

—¡Qué me pueden importar a mí los cuadros –dijo Ivich sin oírlo–, si no puedo poseerlos! En cada ocasión he reventado de rabia y de ganas de llevármelos, pero ni siquiera se los puede tocar. Y lo sentía a usted al lado mío, tranquilo y respetuoso: usted estaba allí como en misa.

Callaron. Ivich conservaba su aire de dureza. Mateo sintió bruscamente la garganta oprimida:

—Ivich, le ruego que me perdone por lo que pasó esta mañana.

—¿Esta mañana? –dijo Ivich–. Ya no pensaba siquiera en eso, pensaba en Gauguin.

—No volverá a ocurrir –dijo Mateo–, ni siquiera comprendo cómo ha podido producirse.

Hablaba por cumplir hasta el fin: sabía que su causa estaba perdida. Ivich no respondió y Mateo continuó con esfuerzo:

—Hay también lo de los museos y los conciertos... ¡Si supiera cómo lo lamento! Uno cree que está de acuerdo con otra persona. Pero usted nunca decía nada.

A cada palabra creía que iba a detenerse. Y después otra más le subía desde el fondo de la garganta, levantándole la lengua. Hablaba con disgusto y por pequeños espasmos. Agregó:

—Trataré de cambiar.

"Soy abyecto", pensó. Una cólera desesperada le inflamaba las mejillas. Ivich sacudió la cabeza.

—Uno no puede cambiarse –dijo. Había adoptado un tono razonable, y Mateo la detestó francamente. Caminaron en silencio, lado a lado; estaban inundados de luz y se odiaban. Pero al mismo tiempo. Mateo se veía con los ojos de Ivich y sentía horror de sí mismo. Ivich se llevó la mano a la frente y se apretó las sientes con los dedos.

—¿Es lejos todavía?

—Un cuarto de hora. ¿Está cansada?

—Oh, sí. Perdóneme, son esos cuadros. –Golpeó con el pie y miró a Mateo con aire extraviado–: Ya se me escapan, ahí está, ya se me embarullan todos en la cabeza. Todas las veces es igual.

—¿Quiere volverse? –Mateo se sentía casi aliviado.

—Creo que es mejor.

Mateo llamó a un taxi. Ahora tenía apremio por estar solo.

—Hasta la vista –dijo Ivich sin mirarlo.

Mateo pensó: "¿Y el Sumatra? ¿Debo ir a pesar de todo?"

Pero ni siquiera deseaba volver a verla.

—Hasta la vista –dijo Ivich.

El taxi se alejó y durante algunos instantes Mateo lo siguió con los ojos, angustiado. Después una puerta golpeó en él, se cerró con llave y Mateo se puso a pensar en Marcela.

VII

Desnudo hasta la cintura, Daniel se afeitaba ante el espejo de su armario. "Será esta mañana; a mediodía todo habrá terminado." No era un simple proyecto: la cosa estaba allí, en la luz eléctrica, en el ligero raspado de la navaja; no era posible tratar de alejarla, ni siquiera de aproximarla para que terminara más de prisa: era menester vivirla, sencillamente. Apenas acababan de dar las diez, pero el mediodía estaba ya presente en la habitación, como un ojo. Más allá no había nada sino una vaga tarde que se retorcía como un gusano. El fondo de los ojos le dolía porque había dormido muy poco, y tenía un granito bajo el labio, un pequeñísimo enrojecimiento con una punta blanca; ahora, siempre era igual cada vez que bebía. Daniel aguzó el oído: pero no, eran ruidos en la calle. Miró el grano, rojo y afiebrado –estaban también las grandes ojeras azuladas bajo los ojos–, y pensó: "Me destruyo". Tenía mucho cuidado de pasar la navaja alrededor del grano sin lastimarlo; quedaría un pincelito de crines negras, pero no había remedio: Daniel tenía horror a las lastimaduras. Al mismo tiempo aguzaba el oído: la puerta de su habitación estaba entreabierta para que pudiera oír mejor, y se decía: "esta vez no fallaré el golpe".

Fue un pequeñísimo roce, casi imperceptible; y ya Daniel había saltado con la navaja en la mano, abriendo bruscamente la puerta de entrada. Pero era demasiado tarde, la niña lo había evitado; había huido y debía de haberse acurrucado en el ángulo de un descansillo donde esperaría latiéndole el corazón y retenido el aliento. Daniel descubrió sobre el felpudo, a sus pies, un ramito de claveles: "Sucia hembrita", dijo bien alto. Era la hija de la portera, estaba seguro. No había más que mirar sus ojos de carnero degollado cuando le daba los buenos días. Aquello duraba desde hacía quince días; todas las mañanas, al volver de la escuela, depositaba flores ante la puerta de Daniel. De un puntapié hizo caer los claveles por la caja de la escalera. "Tendré que quedarme acechando en la antecámara durante toda una mañana, sólo así la pescaré." Aparecería desnudo hasta la cintura y fijaría en ella una mirada severa. Y pensó: "Lo que le gusta es mi cabeza; mi cabeza y mis hombros, porque es idealista. Va a recibir un buen golpe cuando vea que tengo pelo en el pecho". Volvió a su habitación y se puso nuevamente a afeitarse. Veía en el espejo su cara sombría y noble, de mejillas azules; y pensó con cierto malestar: "Esto es lo que las excita". Un rostro de arcángel; Marcela lo llamaba su querido arcángel, y ahora tenía también que soportar las miradas de esa mocosuela, toda hinchada por la pubertad. "Asquerosas." Pensó Daniel con irritación. Se inclinó un poco, y de un hábil navajazo decapitó su grano. No hubiera sido una mala broma desfigurar esa cabeza que ellas amaban tanto. "¡Bah! Una cara acuchillada es siempre una cara, *significa* siempre algo: me cansaría más pronto aún." Se aproximó al espejo y se miró sin complacencia; se dijo: "Por lo demás, me gusta ser hermoso." Tenía aspecto de fatiga. Se pellizcó a la altura de las caderas: "Habría que perder un kilo". Siete whiskys, la noche antes, completamente solo, en el Johnny's. Hasta las tres de la mañana no había podido decidirse a regresar, porque era siniestro poner la cabeza en la almohada y sentirse caer en la negrura pensando que habría un día siguiente. Daniel pensó en los perros de Constantinopla; los habían perseguido por las calles, los habían metido en bolsas, en *canastas*, y después los abandonaron en una isla desierta. Allí se devoraban entre sí; el viento de alta mar traía a veces sus aullidos hasta los oídos de los marineros. "No era a los perros a los que debieran hacer eso." A Daniel no le gustaban los perros. Se puso una camisa de seda crema y un pantalón de franela gris. Eligió cuidadosamente la corbata: hoy sería la verde a rayas, porque tenía mal color. Después abrió la ventana y la mañana entró en su habitación, una mañana pesada, sofocante, predestinada. Por un segundo, Daniel se dejó ir en el calor estancado, después miró a su alrededor: le gustaba su aposento porque era impersonal y no revelaba a su dueño; parecía una habitación de hotel, un armario, una cama. Daniel no tenía recuerdos. Vio la gran canasta de mimbre abierta en medio de la pieza, y apartó los ojos: era para hoy.

El reloj de Daniel señalaba las diez y veinticinco. Entreabrió la puerta de la cocina y silbó. Scipion apareció el primero; era blanco y pelirrojo, con barbita. Miró duramente a Daniel, y bostezó con ferocidad, enarcando el lomo. Daniel se arrodilló con suavidad y se puso a acariciarle el hocico. El gato, con los ojos entrecerrados, le daba golpecitos con la pata sobre la manga. Al cabo de un momento, Daniel lo tomó por la piel del cuello y lo depositó en la canasta; Scipion permaneció allí sin hacer un movimiento, aplastado y beatífico. Después vino Malvina; Daniel la quería menos que a los otros dos, porque era farsante y servil. Cuando estuvo segura de que la veía, se puso a ronronear desde lejos y a hacer gracias, frotándose la cabeza contra las hojas de la puerta. Daniel le rozó con el dedo el gordo cuello, y entonces ella se echó de espaldas, con las patas rígidas, y él le cosquilleó las tetillas bajo su piel negra. "Ah, ah, dijo Daniel en tono cantante y escandido, ah, ah", y ella se revolcaba sobre uno y otro flanco con graciosos movimientos de cabeza: "Espera, ya verás, pensó, espera hasta el mediodía". La atrapó por las patas y la depositó junto a Scipion. Ella tenía un aire algo atónito, pero se enrolló como una bola y a poco se puso a ronronear.

"¡Popea –llamó Daniel–, Popea, Popea!" Popea no venía casi nunca cuando la llamaban: Daniel tuvo que ir a buscarla a la cocina. Cuando ella lo vio, saltó sobre el horno del gas con un rugido irritado. Era una gata de albañal, con una gran cicatriz que le cruzaba el costado derecho. Daniel la había encontrado en el Luxemburgo, una tarde de invierno, poco antes de que cerraran el jardín, y se la llevó consigo. Era imperiosa y malvada, mordía a menudo a Malvina; Daniel la amaba. La tomó en sus brazos y ella retiró la cabeza hacia atrás, aplastando las orejas y engrosando el pescuezo; parecía estar escandalizada. Le pasó la mano por el hocico, y ella mordisqueó la punta de un dedo, furiosa y divertida; entonces Daniel la pellizcó el costado del cuello, y ella levantó su cabecita. No ronroneaba –Popea no ronroneaba nunca– pero lo miró bien de frente, y Daniel pensó por costumbre: "Qué raro, un gato que mira a los ojos". Al mismo tiempo, sintió que lo invadía una angustia intolerable, y tuvo que apartar los ojos: "¡Sí, sí, dijo, sí, sí, mi reina!" y le sonrió sin mirarla. Los otros dos habían permanecido uno junto a otro, estúpidos y ronroneantes; aquello parecía un canto de cigarra. Daniel los contempló con un alivio maligno: "Guiso de liebre". Pensaba en las tetillas rosadas de Malvina. Pero fue toda una historia hacer entrar a Popea en el canasto: tuvo que empujarla por la cola. Ella se volvió escupiendo y le tiró un arañazo. "¿Ah, conque es así?", dijo Daniel. La tomó por la nuca y por los riñones, la curvó a la fuerza, y el mimbre chirrió bajo las garras de Popea. La gata tuvo un momento de estupor, que aprovechó Daniel para bajar rápidamente la tapa y echar los dos cierres. "¡Uf!", dijo. La mano le escocía un poco, con un dolorcito seco, casi un cosquilleo. Se levantó y contempló el canasto con satisfacción irónica: "¡Encerrados!" En el dorso de la mano tenía tres arañazos, y cierto cosquilleo también en el fondo de sí mismo; un diablo de cosquilleo que podía tener mal fin. Tomó el ovillo de cuerdas de encima de la mesa, y se lo metió en el bolsillo del pantalón.

Vaciló. "Hay un buen trecho hasta allá; voy a tener

calor." Hubiera querido ponerse la chaqueta de franela, pero no acostumbraba a ceder fácilmente a sus deseos y además seria cómico caminar bajo ese sol terrible, rojo y sudando, con el fardo a cuestas. Cómico y un poco ridículo: aquello le hizo sonreír y eligió la chaqueta de *tweed* alilado que no podía soportar a fines de mayo. Levantó el canasto por el asa, y pensó: "¡Qué pesados son estos animales asquerosos!" Los Imaginaba en su postura humillada y grotesca, con su rabioso terror. "¡De modo que era *esto* lo que yo amaba!" Había bastado con encerrar a los tres ídolos en una canasta de mimbre y ellos habían vuelto a convertirse en gatos, simplemente en gatos, pequeños mamíferos vanidosos y brutos que reventaban de miedo, tan poco sagrados como era posible. "Gatos: no eran más que gatos." Se echó a reír; tenía la impresión de que estaba preparándose para gastar una broma a alguien. Cuando franqueó la puerta de entrada, tuvo un sobresalto que no duró; ya en la escalera se sentía duro y seco, con cierta insipidez interna, una insipidez de carne cruda. La portera estaba en el vano de la puerta y le sonrió. Daniel le gustaba mucho, porque era tan ceremonioso y tan galante.

—Está muy madrugador, señor Sereno.

—Temía que estuviera usted enferma, querida señora –respondió Daniel con aire atento–. Anoche subí tarde y vi luz bajo su puerta.

—¡Imagínese! –dijo la portera riendo–. Estaba tan rendida que me dormí sin apagarla. De pronto oigo su campanillazo. ¡Ah, me digo, ahí está de vuelta el señor Sereno! (Usted era el único que estaba fuera.) Y apagué inmediatamente después. ¿Eran las tres, más o menos?

—Más o menos...

—¡Bueno! –dijo ella–; veo que lleva un gran canasto!

—Sí, mis gatos.

—¿Están enfermos los pobres animalitos?

—No, pero se los llevo a mi hermana, en Meudon. El veterinario dice que necesitan aire.

Y añadió gravemente:

—¿Usted sabe que los gatos pueden volverse tuberculosos?

—¡Tuberculosos! –dijo la portera sobrecogida–. Bueno, cuídelos bien. De cualquier modo –agregó– va a haber un vacío en su casa; yo me había acostumbrado a verlos a los pobrecitos cuando le hacía la limpieza. Debe ser un disgusto para usted.

—Un gran disgusto, señora Dupuy –dijo Daniel.

Le sonrió gravemente y la dejó. "Se fastidió la vieja latosa. Los ha de haber manoseado cuando yo no estaba, y sin embargo, le había prohibido terminantemente que los tocara. Haría mejor vigilando a su hija." Franqueó el pórtico y la luz lo deslumbró, la horrible luz quemante y puntiaguda. Le hacía doler los ojos, por descontado: cuando se ha bebido la víspera, nada es mejor que las mañanas de bruma. Daniel no veía ya nada, nadaba en la luz, con un círculo de hierro alrededor del cráneo. De pronto vio su sombra grotesca y rechoncha con la sombra del canastón de mimbre que se balanceaba en el extremo de su brazo. Daniel sonrió: él era muy alto. Se enderezó en toda su estatura, pero la sombra siguió cortona y deforme como la de un chimpancé. "El doctor Jekyll y míster Hyde. No, se dijo, nada de taxi, tengo mucho tiempo. Voy a pasear a míster Hyde hasta la parada del 72." El 72 lo llevaría a Charenton. A un kilómetro de allí. Daniel conocía un rinconcito solitario al borde del Sena. "Bueno, se dijo, supongo que no me voy a descomponer, no faltaría más que eso." El agua del Sena era particularmente negra y sucia en ese lugar, con verdosos charcos de aceite a causa de las fábricas de Vitry. Daniel se contempló con asco: se sentía tan dulce en su interior, tan dulce, que aquello era natural. Y pensó: "Así es el hombre", con cierto placer. Se sentía completamente duro y cerrado, pero luego internamente, había una débil víctima que pedía gracia. Y pensó: "Es curioso que uno no pueda odiar como si fuera otro". Por lo demás, eso no era cierto: por mucho que se esforzara, no había más que un Daniel. Cuando se despreciaba, sentía la impresión de separarse de sí mismo, de planear como juez abstracto por encima de un hormigueo impuro. Y luego, de golpe, aquello lo retomaba, lo aspiraba por abajo, se untaba consigo mismo. "Cuernos, pensó, voy a beber un poco". Sólo tenía que hacer un pequeño rodeo, y se detendría en casa de Championnet, en la calle Tailledouce. Cuando empujó la puerta, el bar estaba desierto. El mozo limpiaba unas mesas de madera roja con forma de toneles. La oscuridad fue grata a los ojos de Daniel: "Tengo un condenado dolor de cabeza", pensó. Dejó el canasto y se encaminó a un taburete del bar.

—Naturalmente, será un pequeño whisky bien medido —afirmó el barman.

—No —dijo secamente Daniel.

Que se dejaran de catalogar con su manía de catalogar a las personas como si fueran paraguas o máquinas de coser. Yo no soy... uno no es nunca nada. Pero ellos lo definen a uno en un santiamén. Éste da buenas propinas, aquel siempre está diciendo chistes, a mí me gustan los pequeños whiskys bien medidos.

—Un gin-fizz —dijo Daniel.

El barman le sirvió sin hacer observaciones; debía estar resentido. Tanto mejor. No pondré más los pies en esta "boîte", son demasiado familiares. Además, el gin-fizz tenía gusto a limonada purgante. Se esparcía como un polvo acidulado sobre la lengua, y terminaba con un sabor de acero. Ya no me importa nada, pensó Daniel.

—Déme un vodka con pimienta en un vaso grande.

Bebió el vodka y se quedó soñando un momento, con un fuego de artificio en la boca. Pensaba: "¿Así que esto no acabará nunca?" Pero eran pensamientos superficiales, como siempre, cheques sin fondos. "¿Qué es lo que no acabará nunca? ¿Qué es lo que no acabará nunca?" Se oyó un maullido breve y un arañazo. El barman se sobresaltó.

—Son gatos –dijo Daniel brevemente.

Bajó del taburete, tiró veinte francos sobre la mesa y tomó de nuevo el canasto. Al levantarlo, descubrió en el suelo una pequeñísima gota roja: era sangre. "¿Qué estarán inventando ahí dentro", pensó Daniel con angustia. Pero no tenía ganas de alzar la tapa. Por el momento no había en la jaulilla más que un miedo macizo e indiferenciado: si abría, ese miedo se iba a convertir otra vez en gatos, y eso Daniel no hubiera podido soportarlo. "¡Ah, ¿no podrías soportarlo? ¿Y si yo levantara esa tapa?" Pero ya Daniel estaba fuera y el deslumbramiento volvía a empezar, un deslumbramiento lúcido y mojado, los ojos le picaban, le parecía que no veía mas que fuego y después de golpe se daba cuenta de que desde hacía un momento estaba ya a punto de ver casas, casas a cien pasos delante de sí, claras y ligeras como humos: en el fondo de la calle había una gran pared azul. "Es siniestro ver claro", pensó Daniel. Así era como se imaginaba el infierno: una mirada que lo penetraría todo, con la que uno veía hasta el cabo del mundo, hasta el fondo de sí. El canasto se removió solo en el extremo de su brazo, dentro estaban arañando. Daniel no sabía muy bien si ese terror que sentía tan próximo a su mano le causaba horror o placer: por lo demás, todo venía a ser lo mismo. "De cualquier modo, hay algo que los tranquiliza: sienten mi olor". Daniel pensó: "Es cierto, para ellos soy un olor", pero paciencia: bien pronto Daniel no tendría ya ese olor familiar, se pasearía sin olor, solo en medio de los hombres, que no tienen los sentidos lo bastante finos como para distinguirle a uno por el perfume. Existir sin olor y sin sombra, sin pasado, no ser ya más que un invisible desgarramiento de sí hacia el porvenir. Daniel advirtió que se hallaba algunos pasos más adelante que su cuerpo, por allá, a la altura del farol y que miraba cómo venía, renqueando un poco a causa de su fardo, de prestado, ya al margen; se veía venir, no era más que pura mirada. Pero el espejo de una tintorería le devolvió su imagen y la ilusión se disipó. Daniel se llenó de un agua fangosa y desabrida: él mismo, el agua del Sena, desabrida y fangosa, llenará el canasto, y ellos se despedazarán con sus garras. Un gran asco lo invadió pensando: "Es un acto gratuito". Se había detenido y había dejado el canasto en el suelo. Dañarse a través del mal que uno hace a los otros. "Uno jamás puede alcanzarse directamente"; pensó de nuevo en Constantinopla, encerraban a las esposas infieles en un saco con gatos rabiosos, y arrojaban el saco al Bósforo. Toneles, sacos de cuero, jaulas de mimbre: prisiones. "Las hay peores". Daniel se encogió de hombros; otro pensamiento sin fondo. No quería hacer tragedia; bastante la había hecho en otro tiempo. Cuando uno hace tragedia, es porque se toma en serio. Jamás, nunca más se tomaría en serio Daniel. El ómnibus apareció de pronto. Daniel hizo una señal al conductor y subió en primera clase.

—Para el final.

—Seis boletos –dijo el guarda.

El agua del Sena los volverá locos. El agua café con leche con reflejos violetas. Una mujer se sentó junto a él, digna y afectada, con una niñita. La niñita miró el canasto con interés. "Mosquita asquerosa", pensó Daniel. El canasto maulló y Daniel se sobresaltó como cogido en flagrante delito de asesinato.

—¿Qué es eso? –preguntó la niñita con clara voz.

—Chist –dijo su madre–, deja tranquilo al señor.

—Son gatos –dijo Daniel.

—¿Son suyos? –preguntó la niñita.

—Sí.

—¿Por qué los lleva en un canasto?

—Porque están enfermos –respondió Daniel dulcemente.

—¿Podría verlos?

—Juanita –dijo su madre–, estás molestando.

—No puedo mostrárselos, la enfermedad los ha vuelto malos.

La niñita adoptó un tono razonable y conquistador.

—Oh, conmigo no serían malos, los mininos.

—¿Te parece? Oye, queridita –dijo Daniel en voz baja y rápida–, voy a ahogar a mis gatos, eso es lo que voy a hacer, ¿y sabes por qué? Porque esta misma mañana le han deshecho la cara a una linda nenita como tú, que venía a traerme flores. Van a tener que ponerle un ojo de vidrio.

—Ah –dijo la niñita desconcertada. Miró por un momento con terror al canasto y se refugió entre las faldas de su madre.

—Bah, bah –dijo la madre, volviendo a Daniel sus ojos indignados–, ya ves que hay que quedarse quietita y no charlar sin ton ni son. No es nada, mi tesoro, el señor ha querido jugar.

Daniel devolvió la mirada, apaciblemente: "Me detesta", pensó con satisfacción. Veía desfilar tras los vidrios las casas grises; sabía que la mujer lo miraba. "¡Una madre indignada! Busca qué es lo que puede detestar en mí. Mi cara no puede". Jamás detestarán el rostro de Daniel. "Ni mi traje, que es nuevo y delicado. Ah, puede que mis manos". Sus manos eran cortas y fuertes, algo gruesas con pelos negros en las falanges. Las exhibió sobre las rodillas. "¡Míralas! ¡Míralas, pues!" Pero la mujer había abandonado la partida: miraba fijamente delante de sí, con aire obtuso, reposaba. Daniel la contempló con cierta avidez: "¿cómo hace esa gente que descansa? Se había dejado caer en sí misma con toda su estatura y se diluía. Nada había en esa cabeza que se pareciera a una fuga desesperada ante sí, ni curiosidad, ni odio, ningún movimiento, ni siquiera un ligera ondulación: nada sino la pasta espesa del sueño. Se despertó de pronto y un aire de animación se posó en su cara.

—¡Es aquí, pero si es aquí! –dijo–. Ven, pues. ¡Qué molesta eres siempre con ese modo de arrastrarte!

Tomó a su hija de la mano y la arrastró. Antes de bajar, la niña se volvió y lanzó al canasto una mirada de horror. El ómnibus volvió a partir y volvió a detenerse; algunas personas pasaron riendo delante de Daniel.

—Final del trayecto –gritó el guarda.

Daniel se sobresaltó: el coche estaba vacío. Se levantó y bajó. Era una plaza populosa con tabernas; alrededor de un coche de mano se había formado un grupo de obreros y mujeres. Las mujeres lo miraron con sorpresa. Daniel apresuró el paso y se metió por una callejuela sucia que bajaba hacia el Sena. A los dos lados de la calle había toneles y bodegones. El canasto se había puesto a maullar sin tregua, y Daniel casi corría: llevaba un cubo agujereado de donde el agua caía caía gota a gota. Cada maullido era un gota de agua. El cubo era pesado. Daniel lo tomó con la mano izquierda y se enjugó la frente con la derecha. No había que pensar en los gatos. Ah, ¿no quieres pensar en los gatos? Bueno, pues precisamente, es *indispensable* que pienses en ellos, si no sería demasiado cómodo. Daniel recordó los ojos de oro de Popea, y pensó muy de prisa en cualquier cosa, en la Bolsa donde había ganado diez mil francos la antevíspera, en Marcela a quien iba a ver esa misma noche, porque era su día: "¡Arcángel!" Daniel rió sarcástico: despreciaba profundamente a Marcela. "No tienen el valor de confesarse que ya no se ama. Si Mateo viera las cosas como son, sería menester que tomara una decisión. Pero no quiere. No quiere perderse. Como él es normal", pensó Daniel con ironía. Los gatos maullaron como si se los despellejara y Daniel sintió que perdía la cabeza. Dejó la jaula en el suelo y le pegó dos violentos puntapiés. Se produjo un gran escándalo en el interior y después los gatos se callaron. Daniel permaneció un momento inmóvil, con un diablo de escalofrío como un penacho detrás de las orejas. Algunos obreros salieron de un bodegón y Daniel reemprendió su marcha. Era allí. Bajó por una escalera de piedra hasta la orilla del Sena, y se sentó en el suelo, cerca de un anillo de hierro, entre un tonel de alquitrán y un montón de adoquines. El Sena estaba amarillo bajo el cielo azul. Amarradas en el muelle de enfrente, había unas chalanas negras y llenas de toneles. Daniel estaba sentado al sol y le dolían las sienes. Miró el agua ondulosa e hinchada, con fluorescencias de ópalo. Después sacó el ovillo del bolsillo y cortó con el cortaplumas un largo pedazo de cordel; luego, sin levantarse, con la mano izquierda, cogió un adoquín, hizo varios nudos y dejó la piedra en el suelo: resultaba una extraña combinación. Daniel pensó que tendría que llevar el canasto en la mano derecha y la piedra en la izquierda: los dejaría caer al agua al mismo tiempo. El canasto flotaría quizá un décimo de segundo, y luego una fuerza brutal lo atraería al fondo del agua, donde se hundiría bruscamente. Daniel pensó que tenía calor; maldijo su traje grueso, pero no quiso quitárselo. Dentro de sí algo palpitaba, algo imploraba gracia, y Daniel, duro y seco, se miraba gemir: "Cuando no se tiene el valor de matarse en bloque, es menester hacerlo al detalle." Se aproximaría al agua y diría "Adiós a cuanto más amo en el mundo...". Se enderezó un poco sobre las manos y miró a su alrededor; a la derecha, la orilla estaba desierta, a la izquierda, muy lejos, vio un pescador, negro en el sol. Los remolinos se propagarían *bajo el agua* hasta el corcho de su línea: "Va a creer que pican". Se rió y sacó el pañuelo para enjugarse el sudor que le perlaba la frente. Las agujas de su reloj pulsera marcaban las once y veinticinco. "¡A las once y media!" Había que prolongar ese momento extraordinario: Daniel estaba desdoblado; se sentía *perdido* en una nube escarlata, bajo un cielo de plomo y pensó en Mateo con cierto orgullo: "*Yo soy el libre*", se dijo. Pero era un orgullo impersonal, pues Daniel ya no era nadie. A las once y veintinueve se levantó sintiéndose tan débil que tuvo que apoyarse en el tonel. Se hizo una mancha de brea en su chaqueta de *tweed* y la miró. Vio la mancha negra sobre la tela alilada y de golpe sintió que no constituía más que uno. Uno solo. Un cobarde. Un tipo que amaba a sus gatos y que no quería echarlos al agua. Tomó el cortaplumas, se agachó y cortó el cordel. En silencio: aun dentro de sí mismo había silencio, tenía demasiada vergüenza para hablar ante sí. Volvió a tomar el canasto y subió de nuevo la escalera: era como si pasara, volviendo la cabeza, ante alguien que lo mirara con desprecio. En él, reinaban siempre el desierto y el silencio. Cuando estuvo en lo alto de los escalones, se atrevió a dirigirse las primeras palabras: "¿Qué era esa gota de sangre?" Pero no se atrevió a abrir el canasto; se echó a caminar renqueando. Soy yo. Soy yo. El inmundo. Pero en el fondo de sí mismo había una extraña sonrisita porque había salvado a Popea.

—Taxi –gritó.

El taxi se detuvo.

—Calle Montmartre, 22 –dijo Daniel–. ¿Quiere poner este canasto delante?

Y se dejó mecer por el movimiento del taxi. Ni siquiera conseguía despreciarse.. Después la vergüenza pudo más y volvió de nuevo a contemplarse: era intolerable. "Ni en bloque, ni al detalle", pensó amargamente. Cuando tomó la cartera para pagar al chófer, comprobó sin alegrarse que estaba inflada de billetes. "Ganar dinero, sí. Puedo hacer eso".

—Ya está usted de vuelta, señor Sereno –dijo la portera–; justamente hay alguien que acaba de subir a verlo. Uno de sus amigos, uno alto, con hombros así de anchos. Yo le dije que usted no estaba. No está, me contestó, bueno, voy a dejarle dos líneas debajo de la puerta.

Miró el canasto y exclamó:

—¡Pero los trae de vuelta a los mininos!

—Qué quiere usted, señora Dupuy –dijo Daniel– acaso sea culpable, pero no puedo separarme de ellos.

"Es Mateo, pensó al subir la escalera; cae muy a propósito." Estaba contento de poder odiar a otro.

Encontró a Mateo en el descansillo del tercer piso:

—Salud –dijo Mateo–, ya no esperaba verte.

—Había ido a pasear a mis gatos –dijo Daniel. Se asombraba de sentir una especie de calor.

—¿Subes conmigo? –preguntó precipitadamente.

—Sí. Tengo que pedirte un favor.

Daniel le lanzó una rápida ojeada, y observó que tenía la cara terrosa. "Parece estar muy fastidiado", pensó. Tenía ganas de ayudarlo. Subieron; Daniel puso la llave en la cerradura y empujó la puerta.

—Pasa –dijo. Le tocó ligeramente el hombro y retiró en seguida la mano. Mateo entró en la habitación de Daniel y se sentó en un sillón.

—No he comprendido nada de lo que me dijo tu portera –dijo–. Pretendía que te habías llevado tus gatos a casa de tu hermana. ¿Ahora te has reconciliado con tu hermana?

Algo se heló súbitamente en Daniel: "¿Qué cara pondría si supiera de dónde vengo?" Miró sin simpatía los ojos razonables y perspicaces de su amigo: "Es cierto que él es normal." Se sentía separado de Mateo por un abismo. Se rió:

—Ah, sí... a casa de mi hermana... era una mentirilla inocente –dijo. Sabía que Mateo no insistiría: Mateo tenía la costumbre fastidiosa de tratar a Daniel como a un mitómano, y afectaba no inquirir jamás los móviles que lo llevaban a mentir. Y en realidad, Mateo bizqueó hacia el jaulón con aire perplejo y se calló.

—¿Me permites? –preguntó Daniel.

Se había vuelto completamente seco. Tenía más que un deseo: abrir el canasto cuanto antes: "¿Qué sería esa gota de sangre?" Se arrodilló pensando: "Me van a saltar a la cara". Y adelantó el rostro por encima de la tapa, de manera que estuviera bien a su alcance. Pensaba al abrir los cierres: "Un buen disgustillo no le haría mal. Eso le haría perder por un tiempo su optimismo y su aire asentado". Popea se escapó del canasto gruñendo y huyó a la cocina. Scipión salió a su vez: había conservado su dignidad, pero no parecía tranquilizado del todo. Marchó paso a paso hasta el armario, miró alrededor de sí con aire solapado, se estiró, y acabó por deslizarse bajo la cama. Malvina no resollaba: "Está herida", pensó Daniel. Yacía aniquilada en el fondo del canasto. Daniel le puso un dedo debajo del mentón y le levantó a la fuerza la cabeza: había recibido un buen arañazo en la nariz, y tenía cerrado el ojo izquierdo, pero ya no sangraba. Bajo el hocico había una costra negruzca, y alrededor de la costra los pelos estaban rígidos y viscosos.

—¿Qué pasa? –preguntó Mateo. Se había incorporado y miraba cortésmente a la gata. "Me encuentra ridículo porque me ocupo de una gata. Le parecería muy natural si se tratara de un mocoso."

—Malvina ha recibido un mal golpe –explicó Daniel–, Seguramente ha sido Popea la que la arañó; es insoportable. Perdóname, voy a atenderla un minuto.

Y fue a buscar al armario un paquete de algodón y, una botella de árnica. Mateo le siguió con los ojos, sin decir palabra, y después se pasó la mano por la frente con ademán de viejo. Daniel se puso a lavar la nariz de Malvina. La gata se debatía débilmente.

—Sé buena –dijo Daniel–, sé buenita. ¡Vamos! ¡Vamos! ¡Así!

Pensaba que estaba fastidiando prodigiosamente a Mateo, y esto le daba ánimo en la tarea. Pero cuando levantó la cabeza, vio que Mateo miraba el vacío con dura mirada.

—Perdóname, querido –dijo Daniel con voz más profunda–, no me falta más que un poquitito. Tenía que lavar a este animal, sabes, porque esto se infecta muy rápido. ¿No te fastidio demasiado? –agregó, dirigiéndole una franca sonrisa. Mateo se estremeció, después se echó a reír.

—Sigue, sigue –dijo, no me pongas tus ojos aterciopelados.

¡Mis ojos aterciopelados! La superioridad de Mateo era odiosa: "Cree conocerme, habla de mis mentiras, de *mis* ojos aterciopelados. Y no me conoce en absoluto, pero le divierte clasificarme como si yo fuera una cosa".

Daniel rió, con cordialidad y secó cuidadosamente la cabeza de Malvina. Malvina cerraba los ojos, tenía las apariencias del éxtasis, pero Daniel sabía bien que estaba sufriendo. Le dio un golpecito en los riñones.

—¡Ya está! –dijo al levantarse–; mañana no se verá nada. Pero mira que la otra le ha pegado un buen arañazo.

—¿Popea? Es una fiera –dijo Mateo con aire ausente. Y agregó bruscamente:

—Marcela está embarazada.

—¡Embarazada!

La sorpresa de Daniel fue de corta duración, pero tuvo que luchar contra unas formidables ganas de reír. Era eso, era eso entonces. "Es cierto que ésa orina sangre todos los meses lunares y es prolífica como una haya hasta decir ¡basta!" Pensó con asco que la vería esa misma noche. "Me pregunto si tendré valor para tocarle la mano."

—Estoy enormemente fastidiado –dijo Mateo con aire objetivo.

Daniel lo miró y dijo sobriamente:

—Lo comprendo. –Después se apresuró a volverle la espalda bajo pretexto de ir a colocar la botella de árnica en el armario. Tenía miedo de estallar de risa en su propia cara. Y se puso a pensar en la muerte de su madre, lo que siempre le daba resultado en esas ocasiones. Se libró de la tentación con dos o tres sobresaltos convulsivos. Mateo continuaba hablando gravemente detrás de Daniel:

—Lo que pasa es que eso la humilla –dijo–. Tú no la has visto a menudo y no has podido darte cuenta, pero es una especie de walkiria. Una walkyria de cámara –agregó sin malignidad–. Para ella, es una caída terrible.

—Sí –dijo Daniel con solicitud–, y para ti la cosa no resulta mucho mejor: por mucho que hagas, ahora debe producirte horror. Sé que en mí eso mataría el amor.

—Yo no siento ya amor por ella –dijo Mateo.

—¿No?

Daniel estaba profundamente asombrado y divertido: "Va a dar mucho juego esta noche". Y preguntó:

—¿Se lo has dicho?

—Evidentemente, no.

—¿Por qué "evidentemente"? Tendrás que decírselo. Si vas a plant...

—No. No quiero plantarla, si eso es lo que quieres decir.

—¿Entonces?

Daniel se divertía de firme. Ahora tenía apremio de

ver a Marcela.

—Entonces, nada –dijo Mateo–. Peor para mí. Ella no tiene la culpa si ya no la amo.

—¿Y eres tú quien la tiene?

—Sí –dijo Mateo brevemente.

—Vas a continuar viéndola a escondidas y...

—¿Y qué?

—Bueno –dijo Daniel–, pues si juegas mucho tiempo a ese jueguito acabarás por odiarla.

Mateo tenía un aire duro y obstinado.

—Si prefieres sacrificarte... –dijo Daniel con indiferencia–. Cuando Mateo se ponía a hacer el cuáquero, Daniel lo odiaba.

—¿Qué es lo que tengo que sacrificar? Iré al liceo, veré a Marcela. Escribiré una novela cada dos años. Eso es precisamente lo que he hecho hasta ahora. –Y agregó con una amargura que Daniel no le conocía:

—Yo soy un escritor dominical. Además –dijo– estoy unido a ella, me reventaría muchísimo dejar de verla. Sólo que eso me hace la impresión de un lazo de familia.

Hubo un silencio. Daniel vino a sentarse en el sillón, frente a Mateo.

—Es preciso que me ayudes –dijo Mateo–. Tengo una dirección, pero no dinero. Préstame cinco mil francos.

—Cinco mil francos –repitió Daniel con aire incierto. Bastaba abrir su cartera hinchada, hundida en el bolsillo interior, su cartera de comerciante de cerdos, y tomar los cinco billetes. En otro tiempo Mateo le había hecho favores frecuentemente.

—Te devolveré la mitad a fin de mes –dijo Mateo–. Y luego la otra mitad el 14 de julio, porque en ese momento recibo mis sueldos de agosto y de septiembre a la vez.

Daniel miró la cara terrosa de Mateo y pensó: "Este tipo está formidablemente reventado". Después pensó en los gastos y se sintió implacable.

—¡Cinco mil francos! –dijo en tono desolado–, pero es que no los tengo, lo siento mucho...

—El otro día me dijiste que ibas a hacer un buen negocio.

—Bueno, pues ahí tienes, mi pobre amigo –dijo Daniel–; tu buen negocio resultó una gran decepción: ya sabes lo que es la Bolsa. Por lo demás, es muy sencillo, no tengo más que deudas.

No había puesto mucha sinceridad en su voz porque no deseaba convencer. Pero cuando vio que Mateo no le creía se encolerizó: "¡Que se deje de jorobar! Se cree profundo, se imagina que lee en mí. Me pregunto por qué lo tengo que ayudar: que vaya a sablear a sus iguales". Lo insoportable era ese aire normal y decoroso que Mateo no conseguía perder ni cuando estaba afligido.

—¡Bueno! –dijo Mateo con intención–, ¿entonces realmente no puedes?

Daniel pensó: "Es menester que los necesite endiabladamente para insistir así".

—Realmente no. Lo siento, chico.

Estaba molesto por la molestia de Mateo, pero aquello no era tan desagradable, tenía la impresión de que se le hubiese vuelto una uña. A Daniel le gustaban mucho las situaciones falsas.

—¿Los necesitas urgentemente? –interrogó con solicitud–. ¿No puedes dirigirte a otros?

—Oh, ya sabes que era sobre todo para evitar el sablazo a Santiago.

—Es cierto –dijo Daniel algo decepcionado–, está tu

hermano. Entonces estás seguro de conseguir el dinero.

Mateo tuvo un ademán desanimado:

—No es cosa hecha. Se ha metido en la cabeza que no hay que prestarme un centavo porque es hacerme un mal servicio. "A tu edad, me ha dicho, deberías ser independiente."

—Oh, pero en un caso como éste te prestará seguramente –dijo Daniel, rotundo. Sacó suavemente la punta de la lengua y empezó a pasársela con satisfacción por el labio superior: desde el primer momento había conseguido adoptar ese tono de optimismo superficial y animoso que enfurece a la gente.

Mateo se había sonrojado:

—Precisamente no puedo decirle que es para eso.

—Es cierto –dijo Daniel. Reflexionó un momento–: De todas las maneras te quedan esas sociedades que prestan a los funcionarios, ¿verdad? Debo decirte que la mayor parte de las veces uno cae con usureros. Pero qué te importan los intereses desde el momento en que consigues el dinero.

Mateo pareció interesado y Daniel pensó con fastidio que lo había tranquilizado un poco:

—¿Qué clase de gente es ésa? ¿Prestan el dinero inmediatamente?

—Ah, no –dijo vivamente Daniel–, tardan fácilmente unos diez días: tienen que hacer una investigación.

Mateo se calló y pareció meditar; Daniel sintió de pronto un golpecito blando: Malvina había saltado sobre sus rodillas en las que se instaló ronroneando: "Lo que es ésta no guarda rencor", pensó Daniel con asco. Y se puso a acariciarla con una mano ligera y negligente. Los animales y las personas no conseguían odiarlo: a causa de una especie de inercia bonachona, o quizá a causa de su cara. Mateo se había absorbido en sus miserables calculillos: él tampoco le guardaba rencor. Daniel se inclinó sobre Malvina y se puso a rascarle el cráneo: su mano temblaba.

—En el fondo –dijo sin mirar a Mateo–, casi me alegraría de no tener el dinero. Acabo de pensar esto: que a ti, que siempre estás queriendo ser libre, esto te proporciona una ocasión soberbia para ejercer un acto de libertad.

—¿Un acto de libertad? –Mateo no parecía comprender. Daniel levantó la cabeza.

—Sí –dijo Daniel–, no tienes más que casarte con Marcela.

Mateo lo miró frunciendo el ceño: sin duda se preguntaba si Daniel no se burlaba de él. Daniel sostuvo su mirada con gravedad modesta.

—¿Estás loco? –preguntó Mateo.

—¿Por qué? No tienes más que decir una palabra, y cambias toda tu vida; eso no pasa todos los días.

Mateo se echó a reír. "Toma el partido de reírse", pensó fastidiado.

—No conseguirás tentarme –dijo Mateo–. Y sobre todo, no en este momento.

—Bueno, pero es que… precisamente –dijo Daniel en el mismo tono ligero–, debe ser muy divertido el hacer expresamente lo contrario de lo que uno quiere. Uno siente que se convierte en otro.

—¡Y qué otro! –dijo Mateo–. ¿Quieres también que haga tres chiquillos por el placer de sentirme otro cuando los pasee por el Luxemburgo? Me imagino que en efecto cambiaría, si me convirtiera en un tipo completamente jorobado.

"No tanto –pensó Daniel–, no tanto como tú te

crees."

—En el fondo –dijo– no debe de ser tan desagradable ser un tipo fracasado. Pero así, fracasado hasta la médula, enterrado. Un tipo casado con tres chiquilines, como tú dices. ¡Cómo lo ha de calmar a uno!

—En efecto –dijo Mateo–. Tipos así, yo los encuentro todos los días. Mira, son padres de alumnos que vienen a verme. Cuatro hijos, cornudos, miembros de la asociación de padres. Tienen aire de ser más bien tranquilos. Hasta se diría que son benignos.

—Tienen también una especie de jovialidad –dijo Daniel–. A mí me dan vértigo. Y a ti ¿eso no te tienta, verdaderamente? Yo te veo tan bien, casado –continuó–: serías como ellos, gordo, bien cuidado, con chistes cotidianos y ojos de celuloide. A mí me parece que eso no me disgustaría.

—Eso te vendría muy bien a ti –dijo Mateo sin emocionarse–. Pero yo sigo prefiriendo pedir cinco mil francos a mi hermano.

Y se levantó. Daniel dejó a Malvina en el suelo y se levantó también. "Sabe que yo tengo el dinero y no me odia: entonces, ¿qué es lo que hay que hacerles?"

La cartera estaba allí; Daniel no tenía más que meter la mano en el bolsillo y decir: "Aquí está, mi viejo; he querido hacerte hablar un poco, porque tenía ganas de reírme". Pero tuvo miedo de despreciarse.

—Lo lamento –dijo vacilando–; si se me ocurre alguna solución, te escribiré.

Había acompañado a Mateo hasta la puerta de la calle:

—No te molestes –dijo Mateo alegremente–, ya me arreglaré.

Y cerró la puerta. Cuando Daniel oyó su rápido paso en la escalera pensó: "es irreparable" y se quedó sin aliento. Pero aquello no duró: "Ni un momento ha dejado de ser ponderado, dispuesto, en perfecto acuerdo consigo mismo, se dijo. Está fastidiado, pero eso queda fuera. Internamente, está en su casa". Fue a contemplar en el espejo su hermoso rostro sombrío y pensó: "De cualquier modo, sería impagable que se viera obligado a casarse con Marcela".

VIII

Ahora debía de estar despierta desde hacía rato y sin duda se atormentaba. Había que tranquilizarla, decirle que no iría allí *en ningún caso*. Mateo volvió a ver con ternura su pobre rostro estragado de la víspera, y le pareció de golpe de una fragilidad punzante. "Tengo que telefonearle." Pero decidió que pasaría antes a ver a Santiago: "Así, quizá pueda darle una buena noticia". Pensaba con irritación en el aire que iba a adoptar Santiago. Un aire divertido y juicioso, tan alejado de la crítica como de la indulgencia, con la cabeza inclinada de costado y los ojos entornados: "¿Cómo? De nuevo necesitado de dinero". Mateo sentía la carne de gallina. Cruzó la calle y pensó en Daniel: no le guardaba rencor. Era así: uno no podía guardarle rencor a Daniel. Se lo guardaba a Santiago. Se detuvo ante un fornido edificio de la calle Réaumur, y leyó con fastidio, como siempre: "Santiago Delarue, abogado, segundo piso". ¡Abogado! Entró y tomó el ascensor. "Confío en que Odette no estará", pensaba.

Ahí estaba; Mateo la distinguió a través de la puerta vidriera del pequeño salón, sentada en un diván, elegante, larga y limpia hasta la insignificancia; leía. Santiago decía complaciéndose: "Odette es una de las pocas mujeres de París que tiene tiempo para leer".

—¿El señor Mateo quiere ver a la señora? –preguntó Rosa.

—Sí, voy a saludarla; ¿pero quiere advertir al señor que voy a ir a verlo en seguida a su despacho?

Empujó la puerta y Odette levantó hacia él su hermoso rostro ingrato y maquillado.

—Buenos días, Teo –dijo con aire de alegría–. ¿Viene usted a visitarme?

—¿A visitarla? –dijo Mateo.

Miraba con desconcertada simpatía aquella frente alta y tranquila y aquellos ojos verdes. Era hermosa, sin duda alguna, pero de una hermosura que parecía ocultarse bajo la mirada. Habituado a caras como la de Lola, cuyo sentido se imponía con brutalidad desde el primer momento, Mateo había tratado cien veces de retener el conjunto de aquellos rasgos huidizos, pero se le escapaban; el conjunto se deshacía a cada instante, y la cara de Odette conservaba su decepcionante misterio burgués.

—Sí que querría visitarla –respondió–; pero necesito ver a Santiago, tengo que pedirle un favor.

—No esté tan apurado –dijo Odette–; Santiago no se escapará. Siéntese ahí.

Y le hizo lugar junto a ella:

—Cuidado –dijo sonriendo–, uno de estos días me enojaré. Usted me descuida. Tengo derecho a mi visita personal puesto que me la ha prometido.

—Es decir, fue usted la que me prometió recibirme uno de estos días.

—Qué amable está –dijo ella riendo–; usted no tiene la conciencia tranquila.

Mateo se sentó. Quería mucho a Odette, pero nunca sabía qué decirle.

—¿Cómo le va, Odette?

Puso calor en su voz, para disimular la tontería de su pregunta.

—Muy bien –contestó ella–. ¿Sabe dónde estuve esta mañana? En Saint-Germain, con el auto, para ver a Francisca, que me dejó encantada.

—¿Y Santiago?

—Ha tenido mucho que hacer en estos días; yo casi no lo he visto. Pero como siempre, tiene una salud insolente.

Mateo sintió de pronto un profundo disgusto. "Odette es de Santiago", pensó. Y miró con malestar el brazo largo y moreno que salía de un vestido muy sencillo, retenido en el talle por un cordón rojo, casi vestido de niña. El brazo, el vestido y el cuerpo bajo el vestido, pertenecían a Santiago, como la poltrona, como el escritorio de caoba, como el diván. Esta mujer discreta y púdica olía a posesión. Hubo un silencio y después Mateo adoptó la voz cálida y algo nasal que reservaba para Odette.

—¡Qué bonito vestido tiene! –dijo.

—¡Oh, escuche! –dijo Odette con una risa indignada–: deje tranquilo mi vestido. Cada vez que me ve habla de mis vestidos. Dígame más bien qué es lo que ha hecho esta semana.

Mateo rió también; se sentía aliviado.

—Bueno, pues justamente tengo algo que decirle sobre ese vestido.

—Dios mío –dijo Odette–, ¿qué irá a ser eso?

—Bueno, pues me pregunto si no debería usted ponerse aros cuando lo lleva.

Odette lo miró con aire singular.

—¿Aros?

—A usted le parece que eso es vulgar –dijo Mateo.

—En absoluto. Pero los aros vuelven indiscreta la fisonomía.

Y le dijo bruscamente riéndosele en la cara:

—Usted se encontraría más a gusto conmigo si yo los llevara.

—Pero no, ¿por qué? –dijo Mateo vagamente.

Estaba sorprendido y pensaba: decididamente, no es tonta. Ocurría con la inteligencia de Odette como con su belleza: tenía algo de inasible.

Hubo un silencio. Mateo no sabía qué decir. Sin embargo, no tenía ganas de irse, saboreaba una especie de inquietud. Odette le dijo gentilmente:

—Hago mal en retenerlo, vaya pronto a ver a Santiago, parece estar preocupado.

Mateo se levantó. Pensó que iba a pedir dinero a Santiago y sintió hormigueos en la punta de los dedos.

—Hasta luego, Odette –dijo afectuosamente–. No, no se moleste. Volveré para despedirme.

¿Hasta qué punto es una víctima?, se preguntaba Mateo llamando a la puerta de Santiago. Con esta clase de individuos uno nunca sabe.

—Entra –dijo Santiago.

Se levantó, muy derecho y alerta, y se adelantó al encuentro de Mateo.

—Buenos días, viejo –dijo calurosamente–, ¿cómo te va?

Parecía mucho más joven que Mateo, aunque era el mayor. A Mateo le parecía que estaba engordando por las caderas. Sin embargo, debía de llevar corsé.

—Buenos días –dijo Mateo con amistosa sonrisa.

Se sentía culpable; desde hacía veinte años, se sentía culpable cada vez que pensaba en su hermano o que lo veía.

—Bueno –dijo Santiago–, ¿qué viento te trae?

Mateo hizo un gesto mohíno.

—¿Algo que no marcha? –preguntó Santiago–. Toma, siéntate. ¿Quieres un whisky?

—Vaya por el whisky –dijo Mateo. Y se sentó con un nudo en la garganta. Pensaba: Bebo el whisky y me largo sin decir nada. Pero era demasiado tarde: Santiago sabía perfectamente a qué atenerse: "Pensará sencillamente que no me he atrevido a sablearlo". Santiago permanecía de pie; tomó una botella de whisky y llenó dos vasos.

—Es mi última botella –dijo– pero no voy a renovar mi provisión antes del otoño. Por mucho que digan, durante los calores un buen gin-fizz es mucho mejor, ¿no te parece?

Mateo no respondió; miraba sin cordialidad esa cara rosada y fresca de hombre muy joven, esos cabellos rubios cortados bien cortos. Santiago sonreía inocentemente; toda su persona respiraba la inocencia, pero su mirada era dura. "Se hace el inocente, pensó Mateo con rabia, pero sabe muy bien a lo que he venido, y está tratando de componer su personaje." Dijo duramente:

—Sabes perfectamente que he venido a darte un sablazo.

Bueno, ya estaba. Ahora, ya no podía retroceder; y ya su hermano enarcaba las cejas con aire de profunda sorpresa. "No me va a ahorrar nada", pensó Mateo, consternado.

—Pero no, yo no sospechaba nada –dijo Santiago–;

¿por qué quieres que lo sospechara? ¿Querrías insinuar que ése es el único objeto de tus visitas?

Se sentó, siempre muy derecho, un poco rígido, y cruzó las piernas con soltura, como para compensar la rigidez de su busto. Vestía un soberbio traje de sport de paño inglés.

—Yo no quiero insinuar absolutamente nada –dijo Mateo. Entornó los ojos y agregó, apretando fuertemente su vaso:

—Pero necesito cuatro mil francos de aquí a mañana.

"Va a decir que no. ¡Con tal de que se niegue rápido y que yo pueda largarme!" Pero Santiago jamás tenía prisa: era abogado, tenía tiempo.

—Cuatro billetes –dijo moviendo la cabeza con aire de entendido–. Pero qué dices, ¡qué dices!

Estiró las piernas y contempló sus zapatos con satisfacción:

—Tú me diviertes, Teo –dijo–, me diviertes y me instruyes. Oh, no tomes a mal lo que te digo –agregó vivamente al ver un gesto de Mateo–; no pienso criticar tu conducta pero en fin, reflexionó, me interrogo, veo esto desde fuera, casi diría "como un filósofo" si no me estuviera dirigiendo a un filósofo. Mira, cuando pienso en ti, me confirmo en la idea de que no hay que ser hombre de principios. Tú estás atiborrado de ellos, te los inventas y no te conformas. En teoría, no hay hombre más independiente, lo que es muy hermoso; vives al margen de las clases. Sólo que yo me pregunto qué te pasaría si no estuviera yo aquí. Advierte que me siento muy feliz, yo, que no tengo principios, por poder ayudarte de cuando en cuando. Pero me parece que con tus ideas, yo tendría el puntillo de no pedir nada a ningún

horrible burgués. Porque yo soy un horrible burgués
–agregó riendo de buena gana.

Continuó sin dejar de reír:

—Y hay algo peor, y es que tú, que te ríes de la familia, te apoyas en nuestros lazos de familia para sa-
blearme. Porque en fin, no te dirigirías a mí si yo no
fuera tu hermano.

Adoptó un aire de sincero interés.

—¿No te molesta, en el fondo, todo esto?

—Te quedo muy agradecido –dijo Mateo, riendo
también.

No iba a enfrascarse en una discusión de ideas. Las
discusiones de ideas con Santiago, siempre terminaban
mal. Mateo perdía inmediatamente su sangre fría.

—Sí, evidentemente –dijo Santiago con frialdad–. Tú
no crees que con un poco de organización... Pero sin duda es contrario a tus ideas. No digo que sea tuya la culpa, nótalo bien; para mí, la culpa es de los principios.

—Ya sabes –dijo Mateo para contestar algo– que
negar los principios es también un principio.

—Oh, tan pequeño –dijo Santiago.

Ahora me los va a largar –se dijo Mateo. Pero miró las mejillas llenas de su hermano, su fisonomía flo-
reciente, su aire cordial y sin embargo testarudo, y
pensó oprimido el corazón: "Se pone duro cuando se
desahoga". Felizmente Santiago había vuelto a tomar
la palabra:

—Cuatro billetes –repitió–. Es una necesidad im-
prevista, porque en fin, la semana pasada cuando tú...
cuando viniste a pedirme ese pequeño favor, no se habló de esto.

—En efecto –dijo Mateo–, yo... Data de ayer.

Pensó de pronto en Marcela, la volvió a ver, siniestra y desnuda en la habitación rosada, y agregó en un tono apremiante que lo sorprendió a él mismo:

—Santiago, yo *necesito* ese dinero.

Santiago lo contempló con curiosidad y Mateo se mordió los labios: cuando estaban juntos, los dos hermanos no acostumbraban a manifestar tan vivamente sus sentimientos.

—¿Hasta ese punto? Es curioso. Sin embargo eres el último... Tú... de ordinario me pides un poco de dinero porque no sabes o no quieres organizar tu vida, pero jamás hubiera creído... Naturalmente no te pregunto nada –agregó en tono ligeramente interrogador.

Mateo vacilaba: ¿le diré que son los impuestos? Pero no. Sabe que los pagué en mayo.

—Marcela está embarazada –dijo bruscamente.

Sintió que enrojecía y se encogió de hombros, ¿por qué no, después de todo? ¿Por qué esta vergüenza quemante y súbita? Miró a su hermano cara a cara con ojos agresivos. Santiago parecía interesado:

—¿Ustedes querían un hijo?

Hacía como que no comprendía, expresamente.

—No –dijo Mateo en tono cortante–; es un accidente.

—Ya me extrañaba –dijo Santiago–, pero en fin, tal vez hubieras querido llevar hasta el final tus experiencias fuera del orden establecido.

—Sí, pero no se trata de eso en absoluto.

Hubo un silencio y después Santiago continuó, completamente cómodo:

—¿Entonces? ¿Para cuándo el casamiento?

Mateo enrojeció de cólera: como siempre, Santiago se negaba a considerar honestamente la situación, giraba obstinadamente alrededor, y durante ese tiempo su espíritu se esforzaba por encontrar un nido de águilas desde el cual tomar puntos de vista a vuelo de pájaro sobre la conducta de los demás. Cualquier cosa que se dijera o que se hiciera, su primer movimiento era para alzarse por encima del debate; no podía ver nada sino desde arriba; tenía la pasión de los nidos de águila.

—Hemos decidido que va a abortar –dijo Mateo bruscamente.

Santiago no pestañeó.

—¿Encontraste el médico? –dijo con aire ausente.

—Sí.

—¿Hombre seguro?... según lo que me has dicho, la salud de esa joven es delicada.

—Tengo amigos que me responden de él.

—Sí –dijo Santiago–, sí, evidentemente.

Cerró los ojos por un instante, los volvió a abrir y juntó las manos por el extremo de los dedos.

—En suma –dijo–, si te he comprendido, lo que te ocurre es lo siguiente: acabas de saber que tu amiga está embarazada; no quieres casarte por razones de principio, pero te consideras ligado a ella por obligaciones tan estrictas como las del matrimonio. No queriendo casarte con ella ni perjudicar su reputación, te has decidido a que aborte en las mejores condiciones posibles. Ciertos amigos te han recomendado un médico de confianza que te pide cuatro mil francos; sólo te falta encontrar la suma. ¿Es así?

—¡Exactamente! –dijo Mateo.

—¿Y por qué necesitas el dinero de aquí a mañana?

—Porque el tipo que tengo en vista parte para América dentro de ocho días.

—Bueno –dijo Santiago–, ¡entendido!

Levantó sus manos juntas hasta la altura de los ojos y las contempló con aire preciso como alguien a quien sólo le resta sacar las conclusiones de lo que acaba de decir. Pero Mateo no se engañó: un abogado no saca conclusiones tan de prisa. Santiago había bajado las manos y las había dejado sobre las rodillas, separadas; sus ojos ya no brillaban. Dijo con voz adormecida:

—Son muy severos con los abortos, en este momento.

—Lo sé –dijo Mateo–; les da por ahí de cuando en cuando. Ponen a la sombra a algunos pobres diablos sin protección, pero a los grandes especialistas no los molestan nunca.

—Quieres decir que hay en ello una injusticia –dijo Santiago–. Estoy completamente de acuerdo contigo. Pero yo no desapruebo totalmente sus consecuencias. Por la fuerza de las cosas, tus pobres diablos son curanderos o comadronas que estropean a las mujeres con instrumentos sucios; la policía opera una selección y ya es algo.

—En fin, bueno –dijo Mateo harto–; he venido a pedirte cuatro mil francos.

—Y… –dijo Santiago–, ¿estás bien seguro de que el aborto es conforme a tus principios?

—¿Por qué no?

—No sé, eso lo sabrás tú. Tú eres pacifista por respeto a la vida humana y vas a destruir una vida.

—Estoy completamente decidido –dijo Mateo–. Y además, yo puedo ser pacifista, pero no respeto la vida humana; tienes que estar confundido.

—Ah, yo creía… –dijo Santiago.

Contemplaba a Mateo con serenidad divertida.

—¿Entonces, ya estás convertido en un infanticida? Eso te queda tan mal, mi pobre Teo.

"Tiene miedo de que me atrapen, pensó Mateo, no dará un centavo." Hubiera querido poder decirle: si tú pagas no corres ningún riesgo, porque me dirigiré a un hombre hábil que no figure en las listas de la policía. Si te niegas, me veré obligado a enviar a Marcela a la casa de una herborista y entonces yo no respondo de nada, porque la policía las conoce a todas y puede apretarles las clavijas cuando se le ocurra. Pero esos argumentos eran demasiado directos para ejercer influencia en Santiago; Mateo dijo sencillamente:

—Un aborto no es un infanticidio.

Santiago tomó un cigarrillo y lo encendió:

—Sí –dijo con desvío–. Convengo en ello: un aborto no es un infanticidio, es un asesinato "metafísico". –Y agregó seriamente–: Pobre Mateo, tengo tan poco que objetar a un asesinato metafísico como a un crimen perfecto. Pero que tú, que tú cometas un asesinato metafísico... tú, tal como eres... –Hizo chasquear la lengua con aire de reconvención:

—No, decididamente, sería una nota falsa.

Todo había terminado, Santiago se negaba, Mateo podía marcharse. Se aclaró la voz y preguntó para seguridad de conciencia:

—¿Entonces, no puedes ayudarme?

—Compréndeme bien –dijo Santiago–; no me niego a hacerte un favor. ¿Pero sería realmente hacerte un favor? Por lo demás, estoy persuadido de que hallarás fácilmente el dinero que necesitas... –Se levantó bruscamente como si hubiera tomado una decisión y fue a posar la mano amistosamente sobre el hombro de su hermano:

—Escucha, Teo –dijo con calor–, pongamos que me niego: no quiero ayudarte a mentirte. Pero voy a proponerte una cosa...

Mateo, que iba a levantarse, volvió a caer en su

asiento, y su vieja cólera fraternal hizo presa nuevamente de él. Esa dulce y firme presión sobre su hombro le era intolerable; echó la cabeza hacia atrás y vio la cara de Santiago empequeñecida.

—¡Mentirme! Vamos, Santiago, dime que no quieres intervenir en un asunto de aborto, que lo desapruebas o que no tienes dinero disponible, estás en tu derecho y no te lo discutiré. ¿Pero qué es ese cuento de mentiras de que vienes a hablarme? No hay ninguna mentira en esto. Yo no quiero hijos: me viene uno y lo suprimo, eso es todo.

Santiago retiró su mano y dio algunos pasos con aire abstraído: "Va a hacerme un discurso, pensó Mateo; no hubiera debido jamás aceptar la discusión".

—Mateo —dijo Santiago, con voz tranquila—, yo te conozco mejor de lo que tú crees y me espantas. Hace mucho que temía algo por el estilo: ese niño que va a nacer es el resultado lógico de una situación en la que te has colocado voluntariamente, y quieres suprimirlo porque no quieres aceptar todas las consecuencias de tus actos. Mira, ¿quieres que te diga la verdad? Puede que no te mientas en este preciso momento, pero es toda tu vida entera la que está edificada sobre la mentira.

—Pero te lo ruego —dijo Mateo—, no te contengas, enséñame lo que yo me oculto. —Y sonreía.

—Lo que te ocultas —dijo Santiago— es que eres un burgués vergonzante. Yo he vuelto a la burguesía después de muchos errores, y he contraído con ella un casamiento de interés; pero tú, tú eres burgués por afición, por temperamento, y es tu temperamento el que te impulsa al matrimonio. Porque *tú estás casado*, Mateo —dijo con fuerza.

—Primera noticia que me llega —dijo Mateo.

—Sí, tú estás casado, sólo que pretendes lo contrario porque tienes esas teorías. Has adquirido costumbres en común con esa joven: cuatro veces por semana vas tranquilamente a verla y pasas la noche con ella. Hace ya siete años que dura eso; ya no tiene nada de una aventura; tú la estimas, te sientes con obligaciones respecto a ella, no quieres dejarla. Y estoy bien seguro de que no buscas en ella únicamente el placer; hasta me imagino que a la larga, y por fuerza que haya podido ser, el placer ha debido embotarte. En realidad, de noche has de sentarte junto a ella, le has de contar a menudo los acontecimientos del día y le has de pedir consejo en los casos difíciles.

—Evidentemente –dijo Mateo encogiéndose de hombros. Estaba furioso contra sí mismo.

—Pues bien –dijo Santiago– ¿quieres decirme en qué difiere esto del matrimonio... fuera de la cohabitación?

—¿Fuera de la cohabitación? –dijo Mateo irónicamente–. Perdóname, es una tontería.

—Oh –dijo Santiago– me imagino que a ti no ha de costarte mucho el abstenerte.

"Jamás había dicho tanto, pensó Mateo; se toma la revancha." Hubiera debido marcharse, golpeando la puerta. Pero Mateo sabía que se quedaría hasta el fin.

Tenía el deseo combativo y malevolente de conocer la opinión de su hermano.

—A *mí* –dijo–, ¿por qué dices que eso no debe costarme mucho a *mí*?

—Porque tú ganas con eso en comodidad y en una apariencia de libertad: tienes todas las ventajas del matrimonio y te sirves de tus principios para rechazar los inconvenientes. Te niegas a regularizar la situación, y eso te resulta muy fácil. Si alguno sufre por ello, no eres tú.

—Marcela comparte mis ideas sobre el matrimonio –dijo Mateo con voz ruda; se oía pronunciar cada palabra y se encontraba profundamente desagradable.

—Oh –dijo Santiago–, si no las compartiera, sería sin duda demasiado orgullosa para confesártelo. Sabes que no te comprendo. Tú, tan rápido para indignarte cuando oyes hablar de una injusticia, mantienes a esa mujer en una situación humillante desde hace años por el simple placer de decirte que estás de acuerdo con tus principios. Y si al menos fuera cierto, si verdaderamente conformaras tu vida a tus ideas. Pero te lo repito, tú estás casado por así decirlo, tienes un departamento agradable, recibes con regularidad un sueldo bastante apetitoso, no tienes ninguna inquietud sobre el porvenir puesto que el Estado te garantiza una jubilación... y te gusta esa vida, tranquila, regulada, una verdadera vida de funcionario.

—Escucha –dijo Mateo–, hay un malentendido entre nosotros: a mí me importa muy poco el ser o no ser un burgués. Lo que yo quiero sencillamente es... –y acabó entre sus dientes apretados con una especie de vergüenza– conservar mi libertad.

—Yo por mi parte hubiera creído –dijo Santiago– que la libertad consistía en mirar de frente las situaciones en que uno se ha colocado por su propia voluntad y en aceptar todas sus responsabilidades. Pero seguramente, no es ésa tu opinión: tú condenas la sociedad capitalista, y sin embargo eres funcionario en esa sociedad; ostentas una simpatía de principio por los comunistas, pero te guardas muy bien de comprometerte y jamás has votado. Tú desprecias a la clase burguesa, y sin embargo eres burgués, hijo y hermano de burgueses y vives como un burgués.

Mateo hizo un gesto pero Santiago no se dejó interrumpir.

—Sin embargo has llegado ya a la edad de la razón, mi pobre Mateo –dijo con reprobada piedad–. Pero eso también te lo ocultas, quieres aparecer más joven de lo que eres. Además... acaso soy injusto. Tú no has llegado todavía a la edad de la razón, que es más bien una edad moral... puede que yo haya llegado a ella más rápido que tú.

"Ya está, dijo Mateo, va a hablarme de su juventud." Santiago estaba muy orgulloso de su juventud, que era su garantía y le permitía defender al partido del orden sin remordimientos: durante cinco años había imitado con aplicación todos los extravíos de moda, había caído en el surrealismo, tuvo algunas relaciones halagadoras, y a veces había respirado, antes de hacer el amor, un pañuelo embebido en cloruro de etilo. Un buen día sentó la cabeza: Odette le traía seiscientos mil francos de dote. Escribió a Mateo: "Hay que tener el valor de hacer como todo el mundo para no ser como nadie". Y compró un estudio de abogado.

—Yo no te reprocho tu juventud –dijo–. Por el contrario, has tenido la suerte de evitar ciertos extravíos. Pero en fin, no lamento tampoco la mía. Mira, en el fondo nosotros dos teníamos que gastar los instintos del viejo pirata de nuestro abuelo. Sólo que yo los liquidé de un solo golpe y tú los gastas poquito a poco; te falta tocar fondo. Creo que al principio tú eras mucho menos pirata que yo y eso es lo que te pierde: tu vida es un perpetuo compromiso entre una afición a la revuelta y a la anarquía en el fondo muy modesta, y tus tendencias profundas que te llevan hacia el orden, la salud moral y casi diría la rutina. El resultado es que has seguido siendo un viejo estudiante irresponsable. Pero mírate bien, mi viejo: tienes treinta y cuatro años, el cabello se te cae un poco –cierto que no tanto como a mí–, ya no eres ningún jovencito y la vida bohemia te sienta muy mal. Además, ¿qué es la bohemia? Eso era muy bonito hace cien años, ahora es un puñado de extraviados que no son peligrosos para nadie, todos fracasados. Tú has llegado a la edad de la razón, Mateo, has llegado a la edad de la razón o deberías llegar a ella –repitió distraídamente.

—¡Bah! –dijo Mateo–, tu edad de la razón es la edad de la resignación, y no me atrae mayormente.

Pero Santiago no lo escuchaba. Su mirada se puso de pronto clara y alegre y replicó vivamente:

—Escucha: como ya te he dicho, voy a hacerte una proposición; si la rechazas, no te será difícil encontrar cuatro mil francos, no tengo remordimientos. Pongo diez mil francos a tu disposición si te casas con tu amiga.

Mateo había previsto el golpe; de todos modos aquello le procuraba una salida honorable que salvaba las apariencias.

—Te lo agradezco, Santiago –dijo levantándose–; realmente eres muy amable, pero no es posible. No te digo que te equivoques en toda la línea, pero si he de casarme algún día, será necesario que tenga ganas. En este momento, no sería más que una corazonada estúpida para salir del apuro.

Santiago se levantó también.

—Reflexiona bien –dijo–, tómate el tiempo necesario. No necesito decirte que tu mujer será muy bien recibida aquí, tengo confianza en tu elección; Odette se alegrará de tenerla por amiga. Además, mi mujer ignora completamente tu vida privada.

—Ya está todo reflexionado –dijo Mateo.

—Como quieras –dijo Santiago cordialmente (¿estaba tan descontento?). Y agregó–: ¿Cuándo te vemos?

—Vendré a almorzar el domingo –dijo Mateo–. Adiós.

—Adiós –dijo Santiago–; y… ya sabes, si te decides, mi proposición está siempre firme.

Mateo sonrió y salió sin responder. "Se acabó, pensaba, se acabó." Bajó la escalera corriendo; no estaba alegre, pero tenía ganas de cantar. En ese momento, Santiago se habría sentado de nuevo en su escritorio, la mirada perdida, con una sonrisa triste y grave: "Ese muchacho me inquieta; sin embargo ha llegado a la edad de la razón". O quizá se había ido a dar una vuelta a la habitación de Odette. "Mateo me preocupa mucho. No puedo decirte por qué. Pero no es razonable". ¿Qué diría ella? ¿Desempeñaría el papel de la esposa madura y sensata, o bien saldría del paso con algunas aprobaciones rápidas, sin levantar la cabeza del libro?

"Toma, se dijo Mateo, he olvidado despedirme de Odette." Y sintió remordimiento: estaba en disposición de sentir remordimientos. "¿Es cierto eso? ¿Mantengo a Marcela en una situación humillante?" Recordó las violentas palabras de Marcela contra el matrimonio. "Además, yo se lo propuse. Una vez. Hace cinco años". En realidad, había sido algo en el aire, y Marcela se le había reído en la cara. "Oh, bueno, pensó, tengo un complejo de inferioridad ante mi hermano." Pero no, no era eso, cualquiera fuera su sentimiento de culpabilidad, Mateo no había dejado nunca de darse la razón contra Santiago. "Sólo que lo tengo metido en el corazón a ese puerco; cuando no tengo vergüenza delante de él, tengo vergüenza por él. Ah, pensó, uno no acaba nunca con la familia, es como la varicela, que lo agarra a uno de chiquilín y lo marca para toda la vida." Había un cafetín en la esquina de la calle Montorgueil. Entró, tomó una ficha en la caja; la cabina estaba en un rincón oscuro. Mateo sentía el corazón oprimido al descolgar el tubo.

—¡Hola, hola! ¿Marcela?

Marcela tenía el teléfono en su habitación.

—¿Eres tú? –dijo.

—Sí.

—Bueno, que la vieja es imposible.

—¡Hum! –dijo Marcela con aire de duda.

—Te lo aseguro. Estaba casi borracha, su covacha apesta, es gritona y ¡si vieras sus manos! Además es una bruta.

—Bueno, ¿y entonces?

—Pues que tengo algo en vista. Por Sarah. Alguien muy bien.

—Ah –dijo Marcela con indiferencia, y agregó:

—¿Cuánto?

—Cuatro mil.

—¿Cuánto? –repitió Marcela incrédula.

—Cuatro mil.

—¡Ya ves! No es posible, tendré que ir...

—¡No irás! –dijo Mateo con violencia–. Yo pediré prestado.

—¿A quién? ¿Santiago?

—Salgo de su casa. Me los ha negado.

—¿Daniel?

—¡Me los ha negado también ese puerco! Lo vi esta

mañana y estoy seguro de que estaba lleno de oro.

—¿No le habrás dicho que era para... esto? –preguntó Marcela vivamente.

—No –dijo Mateo.

—¿Y qué es lo que vas a hacer?

—No sé. –Sintió que su voz carecía de seguridad y agregó firmemente–: No te apures. Tenemos cuarenta y ocho horas; ya encontraré. Aunque sea por el diablo, cuatro mil francos se encuentran.

—Bueno, pues encuéntralos –dijo Marcela en tono muy raro–. Encuéntralos.

—Te telefonearé. ¿Te veo siempre mañana por la noche?

—Sí.

—¿Y tú, cómo estás?

—Bien.

—Tú... no estás demasiado...

—Sí –dijo Marcela secamente–. Estoy un poco angustiada. –Y agregó con más dulzura–: ¡En fin, haz lo que puedas, mi pobre viejo!

—Te llevaré los cuatro mil francos mañana por la noche –dijo Mateo.

Vaciló y añadió con esfuerzo:

—Te amo.

Marcela colgó sin contestar.

Él salió de la cabina. Al atravesar el café, oía aún la voz seca de Marcela: "Estoy un poco angustiada". Me guarda rencor. Sin embargo, yo hago lo que puedo. "En una situación humillada." ¿La mantengo yo en una posición humillada? Y si... Se detuvo en seco al borde de la acera. ¿Y si ella quisiera el hijo? Entonces todo se iba al diablo, bastaba pensar en eso un segundo y todo tomaba otro sentido, era otro cantar, y Mateo, Mateo mismo, se transformaba de pies a cabeza, no había dejado de engañarse, era un buen sinvergüenza. Felizmente, eso no era cierto, no podía ser cierto, demasiado a menudo la he oído burlarse de sus amigas casadas, cuando estaban embarazadas: las llamaba vasos sagrados, y decía: "Revientan de orgullo porque van a aovar". Cuando uno ha dicho eso, no tiene derecho a cambiar de opinión a la chita callando, porque sería un abuso de confianza. Y Marcela es incapaz de un abuso de confianza, me lo hubiera dicho, por qué no me lo iba a decir, nos lo decimos todo, oh, y ahora ¡basta!, ¡basta! Estaba cansado de girar en ese laberinto inextricable: Marcela, Ivich, el dinero, el dinero, Ivich, Marcela, yo haré cuanto sea necesario pero querría no pensar más en ello, por el amor de Dios, querría pensar en otra cosa. Pensó en Brunet, pero eso era todavía más triste: una amistad muerta; se sentía nervioso y triste, porque iba a volver a verlo. Vio un quiosco de periódicos y se acercó: "*Paris-Midi*, por favor".

No quedaban, y tomó un periódico al azar: era *Excelsior*. Mateo entregó sus diez centavos y se marchó. *Excelsior* no era un periódico ofensivo, era un diario grueso, triste y aterciopelado como la tapioca. No llegaba a encolerizarlo a uno, le quitaba simplemente las ganas de vivir, mientras lo leía. Mateo leyó: "Bombardeo aéreo de Valencia", y levantó la cabeza vagamente irritado: la calle Réaumur era de cobre ennegrecido. Las dos de la tarde, el momento del día en que el calor era más siniestro, en que se retorcía y crepitaba en medio de la calzada como una larga chispa eléctrica. "Cuarenta aviones vuelan durante una hora sobre el centro de la ciudad, y lanzan ciento cincuenta bombas. Se ignora el número exacto de muertos y heridos." De soslayo, vio bajo el título un texto pequeño y terrible, apretado, en negrita, que tenía un aspecto charlatán y documentado: "De nuestro enviado especial". Se daban cifras. Mateo volvió la hoja, no tenía ganas de saber más. Un discurso del señor Flandin en Bar-le-Duc. Francia acurrucada detrás de la línea Maginot. ...Stokovsky nos declara: jamás me casaré con Greta Garbo. Algo nuevo sobre el "affaire" Weidmann. La visita del Rey de Inglaterra: cuando París espera su Príncipe Encantador. Todos los franceses... Mateo se sobresaltó y pensó: "Todos los franceses son unos puercos". Gómez se lo había escrito una vez, desde Madrid; volvió a cerrar el diario y se puso a leer, en primera página, el artículo del enviado especial. Se conocían ya cincuenta muertos y trescientos heridos, y aquello no había terminado, había sin duda más cadáveres bajo los escombros. Nada de aviones, nada de D.C.A. Mateo se sentía vagamente culpable. Cincuenta muertos y trescientos heridos. ¿qué significaba eso exactamente? ¿Un hospital lleno? ¿Algo como un grave accidente ferroviario? Cincuenta muertos. Había miles de hombres en Francia que no habían podido leer su diario esta mañana, sin que una bola de cólera les subiera a la garganta, miles de hombres que habían cerrado los puños murmurando: "¡Puercos!". Mateo cerró los puños, murmuró "¡Puercos!" y se sintió más culpable todavía. Si al menos hubiera podido encontrar dentro de sí una pequeña emoción bien viva y modesta, consciente de sus límites. Pero no: estaba vacío, había delante de él una gran cólera, una cólera desesperada, que él veía y que hubiera podido tocar. Sólo que estaba inerte; y esperaba para vivir, para estallar, para sufrir, que él prestara su cuerpo. Era la cólera de los demás. "¡Puercos!" Mateo apretaba los puños, caminaba a grandes pasos, pero la cosa no marchaba, la cólera permanecía afuera. Yo he estado en Valencia, he visto allí la Fiesta, el 34, y una gran corrida con Ortega y el Estudiante. Su pensamiento giraba por encima de la villa, buscando una iglesia, una calle, la fachada de una casa de la que pudiera decir: "Yo vi eso y ellos lo han destruido; ya no existe más". ¡Ya está! El pensamiento se abatió sobre una calle oscura, aplastada por enormes monumentos. Yo lo vi, se paseaba allí por la mañana, se ahogaba en una sombra ardiente, el cielo llameaba muy alto, por encima de las cabezas. Ya está. *Las bombas han caído en esa calle, sobre el gran monumento gris, la calle se ha ensanchado enormemente, ahora entra hasta el fondo de las casas, ya no hay sombra en la calle, el cielo en fusión ha caído sobre la calzada, y el sol golpea sobre los escombros.* Algo se aprestaba a nacer, una tímida aurora de cólera. ¡Ya está! Pero aquello se desinfló, se aplastó, Mateo estaba desierto. Mateo caminaba con pasos cadenciosos con la decencia de un tipo que sigue un entierro, en París, no en Valencia, en París, acosado por un fantasma de cólera. Los vidrios llameaban, los autos se deslizaban sobre la calzada, él caminaba en medio de hombrecitos vestidos de telas claras, de franceses, que no miraban el cielo, que no tenían miedo del cielo. Y sin embargo eso es *real*, en alguna parte bajo el mismo sol, eso es *real*, los autos se han detenido, los vidrios han estallado, unas mujeres estúpidas y mudas están acurrucadas con aires de pollos mojados junto a verdaderos cadáveres, y levantan la cabeza de cuando en cuando, miran el cielo, el cielo venenoso, todos los franceses son unos puercos. Mateo tenía calor, tenía *verdadero calor*. Se pasó el pañuelo por la frente y pensó: "Uno no puede sufrir por lo que se le antoje". Allá lejos había una historia formidable y trágica que reclamaba que uno sufriera por ella… "Yo no puedo, no estoy en el asunto. Yo estoy en París, en medio de mis propias presencias, Santiago detrás de su escritorio que dice 'No' y Daniel que se ríe burlón y Marcela en la habitación rosada, e Ivich a quien besé esta mañana. Su verdadera presencia asquerosa a fuerza de ser verdadera. Cada cual tiene su mundo, el mío es un hospital con Marcela embarazada dentro, y ese judío que me pide cuatro mil francos. Hay otros mundos. Gómez. Él estaba en el asunto, se marchó, era cosa suya. Y el tipo de ayer. Ése no se marchó, debe vagar por las calles, como yo. Sólo que si recoge un periódico y lee: 'Bombardeo de Valencia', no tendrá necesidad de forzarse, y sufrirá *allá*, en la ciudad en escombros. ¿Por qué estoy yo en este mundo gritón lleno de barullos, de instrumentos quirúrgicos, de manoseos sigilosos en los taxis, en este mundo sin España? ¿Por qué no estoy en el baile, con Gómez, con Brunet? ¿Por qué no he tenido ganas de ir a batirme? ¿Acaso hubiera podido elegir otro mundo? ¿Acaso soy libre todavía? Yo puedo ir donde quiero, no encuentro resistencia, pero es peor: estoy en una jaula sin barrotes, estoy separado de España por… por nada, y sin embargo, es algo infranqueable." Miró la última página del *Excelsior*: fotos del enviado especial. Cuerpos alineados sobre la acera, a lo largo de un muro. En medio de la calzada, una gorda comadre, acostada de espaldas, con las faldas levantadas sobre las caderas y que ya no tenía cabeza. Mateo dobló el periódico y lo tiró a la calle.

Boris lo acechaba, delante de la puerta de entrada. Al distinguir a Mateo tomó un aire frío e importante: era su aire de loco.

—Acabo de llamar a su casa –dijo– pero creo que

usted no estaba.

—¿Está bien seguro? –preguntó Mateo en el mismo tono.

—No del todo –dijo Boris–; todo lo que puedo decirle es que usted no me abrió.

Mateo lo miró vacilando. Eran apenas las dos; de todas las maneras, Brunet no llegaría antes de media hora.

—Suba conmigo –dijo–; vamos a cerciorarnos.

Y subieron. En la escalera, Boris dijo con su voz natural:

—¿Quedamos siempre en el "Sumatra" para esta noche?

Mateo se apartó y fingió buscar las llaves en el bolsillo:

—Yo no sé si iré –dijo–. Estuve pensando... puede que Lola prefiera tenerlo a usted para ella sola.

—Claro, evidentemente –dijo Boris–, ¿pero eso qué importa? Ella será cortés. Y además, de todas las maneras no estaríamos solos porque va a ir Ivich.

—¿Ha visto a Ivich? –preguntó Mateo al abrir la puerta.

—Acabo de dejarla –respondió Boris.

—Pase –dijo Mateo apartándose.

Boris pasó delante de Mateo y se dirigió con familiaridad llena de descuido hacia el escritorio. Mateo miraba sin cordialidad su delgada espalda: "La ha visto", pensaba.

—¿Viene usted? –dijo Boris.

Se había vuelto y contemplaba a Mateo con aire tierno y risueño.

—Ivich... no, ¿no le ha dicho nada de lo de esta noche? –preguntó Mateo.

—¿De lo de esta noche?

—Sí. Me pregunto si irá: parece estar muy preocupada con su examen.

—De cualquier modo quiere ir –dijo Boris–. Dijo que sería estupendo encontrarnos los cuatro juntos.

—¿Los cuatro? –respondió Mateo–. ¿Ha dicho que los cuatro juntos?

—Claro que sí –dijo Boris cándidamente–: está Lola.

—¿Entonces Ivich descuenta que yo iré?

—Naturalmente –dijo Boris, atónito.

Hubo un silencio. Boris se había acodado en el balcón y miraba la calle. Mateo se le acercó y le dio un buen puñetazo en la espalda.

—Me gusta mucho su calle –dijo Boris–, pero a la larga uno debe sentirse harto. Siempre me asombro de que usted viva en un departamento.

—¿Por qué?

—No sé. Libre como es usted, debería rematar sus muebles y vivir en un hotel. ¿Se da cuenta? Podría instalarse un mes en un rinconcito de Montmartre, un mes en el barrio del Temple, un mes en la calle Mouffetard...

—Bah –dijo Mateo, fastidiado–, eso no tiene ninguna importancia.

—Cierto –dijo Boris, después de haber meditado un buen rato–, eso no tiene ninguna importancia. Llaman –agregó con aire contrariado.

Mateo fue a abrir: era Brunet.

—Salud –dijo Mateo– llegas... llegas adelantado.

—¡Pues claro que sí! –dijo Brunet, sonriendo–; ¿te molesta?

—En absoluto...

—¿Quién es ése? –preguntó Brunet.

—Boris Serguin –dijo Mateo.

—Ah, es el famoso discípulo –dijo Brunet–. No lo conocía.

Boris se inclinó fríamente y retrocedió hasta el fondo de la pieza. Mateo permanecía delante de Brunet con los brazos caídos.

—Detesta que lo tomen por mi discípulo.

—Comprendo –dijo Brunet sin alterarse.

Enrollaba un cigarrillo entre los dedos, indiferente y sólido bajo la mirada rencorosa de Boris.

—Siéntate –dijo Mateo– en ese sillón.

Brunet se sentó en una silla.

—No –dijo sonriendo–, tus sillones son corruptores...

Y agregó:

—Bueno, viejo social-traidor, hay que venir hasta tu antro para encontrarte.

—No es culpa mía –dijo Mateo–: a menudo he tratado de verte, pero eres inencontrable.

—Es cierto –dijo Brunet–. Me he convertido en una especie de viajante de comercio. Me hacen danzar de tal modo, que hay días en que me cuesta trabajo encontrarme a mí mismo.

Y continuó con simpatía.

—Cuando te veo es cuando mejor me recobro; me parece que me he dejado en depósito en tu casa.

Mateo le sonrió con agradecimiento:

—Muchas veces he pensado que deberíamos vernos más a menudo –dijo–. Me parece que envejeceríamos menos rápido si pudiéramos encontrarnos los tres de cuando en cuando.

Brunet lo miro con sorpresa:

—¿Los tres?

—¡Claro que sí! Daniel, tú y yo.

—¡Es cierto, Daniel! –dijo Brunet aturdido–. ¿Existe todavía ese compañero? Tú lo ves aún de cuando en cuando, ¿no es cierto?

La dicha de Mateo decayó: cuando se encontraba con Portal o con Bourrelier, Brunet debía decirles con el mismo tono displicente: ¿Mateo? Es profesor en el Liceo Buffon, lo veo aún de vez en cuando.

—Yo lo veo todavía, sí, figúrate –dijo con amargura.

Hubo un silencio, Brunet había puesto las manos abiertas sobre las rodillas. Estaba allí, pesado y macizo, estaba sentado en una silla de Mateo, inclinaba la cara con aire testarudo hacia la llama de un fósforo, la habitación estaba llena de su presencia, del humo de su cigarrillo, de sus gestos lentos. Mateo miraba sus rudas manos de campesino y pensó: "Ha venido." Sintió que la confianza y la dicha intentaban tímidamente renacer en su corazón.

—Y aparte de eso –preguntó Brunet– ¿qué es de ti?

Mateo se sintió molesto: en realidad no era nada.

—Nada –dijo.

—Ya lo veo: catorce horas de clase por semana y un viaje al extranjero durante las vacaciones.

—Bueno, pues es así –dijo Mateo riendo. Y evitaba el mirar a Boris.

—¿Y tu hermano? ¿Siempre "cruz-de-fuego"?

—No –dijo Mateo–. Matiza. Dice que los "cruz-de-fuego" no son bastante dinámicos.

—Eso es carne para Doriot –dijo Brunet.

—De eso hablamos… Mira, acabo de gritonearme con él –agregó Mateo sin reflexionar.

Brunet le lanzó una mirada aguda y rápida.

—¿Por qué?

—Siempre por lo mismo: le pido un favor y me contesta con un sermón.

—Y entonces tú le gritas. Es gracioso –dijo Brunet con ironía–. ¿Acaso esperas todavía modificarlo?

—Naturalmente que no –dijo Mateo, fastidiado.

Callaron un momento aún y Mateo pensó tristemente: "Esto no marcha." Si al menos Boris hubiera tenido la buena idea de marcharse. Pero no parecía pensarlo y permanecía en su rincón, todo erizado, con aire de perro castigado. Brunet se había puesto a caballo sobre la silla, y él también dejaba caer sobre Boris una mirada pesada. "Querría que se fuera", pensó Mateo con satisfacción. Y se puso a mirar fijamente a Boris entre los dos ojos: quizá terminaría por comprender bajo los fuegos conjugadores de ambas miradas. Boris no pestañeaba. Brunet se aclaró la voz.

—¿Siempre estudia filosofía, joven? –preguntó.

Boris dijo que sí con la cabeza.

—¿Y a qué altura está?

—Acabo la licenciatura –dijo Boris secamente.

—La licenciatura –dijo Brunet con aire absorto–, la licenciatura, me parece bien. –Y agregó desenfadadamente:

—¿Me odiaría usted si le arrebatara a Mateo por un momento? Usted tiene la suerte de verlo todos los días, mientras que yo... ¿Quieres venir a dar una vuelta? –preguntó a Mateo.

Boris se adelantó rígidamente hacia Brunet:

—He comprendido –dijo–. Quédense, quédense, soy yo quien se va.

Y se inclinó ligeramente: estaba ofendido. Mateo le siguió hasta la puerta de la calle y le dijo con calor:

—Hasta la noche, ¿no es así? Estaré allá a eso de las

once.

Boris le sonrió con aire lastimoso:

—Hasta la noche.

Mateo cerró la puerta y volvió hacia Brunet.

—¡Bueno –dijo frotándose las manos–, pues se las has plantado!

Rieron ambos y Brunet preguntó:

—Tal vez estuve un poco grosero. ¿No me guardas rencor?

—Al contrario –dijo Mateo riendo–. Está acostumbrado y además me alegra verte a solas.

Brunet dijo con voz tranquila:

—Estaba deseando que se fuera porque no dispongo más que de un cuarto de hora.

La risa de Mateo se detuvo en seco.

—¡Un cuarto de hora! –Y agregó vivamente–: Ya sé, ya sé, tú no dispones de tu tiempo. Ya has sido demasiado amable viniendo.

—A decir verdad, tenía comprometido todo el día. Pero esta mañana, cuando te vi la cara, pensé: es menester absolutamente que le hable.

—¿Tan mala cara tenía?

—Claro que sí, mi pobre amigo. Demasiado amarilla, demasiado hinchada, con un tic de los párpados y de las comisuras.

Y agregó afectuosamente:

—Yo me dije: no quiero que me lo estropeen.

Mateo tosió:

—No creía tener una cabeza tan expresiva… Había dormido mal –agregó penosamente–. Tengo disgustos…, oh, como todo el mundo, sabes, simples dificultades de dinero.

Brunet no parecía muy convencido:

—Mejor si no es más que eso –dijo–. Ya saldrás de cualquier modo. Pero más bien tenías el aire de un tipo que acaba de advertir que ha vivido respaldado en ideas carentes de validez.

—Oh, las ideas... –dijo Mateo con un gesto vago. Miraba a Brunet con humilde gratitud y pensaba: "Por eso ha venido. Tenía comprometido el día, un montón de citas importantes, y se ha molestado para socorrerme". Pero de cualquier modo, hubiera sido mejor que Brunet obedeciera al simple deseo de volver a verlo.

—Escúchame –dijo Brunet–, no me voy a detener en prolegómenos, he venido a hacerte una proposición: ¿quieres entrar en el Partido? Si aceptas te llevo conmigo y en veinte minutos está arreglado...

Mateo se sobresaltó:

—¿En el Partido Comunista? –preguntó.

Brunet se echó a reír: sus párpados se arrugaban y mostraban sus deslumbrantes dientes.

—Claro, evidentemente –dijo–; ¿no querrías que te hiciera entrar en el de La Rocque?

Hubo un silencio.

—Brunet –preguntó severamente Mateo–, ¿por qué quieres que me haga comunista? ¿Es por mi bien o por el bien del Partido?

—Es por tu bien –dijo Brunet–. No necesitas adoptar ese aire de sospecha, no me he convertido en sargento reclutador del Partido Comunista. Y, además, entendámonos bien: el Partido no tiene ninguna necesidad de ti. Tú no representas para él nada más que un pequeño capital de inteligencia –y en cuanto a intelectuales tenemos para dar y prestar–. Pero tú, tú tienes necesidad del Partido.

—Es por mi bien –repitió Mateo–. Por mi bien... Escucha –continuó bruscamente–, yo no me esperaba tu… tu proposición, me tomas desprevenido pero… Pero yo querría que me dijeras lo que piensas. Ya sabes que vivo rodeado de mocosos que no se ocupan más que de sí mismos y que me admiran por principio. Nadie me habla jamás de mí; a mí también, a veces, me cuesta encontrarme. Entonces, ¿tú crees que necesito afiliarme?

—Si –dijo Brunet con convicción–. Si, tienes necesidad de afiliarte. ¿Acaso no lo sientes tú mismo?

Mateo sonrió tristemente; pensaba en España.

—Tú has seguido por tu camino –dijo Brunet–. Eres hijo de burgueses, no podías venir a nosotros así, era menester que te liberaras. Ahora es cosa hecha, ya eres libre. ¿Pero de qué sirve la libertad si no es para comprometerse? Tú has gastado treinta y cinco años en limpiarte y el resultado es el vacío. Tú eres un tipo raro, sabes –prosiguió con una sonrisa amistosa–. Vives en el aire, has cortado tus ataduras burguesas, no tienes lazo alguno con el proletariado, flotas, eres un abstracto, un ausente. Eso no ha de ser siempre divertido.

Se acercó a Brunet y lo sacudió por los hombros; lo quería muchísimo.

—Condenado reclutador –dijo–, condenado demonio. Me gusta que me digas todo eso.

Brunet le sonrió distraídamente; seguía con su idea. Y dijo:

—Tú has renunciado a todo para ser libre. Da un paso más, renuncia a tu misma libertad, y todo te será devuelto.

—Hablas como un cura –dijo Mateo riendo–. No, es que seriamente, Brunet, eso no sería un sacrificio, ¿sabes? Sé muy bien que volvería a recobrarlo todo, carne, sangre, pasiones verdaderas. Ya ves, Brunet, he acabado por perder el sentido de la realidad; nada me parece ya del todo verdadero.

Brunet no respondió: meditaba. Tenía un pesado rostro color de ladrillo de rasgos caídos, con pestañas rojas muy pálidas y más largas. Parecía un prusiano. Mateo, cada vez que lo veía, sentía una especie de curiosidad inquieta en la nariz y aspiraba suavemente esperando sentir de pronto un fuerte olor animal. Pero Brunet no tenía olor.

—Tú, por el contrario, eres bien real –dijo Mateo–. Todo lo que tocas parece real. Desde que estás en mi casa me parece verdadera y me asquea.

Y agregó bruscamente:

—Tú eres un hombre.

—¿Un hombre? –preguntó Brunet sorprendido–: lo contrario sería inquietante. ¿Qué quieres decir?

—Nada más que lo que digo: tú resolviste ser un hombre.

Un hombre de músculos poderosos y algo anudados que pensaba por medio de verdades breves y severas, un hombre recto, firme, seguro de sí, terrestre, refractario a las tentaciones angélicas del arte de la psicología, de la política, todo un hombre, nada más que un hombre. Y Mateo estaba allí, frente a él, indeciso, mal envejecido, mal cocido, sitiado por todos los vértigos de lo inhumano. Pensó: "Yo no parezco un hombre".

Brunet se levantó y fue hacia Mateo:

—Bueno, pues haz como yo –dijo–, ¿qué te lo impide? ¿Acaso imaginas que puedes vivir toda tu vida entre paréntesis?

Mateo lo miró vacilante.

—Evidentemente –dijo–, evidentemente. Y si eligiera, elegiría estar con ustedes, no hay otra elección.

—No hay otra elección –repitió Brunet. Esperó un poco y preguntó–: ¿Entonces?

—Déjame respirar un poco –dijo Mateo.

—Respira –dijo Brunet–, respira, pero apresúrate. Mañana serás demasiado viejo, tendrás tus pequeñas costumbres, serás esclavo de tu libertad. Y puede que también el mundo sea demasiado viejo.

—No comprendo –dijo Mateo.

Brunet lo miró y le dijo rápidamente:

—Tendremos guerra para septiembre.

—Bromeas –dijo Mateo.

—Puedes creerme, los ingleses lo saben, el gobierno francés está prevenido; en la segunda quincena de septiembre, los alemanes entrarán en Checoslovaquia.

—Esos malditos... –dijo Mateo contrariado.

—¿Pero entonces no comprendes nada? –preguntó Brunet con fastidio. Se contuvo y agregó con más suavidad:

—Es cierto que si comprendieras, no tendría necesidad de ponerte los puntos sobre las íes. Escucha: tú eres tan poca cosa como yo. Admite que partas en el estado en que te encuentras en este momento: corres el riesgo de reventar como una burbuja; habrás soñado tu vida treinta y cinco años y un buen día una granada hará estallar tus sueños. Morirás sin haberte despertado. Has sido un funcionario abstracto, serás un héroe irrisorio, y caerás sin haber comprendido nada, para que el señor Schneider conserve sus intereses en las fábricas Skoda.

—¿Y tú? –preguntó Mateo. Y agregó sonriendo–: Mi pobre amigo, temo mucho que el marxismo no proteja de las balas.

—Yo también lo temo –dijo Brunet–. ¿Sabes dónde

me mandarán? Delante de la línea Maginot es el matadero garantizado.

—¿Entonces?

—No es lo mismo, porque es un riesgo asumido. Ahora nada puede quitarle su sentido a mi vida, nada puede impedirle que haya sido un destino.

Y agregó vivamente:

—Como la de todos los camaradas, por otra parte.

Se hubiera dicho que temía pecar de orgullo.

Mateo no respondió, fue a acodarse al balcón y pensaba: "Ha dicho bien eso". Brunet tenía razón: su vida era un destino. Su edad, su clase, su tiempo, todo lo había recobrado, todo lo había asumido, había elegido el bastón de plomo que lo heriría en la sien, la granada alemana que lo destriparía. Se había enrolado, había renunciado a su libertad, no era ya más que un soldado. Y todo le había sido devuelto, aun su libertad. "Es más libre que yo, está de acuerdo consigo mismo y de acuerdo con el Partido." Estaba allí, bien real, con un gusto verdadero de tabaco en la boca, los colores y las formas que colmaban sus ojos eran más densos, más verdaderos que los que Mateo podía ver, y sin embargo, en el mismo instante, se extendía a través de toda la tierra, sufriendo y luchando con los proletarios de todos los países. "En este instante, en este mismo instante, hay tipos que se fusilan a quemarropa en los arrabales de Madrid, hay judíos austríacos que agonizan en los campos de concentración, hay chinos en los escombros de Nankín, y yo, yo estoy aquí, muy fresco, me siento libre, dentro de un cuarto de hora tomaré mi sombrero e iré a pasearme al Luxemburgo." Se volvió hacia Brunet y lo miró con amargura: "Soy un irresponsable", pensó.

—Han bombardeado Valencia –dijo de pronto.

—Ya sé –dijo Brunet–. No había un cañón de D.C.A. en toda la ciudad. Largaron las bombas sobre un mercado.

No había apretado los puños, no había abandonado su tono apacible, su dicción algo adormecida, y sin embargo era a él a quien habían bombardeado, eran sus hermanos y sus hermanas y sus hijos los que habían sido matados. Mateo fue a sentarse en un sillón. "Tus sillones son corruptores." Se irguió vivamente y se sentó en la punta de la mesa.

—¿Y? –dijo Brunet.

Parecía acecharlo.

—Y bueno –dijo Mateo–, tú tienes suerte.

—¿Tengo la suerte de ser comunista?

—Sí.

—¡Bueno estás tú! Eso se elige, amigo.

—Ya sé. Tú tienes la suerte de haber podido elegir. El rostro de Brunet se endureció un poco.

—Lo cual quiere decir que tú no tendrás esa suerte. Ahí estaba; había que contestar. Brunet espera: sí o no. Entrar en el Partido, dar un sentido a su vida, querer convertirse en un hombre, actuar, creer. Eso sería la salvación. Brunet no le quitaba los ojos de encima:

—¿Te niegas?

—Si –dijo Mateo desesperado–, sí, Brunet; me niego. Y pensaba: "¡Ha venido a ofrecerme lo mejor que tiene!" Agregó:

—Esto no es definitivo, ¿sabes? Más tarde...

Brunet se encogió de hombros.

—¿Más tarde? Si cuentas con una iluminación interior para decidirte, corres el riesgo de esperar mucho tiempo. ¿Acaso te imaginas que yo estaba convencido cuando entré en el Partido Comunista? Una convicción es una cosa que se forma.

Mateo sonrió tristemente.

—Ya lo sé: échate de rodillas y creerás. Acaso tengas razón. Pero yo, quiero creer antes.

—Naturalmente –dijo Brunet con impaciencia–. Vosotros los intelectuales sois todos iguales: todo cruje, todo desaparece, los fusiles van a disparar solos, y vosotros os quedáis ahí, apacibles: vosotros reclamáis el derecho de ser convencidos. Ah, si al menos pudieras verte con mis ojos, comprenderías que el tiempo apremia.

—Bueno, pues sí, el tiempo apremia, ¿y qué?

Brunet se golpeó el muslo con indignación.

—¡Ahí tienes! Haces como que lamentas tu escepticismo, pero estás apegado a él. Es tu confort moral. En cuanto lo atacan, te prendes a él ásperamente, como tu hermano se prende a su dinero.

Mateo dijo dulcemente:

—¿Parezco muy áspero en este momento?

—No digo eso... –dijo Brunet.

Hubo un silencio. Brunet parecía dulcificarse: "Si pudiera comprenderme", pensó Mateo. Intentó un esfuerzo: convencer a Brunet. Era el único medio que le quedaba de convencerse a sí mismo.

—Yo no tengo nada que defender: no estoy orgulloso de mi vida y no tengo un centavo. ¿Mi libertad? Me pesa: años hace ya que soy libre para nada. Reviento de ganas de cambiarla de una vez por una certidumbre. Nada me gustaría más que trabajar con vosotros; eso me sacarla de mí mismo y yo tengo necesidad de olvidarme un poco. Y además, pienso como tú que uno no es hombre hasta que no ha encontrado alguna cosa por la que aceptaría morir.

Brunet había levantado la cabeza.

—Bueno, ¿y entonces? –dijo casi alegremente.

—Y bueno, ya ves, no puedo afiliarme, no tengo bastantes razones para eso. Protesto como vosotros, contra las mismas gentes, contra las mismas cosas, pero no bastante. No puedo hacer nada. Si me pusiera a desfilar levantando el puño y cantando la *Internacional*, y me declarara satisfecho con eso, me engañaría.

Brunet había adoptado su aire más macizo, más campesino, parecía una torre. Mateo lo miró con desesperación:

—¿Es que no me comprendes, Brunet? Dime, ¿es que no me comprendes?

—No sé si te comprendo muy bien –dijo Brunet–, pero de todas las maneras no tienes por qué justificarte, pues nadie te acusa. Tú te reservas para mejor ocasión; estás en tu derecho. Deseo que se presente lo más pronto posible.

—Yo también lo deseo.

Brunet lo miró con curiosidad.

—¿Estás bien seguro de desearlo?

—Claro que sí...

—¿Sí? Y bueno, tanto mejor. Sólo que temo que no se presente muy pronto.

—Yo también me lo he dicho –dijo Mateo–. Me he dicho que acaso no venga nunca, o demasiado tarde, o que acaso *no haya* ocasión.

—¿Y entonces?

—Pues bueno, en ese caso seré un pobre diablo. Eso es todo.

Brunet se levantó:

—Bueno –dijo–, bueno... Pues estoy muy contento de cualquier modo, por haberte visto.

Mateo se levantó también.

—No te vas... no te vas a ir así. ¿Te quedas todavía un momento?

Brunet miró su reloj:

—Estoy ya con retraso.

Hubo un silencio. Brunet esperaba cortésmente. "No es posible que se vaya, tengo que hablarle", pensó Mateo. Pero no encontraba nada que decirle.

—No hay que guardarme rencor –dijo precipitadamente.

—Pero si no te lo guardo –dijo Brunet–. Tú no estás obligado a pensar como yo.

—Eso no es cierto –dijo Mateo desolado–. Yo os conozco muy bien a vosotros: vosotros creéis que uno está obligado a pensar como vosotros a menos de ser un puerco. Tú me tomas por un puerco, pero no quieres decírmelo porque juzgas el caso desesperado.

Brunet tuvo una débil sonrisa:

—Yo no te tengo por un puerco –dijo–. Simplemente, estás menos separado de tu clase de lo que yo creía.

Mientras hablaba, se había aproximado a la puerta. Mateo le dijo:

—No puedes imaginarte lo que me ha conmovido que hayas venido a verme y que me hayas ofrecido tu ayuda, simplemente porque tenía mala cara esta mañana. Y tenías razón, ¿sabes?, necesito ayuda. Sólo que es tu propia ayuda la que yo querría... no la de Karl Marx. Yo querría verte a menudo y hablar contigo. ¿No sería posible?

Brunet apartó la vista.

—Bien lo querría –dijo–, pero no tengo mucho tiempo.

Mateo pensaba: "Evidentemente. Tuvo piedad de mí esta mañana y yo he desanimado su piedad. Ahora hemos vuelto a ser extraños el uno para el otro. Yo no tengo ningún derecho sobre su tiempo." Y dijo, a su pesar:

—Brunet, ¿no te acuerdas, entonces? Tú eras mi mejor amigo.

Brunet jugaba con el pestillo de la puerta:

—¿Por qué crees que he venido si no? Si tú hubieras aceptado mi ofrecimiento, hubiéramos podido trabajar juntos...

Callaron ambos. Mateo pensaba: "Tiene prisa, revienta de ganas de marcharse". Brunet agregó, sin mirarlo:

—Tú me sigues importando. Me importan tu hocico, tus manos, tu voz, y además, están también los recuerdos. Pero eso no cambia nada de la cuestión: mis únicos amigos, ahora, son los camaradas del Partido; con ellos tengo todo un mundo en común.

—¿Y tú crees que nosotros no tenemos ya nada de común? –preguntó Mateo.

Brunet se encogió de hombros sin responder. Hubiera bastado decir una palabra, una sola palabra, y Mateo lo hubiera recobrado todo, la amistad de Brunet, unas razones para vivir. Era algo tentador como el sueño. Mateo se irguió bruscamente:

—No quiero retenerte –dijo–. Ven a verme cuando tengas tiempo.

—Ciertamente –dijo Brunet–. Y tú, si cambias de opinión, escríbeme unas líneas.

—Ciertamente –dijo Mateo.

Brunet había abierto la puerta. Sonrió a Mateo y se marchó. Mateo pensó: "Era mi mejor amigo".

Se ha marchado. Se marchaba por las calles, escorado y balanceándose como un marinero, y las calles se tornaban reales una a una. Pero la realidad de la habitación había desaparecido con él. Mateo miró su sillón verde y corruptor, sus sillas, sus cortinas verdes, y pensó: "No se volverá a sentar en mis sillas, no volverá a mirar mis cortinas, fumando un cigarrillo"; la habitación no era ya más que una mancha de luz verde que temblaba al paso de los ómnibus. Mateo se aproximó a la ventana y se acodó en el balcón. Pensaba: yo no *podía* aceptar, y la habitación estaba a sus espaldas como un agua tranquila, sólo su cabeza salía del agua, la habitación corruptora estaba a sus espaldas, él tenía la cabeza fuera del agua, él miraba la calle pensando: ¿es cierto? ¿Es cierto que yo no podía aceptar? Una niñita, lejos, saltaba a la comba, la cuerda se elevaba por encima de su cabeza como un asa, y azotaba el suelo bajo sus pies. Una siesta de verano; la luz se posaba en la calle y sobre los techos, igual, fija y fría como una verdad eterna. ¿Es cierto que no soy un puerco? El sillón es verde, la cuerda se parece a un asa; eso es indiscutible. Pero cuando se trata de personas uno puede siempre discutir, todo lo que hacen puede explicarse; por arriba o por abajo, es como uno quiere. Yo me he negado porque quiero conservarme libre; esto es lo que puedo decir. Y puedo decir también: me ha dado dentera; me gustan mis cortinas verdes, me gusta tomar aire, por la tarde, en mi balcón y no querría que eso cambiara; me gusta indignarme contra el capitalismo y no querría que lo suprimieran porque entonces no tendría ya motivo para indignarme, me gusta sentirme desdeñoso y solitario, me gusta decir que no, siempre que no, y tendría miedo de que trataran de construir buenamente un mundo pasable, porque entonces tendría que decir que sí y que hacer como los demás. Por arriba o por abajo:

¿quién decidiría? Brunet ha decidido: piensa que yo soy un puerco. Santiago también. Daniel también. Todos han decidido que yo soy un puerco. Ese pobre Mateo está enlodazado; es un puerco. ¿Y qué puedo hacer yo contra todos? Hay que decidir; pero ¿qué es lo que decido? Cuando había dicho no, hacía un momento, se creía sincero, un entusiasmo amargo se había levantado rectamente en su corazón. Mas, ¿quién hubiera podido guardar, bajo esta luz, la más pequeña parcela de entusiasmo? Era una luz de fin de esperanza, que eternizaba todo cuanto tocaba. La niñita saltaría eternamente a la cuerda, la cuerda se alzaría eternamente por encima de su cabeza y azotaría eternamente ¿Para qué saltar a la cuerda? ¿Para qué la decisión de ser libre? Bajo esta misma luz, en Madrid, en Valencia, había hombres que se asomaban a sus ventanas, miraban calles desiertas y eternas y se decían: "¿Para qué? ¿Para qué continuar la lucha?" Mateo volvió a su habitación pero la luz lo persiguió hasta allí. *Mi sillón, mis* muebles. Sobre la mesa había un sujeta-papeles que representaba un cangrejo. Mateo lo tomó por el dorso, como si estuviera vivo. Mi sujeta-papeles. ¿Para qué? ¿Para qué? Dejó caer el cangrejo sobre la mesa y decidió: soy un tipo acabado.

IX

Eran las seis; al salir de su oficina, Daniel se había mirado en el espejo de la antecámara, pensó: "Esto vuelve a empezar" y tuvo miedo. Entró por la calle Réaumur: uno podía ocultarse en ella pues no era más que un hall a cielo abierto, una sala de pasos perdidos.

La tarde había vaciado los edificios comerciales que la limitaban; por lo menos, uno no sentía la tentación de imaginarse intimidades detrás de sus vidrios negros. Liberada, la mirada de Daniel corría recta, entre los cantiles agujereados, hasta el charco de cielo rosado y corrompido que ellas aprisionaban en el horizonte.

No era tan cómodo esconderse. Él era demasiado visible aun para la calle Réaumur; las muchachonas pintadas que salían de las tiendas le lanzaban atrevidas ojeadas y Daniel sentía el olor de sus cuerpos: "Puercas", dijo entre dientes. Tenía miedo de respirar ese olor: la mujer, por mucho que se lave, huele. Felizmente, las mujeres eran más bien raras, pese a todo; aquélla no era una calle para mujeres y los hombres no se ocupaban de Daniel, leían sus periódicos caminando o bien frotaban con aire cansado los cristales de sus anteojos, o bien sonreían con estupor en el vacío. Era una verdadera multitud, aunque estuviera un poco clareada; caminaba lentamente, un pesado destino de multitud parecía aplastarla. Daniel se puso al paso de este lento desfile, tomó prestada a esos hombres su sonrisa adormecida, su destino vago y amenazante, y se perdió entre ellos: no hubo ya en él más que un ruido sordo de aludes, no fue más que una playa de luz olvidada: "Llegaré demasiado temprano a casa de Marcela, tengo tiempo de caminar un poco."

Se irguió, rígido y desconfiado: se había recobrado; nunca podía perderse muy lejos. "Tengo tiempo de caminar un poco." Eso quería decir: voy a dar una vuelta por la kermesse; hacía mucho tiempo que Daniel no conseguía engañarse. Por lo demás, ¿para qué? ¿Quería ir a la kermesse? Pues bien, iría. Iría porque no tenía ninguna gana de impedírselo: esa mañana los gatos, la visita de Mateo, después de eso cuatro horas de trabajo odioso, y esa noche Marcela: era intolerable, bien puedo distraerme un poco.

Marcela era un pantano. Se dejaba adoctrinar durante horas y decía: sí, sí, siempre sí, y las ideas se hundían en su cabeza; Marcela no existía más que en apariencia. Está bien eso de divertirse un momento con los imbéciles, uno les da cuerda y ellos se elevan en los aires, enormes y ligeros como elefantes de goma, uno tira del cordel y vuelven a flotar a ras de tierra, removidos, atónitos, bailan a cada sacudida del cordel con saltos torpes, pero hay que cambiar a menudo de imbéciles, porque si no uno termina asqueado. Y además, ahora Marcela estaba podrida; en su habitación la atmósfera será irrespirable. Ya de ordinario uno no podía evitar un respingo cuando entraba. No olía a nada, pero uno nunca estaba seguro de eso, uno conservaba todo el tiempo esa inquietud en el fondo de los bronquios, y eso a menudo producía asma. Iré a la kermesse. No había necesidad de tantas excusas y por lo demás, aquello era completamente inocente: Daniel quería observar el manejo de los invertidos en trance de caza. La kermesse del bulevar de Sebastopol era una celebridad en su género, era allí donde el revisor de cuentas Durat había levantado al puerquito que lo había matado. Los pícaros que vagaban ante los aparatos de diversiones esperando al cliente eran mucho más curiosos que sus colegas de Montparnasse: eran invertidos de ocasión, palurditos mal desbastados, brutales y canallas, de voz ronca, de afelpada astucia, que trataban simplemente de ganarse diez francos y una cena. Y además estaban también los "michés", como para morirse de risa, tiernos y sedosos, con voces como de miel y algo de mariposeante, de humilde y de extraviado en la mirada. Daniel no podía soportar su humildad, tenían perpetuamente aire de confesarse culpables. Él sentía ganas de golpearlos; a un hombre que se condena a sí mismo uno siempre tiene ganas de golpearle encima para agobiarlo más aún, para romper en mil pedazos la poca dignidad que le queda. De ordinario, Daniel se adosaba contra un pilar, y los miraba fijamente mientras ellos hacían la rueda bajo los ojos sórdidos y socarrones de sus jóvenes amantes. Los "michés" lo tomaban por un policía o por un explotador de uno de los mocosos; Daniel les estropeaba todo su placer.

Daniel fue presa de una prisa súbita y apretó el paso: "¡Vamos a reírnos!" Tenía la garganta seca, el aire seco ardía a su alrededor. Ya no veía nada, tenía una mancha delante de los ojos, el recuerdo de una espesa luz amarilla de huevo, y esa luz innoble lo rechazaba y lo atraía a la vez; él tenía necesidad de verla pero la luz estaba todavía lejos, y flotaba entre muros bajos como un olor de cueva. La calle Réaumur se desvaneció delante de él, nada quedaba ya más que una distancia con obstáculos, las gentes: aquello olía a pesadilla. Sólo que en las verdaderas pesadillas, Daniel no llegaba jamás al extremo de la calle. Torció por el bulevar Sebastopol, calcinado, bajo el claro cielo, y caminó más lentamente. Kermesse: vio el letrero, se aseguró de que las caras de los transeúntes le eran desconocidas, y entró.

Era un largo galpón polvoriento, de paredes embadurnadas de marrón con la fealdad severa y el olor vinoso de un bodegón. Daniel se sumergió en la luz amarilla, que era más triste y más cremosa todavía que de ordinario, porque la claridad del día la empujaba hasta el fondo de la sala; para Daniel era la luz del mareo:

le recordaba aquella noche que pasara, enfermo, en el barco de Palermo. En el desierto departamento de máquinas, había una niebla amarilla enteramente igual, y él soñaba a veces con eso y se despertaba sobresaltado, feliz de volver a encontrarse en las tinieblas. Las horas que pasaba en la kermesse tenían para él el ritmo de un sordo martilleo de bielas.

A lo largo de las paredes hallábanse dispuestas unas cajas groseras de cuatro patas que eran los juegos. Daniel conocíalos todos: los jugadores de fútbol, dieciséis figuritas de madera pintada, encajados en largos brazos de cobre; los jugadores de polo, el automóvil de latón qué había que hacer correr por una ruta de tela, entre casas y campos; los cinco gatitos negros en el tejado, al claro de la luna, que uno abatía de cinco tiros de revólver; la carabina eléctrica, los distribuidores de chocolatines y perfume. En el fondo de la sala había tres hileras de "cineramas": los títulos de los filmes se destacaban en gruesas letras negras: *Una joven pareja*, *Camareras picaronas*, *El baño de sol*, *La noche de bodas interrumpida*. Un señor de anteojos se había acercado de puntillas a uno de esos aparatos, deslizó una moneda en la ranura, y pegó los ojos con prisa inhábil contra los oculares de mica. Daniel se ahogaba: aquel polvo, aquel calor, y luego que se habían puesto a golpear fuertemente a intervalos regulares, del otro lado de la pared. Hacia la izquierda descubrió el cebo: unos jóvenes pobremente vestidos se habían agrupado alrededor del boxeador negro, maniquí de dos metros que ostentaba en medio del vientre un cojincillo de cuero y un cuadrante. Eran cuatro, un rubio, un pelirrojo y dos morenos; se habían arremangado las camisas sobre sus flacos bracitos, y golpeaban como locos sobre el cojín.

Una aguja indicaba en el cuadrante la fuerza de sus puños. Deslizaron hacia Daniel unas miradas sigilosas y
se pusieron a golpear con renovados bríos. Daniel los
miró duramente para mostrarles que se equivocaban
de puerta, y les volvió la espalda. Hacia la derecha, junto a la caja, a contraluz, vio a un joven larguirucho, de
mejillas grises, que vestía un terno raído, un camisón y
zapatillas. Ciertamente que no era un invertido como
los demás, a los que por otra parte no parecía conocer;
había entrado allí por casualidad –Daniel lo hubiera
jurado–, y parecía completamente absorto en la con-
templación de una grúa mecánica. Al cabo de un momento, atraído sin duda por la lámpara eléctrica y la
Kodak que reposaban detrás de los vidrios sobre unos
cerros de bombones, se aproximó sin ruido y deslizó
con aire astuto una moneda en la ranura del aparato,
después de lo cual se alejó un poco, y pareció recaer en
su meditación. Se acariciaba las alas de la nariz con dedos pensativos. Daniel sintió que un escalofrío demasiado conocido le recorría la nuca: "Se quiere mucho,
pensó, le gusta tocarse". Ésos eran los más atrayentes,
los más novelescos, ésos cuyo menor movimiento revelaba una coquetería inconsciente, un amor por sí mismo profundo y aterciopelado. El joven cogió con gesto
vivo las dos manijas del aparato, y se puso a manejar-
las con competencia. La grúa giró sobre sí misma con
un ruido de engranaje y trembloteos seniles que sacudían todo el aparato. Daniel le deseó que se ganara la
linterna eléctrica, pero un resorte escupió bombones
multicolores, que tenían el aspecto raro y limitado de
las alubias. El joven no pareció decepcionado: hurgó
en el bolsillo y sacó otra moneda. "Son sus últimos centavos, decidió Daniel; desde ayer no ha comido." No

había que hacerlo. No había que dejarse ir hasta imaginar detrás de ese cuerpo delgado y encantador, todo
ocupado en sí mismo, una vida misteriosa de privacio-
nes, de libertad y de esperanza. Hoy no. No en este infierno, bajo esta luz siniestra, con esos golpes sordos
que resonaban contra la pared: me he jurado mante-
nerme firme. Y sin embargo, Daniel comprendía tan
bien que uno pudiera ser pescado por uno de esos aparatos, seguir perdiendo allí su dinero poco a poco, y recomenzar una y otra vez con la garganta seca de vértigo y de furor: Daniel comprendía todos los vértigos. La
grúa se puso a girar con movimientos cautos y ostento-
sos: ese aparato niquelado parecía estar satisfecho de sí
mismo. Daniel tuvo miedo: había dado un paso hacia
adelante, y ardía de ganas de posar su mano sobre el
brazo del joven –sentía ya el contacto de la tela áspera
y pelada– para decirle: "No juegue más." La pesadilla
iba a recomenzar, con ese sabor de eternidad y ese tam-
tam victorioso del otro lado de la pared, y esa marea de
tristeza resignada que subía dentro de él, esa tristeza
infinita y familiar que iba a sumergirlo todo, y para salir de la cual necesitaría días y noches. Pero entró un señor, y Daniel quedó liberado: se incorporó, creyó que
iba a echarse a reir: "Ahí cayó el hombre", pensó. Sentíase un poco extraviado, pero contento asimismo porque se había mantenido firme.

El señor se adelantó con petulancia. Caminaba do-
blando las rodillas, rígido el busto y las piernas flexibles. "En cuanto a ti, pensó Daniel, tú llevas corsé".
Tendría unos cincuenta años, estaba recientemente
afeitado, con un rostro comprensivo que la vida parecía haber amasado amorosamente, el cutis de durazno
bajo los cabellos blancos, una hermosa nariz florentina

y una mirada algo más dura, algo más miope de lo que hubiera sido menester; la mirada de circunstancia. Su entrada produjo sensación: los cuatro perdidos se volvieron a un tiempo, afectando el mismo aire de inocencia viciosa, y después se pusieron de nuevo a dar de puñetazos en la panza del negro: pero ya pensaban en otra cosa. El señor dejó que su mirada se posara un instante sobre ellos con una reserva no exenta de severidad, después se volvió y se acercó al juego de fútbol. Hizo girar las manivelas de hierro, y examinó las figuritas con sonriente aplicación, como si se divirtiera con el capricho que lo había llevado hasta allí. Daniel advirtió esa sonrisa y recibió un golpe en pleno corazón: todos esos fingimientos y esos engaños le produjeron horror, y sintió deseos de huir. Pero no duró más que un instante: era un impulso sin consecuencias, una costumbre. Se recostó cómodamente contra un pilar, y dejó caer sobre el señor una dura mirada. A su derecha, el joven del camisón había sacado del bolsillo una tercera moneda, y recomenzaba por tercera vez su bailecito silencioso alrededor de la grúa.

El buen señor se inclinó sobre el juego y paseó su índice sobre el cuerpo menudo de los pequeños jugadores de madera: no quería rebajarse a insinuarse, consideraba sin duda que con sus cabellos blancos y su traje claro era un bocado suficientemente apetitoso como para atraer a sí a todas aquellas jóvenes moscas. En realidad, después de algunos instantes de conciliábulos, el rubiecito se apartó del grupo; se había echado al personaje, como distraído, con las manos en los bolsillos. Tenía un aire temeroso y olfateante, y una mirada de perro bajo las espesas cejas. Daniel consideró con asco su grupa redondita, sus gordas mejillas campesinas pero grises, que ya ensuciaba un poco de barba. "Carne de mujer, pensó. Eso se amasa como la pasta del pan." El señor lo llevaría a su casa, lo bañaría, lo jabonaría, puede que lo perfumara. A tal pensamiento, Daniel sintió que renacía su furor: "¡Puercos!", murmuró. El joven se había detenido a algunos pasos del señor viejo, y fingía a su vez examinar el aparato. Ambos estaban inclinados sobre las manijas, y las inspeccionaban sin mirarse, con aire de interés. Al cabo de un momento, el joven pareció tomar una decisión extrema: empuñó un botón e hizo girar con rapidez una de las manijas. Cuatro jugadores describieron un semicírculo y se detuvieron cabeza abajo.

—¿Usted sabe jugar? –preguntó el señor con una voz de pasta de almendra–. Oh, ¿quiere explicármelo? Yo no comprendo.

—Usted pone veinte centavos y después tira. Vienen unas bolas y hay que mandarlas al agujero.

—Pero tienen que ser dos, ¿no es eso? Yo trato de mandar la pelota al blanco y usted, ¿usted debe impedírmelo?

—Claro que sí –dijo el joven. Y agregó al cabo de un instante–: Hay que estar en las dos puntas, uno allá y otro acá.

—¿Quiere jugar una partida conmigo?

—Cómo no –dijo el joven.

Y jugaron. El señor dijo con voz afectada:

—¡Pero qué hábil es este muchacho! ¿Cómo hace? Gana todo el tiempo. Enséñeme.

—Es la costumbre –dijo el joven, con modestia.

—¡Ah, usted se ejercita! ¿Sin duda usted viene aquí a menudo? Yo a veces entro, de pasada, pero no lo he encontrado nunca: lo hubiera notado. Sí, sí, yo lo hubiera notado, soy muy fisonomista y usted tiene una cara interesante. ¿Usted es turenés?

—Sí, sí, seguramente –dijo el joven desconcertado.

El señor dejó de jugar y se acercó a él.

—Pero el partido no ha terminado –dijo el joven ingenuamente–. Le quedan cinco bolas.

—¡Sí! Bueno, jugaremos dentro de un momento –dijo el señor–. Prefiero conversar un ratito, si no se aburre usted.

El joven respondió con una sonrisa dócil. El señor, para acercársele, tuvo que dar media vuelta sobre sí mismo. Levantó la cabeza pasándose la lengua sobre los labios delgados, y encontró la mirada de Daniel. Daniel hizo un gesto, el señor apartó los ojos precipitadamente y pareció inquieto; se frotó las manos con aire eclesiástico. El joven no había visto nada; boquiabierto, con los ojos vacíos y deferentes, esperaba que le dirigieran la palabra. Hubo un silencio y luego el señor se puso a hablarle con afición, sin mirarlo, con voz contenida. Por mucho que Daniel aguzara el oído, no sorprendió más que las palabras "villa" y "billar". El joven bajó la cabeza con convicción.

—Eso debe ser níquel –dijo en voz alta.

El señor no respondió y lanzó una ojeada furtiva en dirección a Daniel. Daniel sentíase reconfortado por una cólera seca y deliciosa. Conocía todos los ritos de la partida: se dirían adiós y el señor se marcharía primero, con paso apresurado. El muchachito iría a unirse con sus compinches negligentemente, daría un puñetazo o dos en el vientre del negro, y luego partiría a su vez, tras unos blandos adioses, arrastrando los pies: era a él a quien había que seguir. Y el viejo, que estaría paseándose en la calle vecina, vería surgir de pronto a

Daniel, pegado a los talones de su joven belleza. ¡Qué momento! Daniel lo gozaba de antemano, devoraba con justiciera mirada el rostro gastado y delicado de su presa, le temblaban las manos; su felicidad hubiera sido perfecta de no tener la garganta tan seca, pues reventaba de sed. Si la ocasión se mostraba favorable, les haría el cuento de la policía de costumbre: siempre podría tomar el nombre del viejo y endilgarle un susto espantoso. "Si me pide mi tarjeta de inspector, le mostraré mi pase de la prefectura."

—Buenos días, señor Lalique –dijo una voz tímida.

Daniel se sobresaltó: Lalique era un nombre de guerra que él tomaba de vez en cuando. Se volvió bruscamente:

—¿Qué haces tú aquí? –preguntó con severidad–. Te había prohibido que volvieras a poner los pies acá.

Era Bobby. Daniel lo había colocado en una farmacia. Se había puesto gordo y grande, vestía un traje de confección, nuevo, y había perdido todo interés. Bobby había inclinado la cabeza sobre el hombro y se hacía el tonto: miraba a Daniel sin responderle, con sonrisa inocente y pícara, como si hubiera dicho: "¡Cucú, aquí estoy yo!" Esa sonrisa llevó al colmo el furor de Daniel.

—¿Vas a contestar? –preguntó.

—Lo estoy buscando desde hace tres días, señor Lalique –dijo Bobby con su voz arrastrada–: no conozco su dirección. Yo me dije: uno de estos días el señor Daniel va a venir a hacer su paseíto por acá...

"¡Uno de estos días! ¡Inocente basura!" Se permitía juzgar a Daniel, tener sus pequeñas previsiones: "Se imagina que me conoce, que puede manejarme." No había nada que hacer, a menos de aplastarlo como a una babosa: una imagen de Daniel estaba enquistada allí, bajo esa frente estrecha, y allí permanecería siempre. Pese a su repugnancia. Daniel se sentía solidario de esa huella viscosa: *era él* quien así vivía en la conciencia de Bobby.

—¡Qué feo estás! –dijo–, has engordado y además ese traje no te sienta. ¿Dónde lo pescaste? Es terrible cómo resalta tu vulgaridad cuando estás endomingado.

Bobby no pareció conmoverse, miraba a Daniel enarcando las cejas con aire amable y seguía sonriendo. Daniel detestaba esa paciencia inerte de pobre, esa sonrisa de goma, blanda y tenaz; aun rompiendo esos labios a puñetazos, persistiría sobre la boca ensangrentada. Daniel lanzó una ojeada furtiva hacia el buen señor y vio con despecho que ya no disimulaba; estaba inclinado sobre el perdido rubio y respiraba sus cabellos riendo con aire bonachón. "Era inevitable, pensó Daniel con furor. Me ve con este andrajo, y me toma por un colega; estoy listo." Odiaba esa francmasonería de urinarios. "Se imaginan que todo el mundo lo es. Pero yo, en todo caso, me mataría antes que parecerme a ese viejo inmundo."

—¿Qué es lo que quieres? –preguntó brutalmente–. Tengo prisa. Y además apártate un poco, porque hueles a brillantina a más no poder.

—Perdóneme –dijo Bobby sin apresurarse–: usted estaba ahí, apoyado en el poste, no parecía tener ninguna prisa y por eso me he permitido...

—¡Oh, pero qué me dices, hablas bien ahora! –dijo Daniel echándose a reír–. ¿Te has comprado una lengua de confección al mismo tiempo que tu traje?

Aquellos sarcasmos se deslizaron sobre Bobby; había echado la cabeza hacia atrás, y miraba el techo con aire de voluptuosidad humilde, a través de sus párpa-

dos entornados. "Me gustó porque se parecía a un gato." A este pensamiento, Daniel no pudo reprimir un
sobresaltado de rabia: ¡bueno, pues sí! ¡Un día! ¡Bobby
le había gustado un día! ¿Acaso eso le confería derechos para toda la vida?

El señor había tomado la mano de su joven amigo y
la conservaba paternalmente entre las suyas. Después
le dijo adiós, acariciándole la mejilla, lanzó una mirada cómplice a Daniel, y se marchó con largos pasos
danzantes. Daniel le sacó la lengua pero ya el otro había vuelto la espalda. Bobby se echó a reír.

—¿Qué te pasa? –preguntó Daniel.

—Es que usted le ha sacado la lengua a la vieja tata
–dijo Bobby. Y agregó en tono acariciador–: Usted
siempre es el mismo, señor Daniel, siempre tan chiquilín.

—Así es –dijo Daniel horrorizado. Le asustó una
sospecha y preguntó:

—¿Y tu farmacéutico? ¿Ya no estás con él?

—No he tenido suerte –dijo Bobby quejosamente.

Daniel lo miró con asco.

—Sin embargo, has criado grasa.

El tipillo rubio salió languidamente de la kermesse,
rozando a Daniel al pasar. Sus tres camaradas le siguie-
ron muy pronto, empujándose y riendo a gritos. "¿Qué
estoy haciendo yo aquí?", pensó Daniel. Buscó con los
ojos los hombros inclinados y la delgada nuca del joven del camisón.

—Vamos, habla –dijo distraídamente–. ¿Qué le hiciste? ¿Le robaste?

—Fue la boticaria –dijo Bobby– que me tenía mala
voluntad.

Ya no estaba más el joven del camisón. Daniel se

sintió cansado y vacío: tenía miedo de volver a encontrarse solo.

—Se puso furiosa porque yo veía a Ralph –prosiguió Bobby.

—Yo te había dicho que no frecuentaras a Ralph; es una sucia basurita.

—Entonces, ¿hay que plantar a todos los compinches porque uno ha tenido un poco de suerte? –preguntó Bobby con indignación–. Lo veía menos, pero no quería largarlo de un solo golpe. Es un ladrón, decía ella; le prohíbo que ponga los pies en mi farmacia. Qué quiere, es una mujer estúpida. Entonces yo lo veía afuera para que no me agarrara. Pero estaba el pasante, que nos vio juntos. El puerco ése me parece que tiene ciertas aficiones –dijo Bobby con pudor–. Cuando yo estaba allí, al principio, no era más que Bobby por aquí, mi pequeño Bobby por allá, hasta que lo mandé a pasear. Ya te agarraré, me dijo. Vuelve a la farmacia y resulta que larga todo, que nos había visto juntos, que nos portábamos mal, que la gente se volvía a mirarnos. Qué es lo que yo te había dicho, dice la patrona; te prohíbo que lo veas, o no te quedarás con nosotros. Señora, le digo yo, en la farmacia es usted la que manda, pero cuando estoy afuera, usted no tiene nada que decir. ¡Zás!

La kermesse estaba desierta; del otro lado de la pared había cesado el martilleo. La cajera, que era una rubia gorda, se levantó y se marchó, a pasos cortos, hasta un distribuidor de perfume en cuyo espejo se miró sonriendo. Dieron las siete.

—En la farmacia es usted la que manda, pero cuando estoy afuera usted no tiene nada que decir –repitió Bobby con complacencia.

Daniel se sacudió.

—¿Entonces te plantaron en la calle? –preguntó apenas.

—Soy yo el que me fui –dijo Bobby dignamente–. Yo dije: prefiero irme. Y sin un centavo, ¿eh? Ni siquiera quisieron pagarme el sueldo, pero qué vamos a hacer, yo soy así. Me acuesto en casa de Ralph y duermo la siesta porque por la noche él recibe a una señora de sociedad: es una aventura. Yo no he comido desde antes de ayer.

Miró a Daniel con aire acariciador:

—Yo pensé: voy a tratar de cualquier modo de ver al señor Lalique; él me comprenderá.

—Eres un idiota –dijo Daniel–. Tú ya no me interesas. Me esfuerzo en buscarte una colocación y haces que te planten en la calle al cabo de un mes. Y además, no te imaginas que creo ni la mitad de lo que has dicho, ¿sabes? Mientes como un sacamuelas.

—Puede preguntarle –dijo Bobby–. Ya verá si he dicho la verdad.

—¿Preguntar a quién?

—Pues a la patrona.

—Me guardaré muy bien –dijo Daniel–. Buenas oiría. Además, no puedo hacer nada por ti.

Se sentía blando y pensó: "Tengo que irme": pero sus piernas estaban entumecidas.

—Teníamos la idea de trabajar, Ralph y yo... –dijo Bobby con aire desprendido–. Queríamos establecernos por cuenta propia.

—¿Sí? ¿Y tú vienes a pedirme que te adelante el dinero para los primeros gastos? Guárdate esos cuentos para otros. ¿Cuánto quieres?

—Usted es un tipo estupendo, señor Lalique –dijo Bobby con húmeda voz–. Yo le decía justamente a

Ralph esta mañana: con sólo que lo encuentre al señor Lalique, ya verás que no me dejará en el atolladero.

—¿Cuánto quieres? –repitió Daniel.

Bobby empezó a retorcerse.

—Es decir, si por casualidad usted pudiera prestármelos, *prestarme*, ¿eh? Yo se los devolvería a fines del mes que viene.

—¿Cuánto?

—Cien francos.

—Toma –dijo, Daniel–, ahí tienes cincuenta, te los regalo. Y largo de aquí.

Bobby embolsó el dinero sin decir una palabra y ambos permanecieron indecisos uno frente a otro.

—Vete –dijo Daniel débilmente. Todo su cuerpo era de algodón.

—Gracias, señor Lalique –dijo Bobby. Hizo como que se iba y volvió sobre sus pasos–. Si alguna vez usted quisiera hablarnos, a mí o a Ralph, vivimos aquí cerca, en la calle de los Osos, número 6, en el séptimo. Usted se equivoca con Ralph, ¿sabe?, él lo quiere mucho.

—Vete.

Bobby se alejó retrocediendo, siempre sonriente, luego giró sobre sí mismo y se marchó. Daniel se acercó a la grúa y la miró. Al lado de la Kodak y de la lámpara eléctrica, había un par de gemelos que antes no advirtiera. Deslizó una moneda de un franco en la ranura del aparato, y manejó de cualquier modo los botones. La grúa dejó caer sus pinzas en el lecho de bombones, donde se pusieron a picotear torpemente. Daniel recogió cinco o seis bombones en el hueco de la mano y se los comió.

El sol prendía un poco de oro a los grandes edificios

negros, el cielo estaba lleno de oro, pero una sombra dulce y líquida subía de la calzada, y las gentes sonreían bajo las caricias de la sombra. Daniel tenía una sed infernal pero no quería beber: ¡revienta, pues! ¡Revienta de sed! "Después de todo, pensó, yo no he hecho nada malo", pero era peor: se había dejado rozar por el Mal, se había permitido todo menos la satisfacción, ni siquiera había tenido el valor de satisfacerse. Ahora llevaba ese Mal consigo como un cosquilleo vivaz, desde arriba hasta abajo de su cuerpo; estaba infectado; tenía todavía ese dejo amarillo en los ojos, sus ojos lo amarilleaban todo. Más hubiera valido matarse de placer y matar el Mal dentro de sí. Es cierto que renacía siempre. Se volvió bruscamente. "Es capaz de seguirme para ver dónde vivo. La paliza que le voy a pegar en plena calle." Pero Bobby no se veía. Habíase ganado la jornada y ahora se volvía a su casa. A casa de Ralph, en el número 6 de la calle de los Osos, Daniel se sobresaltó. "¡Si yo pudiera olvidar esa dirección! Si pudiera darse que olvidara yo esa dirección..." ¿Para qué? No se cuidaría de olvidarla.

Las gentes charlaban a su alrededor, en paz consigo mismos. Un señor le dijo a su mujer: "Bueno, pero eso remonta a antes de la guerra. En 1912. No, en 1913. Yo estaba todavía en casa de Pablo Lucas." La paz de la buena gente, de la gente honesta, de los hombres de buena voluntad. ¿Por qué es su voluntad la buena y no la mía? No se podía hacer nada, era sí. Algo en este cielo, en esa luz, en esa naturaleza lo había decidido así. Y ellos lo sabían, sabían que tenían razón, que Dios, si existía, estaba de su parte. Daniel miró sus rostros: ¡qué duros eran pese a su abandono! Bastaría una seña para que esos hombres se arrojaran sobre él y lo desgarraran. Y el cielo, la luz, los árboles, toda la Naturaleza, estaría de acuerdo con ellos, como siempre. Daniel era un hombre de mala voluntad.

En el umbral de su puerta, un portero gordo y pálido, de encorvadas espaldas, tomaba el fresco. Daniel lo vio de lejos y pensó: He aquí el Bien. El portero estaba sentado en una silla, con las manos cruzadas sobre el vientre, como un Buda; miraba pasar a las gentes, y de cuando en cuando las aprobaba con un pequeño cabeceo: "Ser ese tipo" pensaba Daniel con envidia. Debía de ser aquel un corazón reverente. Y aparte de eso, sensible a las grandes fuerzas naturales, al calor, al frío, a la luz y a la humedad. Daniel se detuvo: estaba fascinado por esas largas pestañas estúpidas, por la malicia sentenciosa de esas mejillas llenas. Embrutecerse hasta no ser más que eso, hasta no tener ya en la cabeza más que una pasta blanca con un olorcillo de crema de afeitar. "Duerme todas las noches", pensó. Y ya no sabía si tenía ganas de matarlo, o de deslizarse bien a gusto dentro de esa alma en orden.

El gordo levantó la cabeza y Daniel siguió su camino: "Con la vida que llevo, cabe esperar que me pondré chocho lo más pronto posible."

Lanzó una mirada de rencor a su cartera; no le gustaba llevar eso debajo del brazo; parecía un abogado. Pero su malhumor desapareció en seguida, porque recordó que no lo llevaba sin intención y que hasta le sería *formidablemente* útil. No se engañaba acerca de los riesgos que corría, pero estaba tranquilo y frío, algo animado solamente. "Si llego al borde de la acera en trece pasos...". Dio los trece pasos y se detuvo en seco al borde de la acera, pero el último era notablemente más grande que los otros, se había partido por la mitad como un esgrimista. "Además, eso no tiene importancia; de todos modos el asunto no falla." No podía fallar, era algo científico, hasta se preguntaba uno cómo era posible que nadie hubiera pensado en eso anteriormente: "Lo que hay, pensó con severidad, es que los ladrones son unos bestias". Cruzó la calzada y precisó su idea: "Hace mucho tiempo que hubieran debido organizarse. En sindicato, como los prestigitadores". Una asociación para poner en común la explotación de los procedimientos técnicos, eso era lo que hacía falta. Con una sede social, un honor, tradiciones y una biblioteca. También una cinoteca y películas que descompusieran al "ralenti" los movimientos difíciles. Cada perfeccionamiento nuevo sería filmado, la teoría sería registrada en discos y llevaría el nombre de su inventor; todo estaría clasificado por categorías: habría por ejemplo el robo de los estantes con el procedimiento de 1673, o el "procedimiento Serguin", llamado también el huevo de Colón (porque es sencillo como la luz del día pero todavía hay que encontrarlo). Boris hubiera aceptado filmar una pequeña película demostrativa. "Ah, pensó, y además, cursos gratuitos de psicología del robo, es indispensable." Su procedimiento reposaba casi enteramente sobre la psicología. Miró con satisfacción un pequeño café de un piso, color hongo, y advirtió de pronto que estaba en medio de la avenida Orleáns. Era formidable el aire simpático que tenía la gente en la avenida de Orleáns entre siete y siete y media de la tarde. La luz tenía mucho que ver en eso, ciertamente era una muselina rojiza que le iba muy bien, y además era encantador encontrarse a gusto en el extremo de París, cerca de una puerta; las calles escapaban debajo de los pies hacia el centro vetusto y comercial de la ciudad, hacia los Mercados, hacia las callejuelas sombrías del barrio de San Antonio, uno se sentía sumergido en el dulce destierro religioso de la tarde y de los arrabales, las gentes parecían haber salido a la calle para estar juntas; no se molestan cuando uno las empuja y hasta podría creerse que eso les produce placer. Y además, miran los escaparates con una admiración inocente, y completamente desinteresada, pero es con la intención de comprar. "Volveré aquí todas las tardes", decidió Boris con entusiasmo. Y además, el verano próximo alquilaría una habitación en una de esas casas de tres pisos, que parecían hermanas gemelas y que hacían pensar en la revolución del 48. Pero si las ventanas eran tan estrechas, yo me pregunto cómo se las arreglaban las mujeres para hacer pasar los colchones que arrojaban sobre los soldados. Está todo negro de humo alrededor de las ventanas, se diría que han sido laminadas por llamas de incendio, y eso no es triste: estas fachadas descoloridas y sembradas de pequeños agujeros negros, parecen estallidos de cielo de tormenta bajo el cielo azul; yo miro las ventanas, si pudiera subirme al techo de ese pequeño café, distinguiría en el fondo de las habitaciones los armarios con espejo como lagos verticales; la multitud pasa a través de mi cuerpo y yo pienso en los guardias municipales, en las verjas doradas del Palais-Royal, en el 14 de julio, no sé por qué. "¿Qué iría a hacer a casa de Mateo ese comunista?", pensó bruscamente. Boris no quería a los comunistas, eran demasiado serios. Brunet, en particular, parecía un Papa. "Me ha plantado en la calle", pensó Boris, jocoso. "Qué bestia, me ha plantado en la calle, realmente". Y después fue presa, de golpe, como de un pequeño y violento simún dentro de su cabeza: la necesidad de ser perverso.

"Puede que Mateo haya advertido que se equivocaba en la línea; y quizá va a entrar en el Partido Comunista." Se divirtió un instante, enumerando las incalculables consecuencias de semejante conversión. Pero se asustó de inmediato y se detuvo. Seguramente Mateo no se había equivocado; eso sería demasiado grave ahora que Boris estaba comprometido: en la clase de filosofía había tenido vivas simpatías por el comunismo, y, Mateo lo apartó de él explicándole lo que era la libertad. Boris había comprendido inmediatamente: uno tiene el deber de hacer todo lo que quiera, de pensar todo lo que bien le parezca, de no ser responsable sino ante sí mismo, y de volver a poner en tela de juicio, constantemente, cuanto uno piensa y a todo el mundo. Boris había edificado su vida sobre esta base, y era escrupulosamente libre: en particular, volvía a poner en tela de juicio a todo el mundo, salvo a Mateo y a Ivich: a esos dos era completamente inútil dado que eran perfectos. En cuando a la libertad, tampoco era bueno interrogarse sobre ella, porque entonces uno dejaba de ser libre. Boris se rascó la cabeza con perplejidad, y se preguntó de dónde provenían esos impulsos de romper todo que lo asaltaban de cuando en cuando. "En el fondo, tengo quizá un carácter inquieto", pensó con divertido estupor. Porque en fin, considerando fríamente las cosas, Mateo no se había equivocado, era completamente imposible; Mateo no era un tipo que se equivocaba. Boris se recogió y balanceó alegremente su cartera debajo del brazo. Se preguntó, también, si era moral tener un carácter inquieto, y entrevió el pro y el contra, pero se prohibió llevar más adelante sus investigaciones: se lo preguntaría a Mateo. Boris encontraba completamente indecente que un tipo de su edad pretendiera pensar por sí mismo. Había visto muchos, en la Soborna, de esos pseudosabios, normalistas locuaces y anteojudos, que tenían siempre una teoría personal de reserva, y que acaban matemáticamente por desbarrar, de un modo o de otro Además, aun sin eso, sus teorías eran feas, eran angulosas. Boris sentía horror por el ridículo, no quería desbarrar, y prefería callarse y pasar por una cabeza hueca, era mucho menos descortés. Más tarde, naturalmente, será otra cosa, pero por el momento, se atenía a Mateo, cuyo oficio era pensar. Y además, siempre se alegraba cuando Mateo se ponía a pensar: Mateo enrojecía, se miraba los dedos, tartamudeaba un poco, pero era aquel un trabajo probo y elegante. A veces, mientras tanto, se le ocurría a Boris alguna pequeña idea, muy a su pesar, y hacía lo imposible para que Mateo no se diera cuenta, pero se daba cuenta siempre ese animal, y le decía: "Usted me oculta alguna cosa" y lo abrumaba a preguntas. Boris se sentía torturado, trataba cien veces de desviar la conversación, pero Mateo era tenaz como un piojo, y Boris acababa por soltar prenda, después de lo cual miraba entre sus pies; y lo más fuerte era que Mateo lo gritoneaba después de eso, diciéndole: "Es completamente idiota, usted razona como un recién nacido", exactamente como si Boris se hubiera jactado de tener una idea genial. "¡Qué animal!", repitió Boris, divertido. Se detuvo delante del espejo de una hermosa farmacia roja, y contempló su imagen con imparcialidad. "Soy modesto", pensó. Y se encontró simpático. Se subió a la balanza automática y se pesó para ver si no había engordado desde la víspera. Se encendió una lamparilla roja, se puso en marcha un mecanismo, con un jadeo sibilante, y Boris recibió un "ticket" de cartón: cincuenta y siete kilos, quinientos. Tuvo un momento de desolación,

"He aumentado quinientos gramos", pensó. Pero advirtió felizmente que había conservado en la mano su cartera. Bajó de la balanza y siguió su camino. Cincuenta y siete kilos para un metro setenta y tres, estaba bien. Sentíase de un humor absolutamente encantador y todo aterciopelado por dentro. Y además, afuera estaba la melancolía pertinaz de ese viejo día, que caía lentamente alrededor y lo rozaba, sumergiéndose, con su luz rojiza y con sus perfumes llenos de nostalgia. Ese día, ese mal tropical que se retiraba dejándolo solo bajo el cielo palidecido, era una etapa más, una pequeñísima etapa. Llegaría la noche, él iría al "Sumatra", vería a Mateo, vería a Ivich, bailaría. Y además, luego, en la bisagra entre el día y la noche, estaría ese crimen, esa obra maestra. Se irguió y apresuró el paso, había que actuar con precisión. A causa de esos tipos que no parecen nada, que hojean los libros con aire abstraído, y que son detectives privados. La librería Garbure empleaba seis. Boris había recibido la información por Picard, que había desempeñado ese oficio tres días cuando lo aplazaron en su examen de geología, obligado, porque sus padres le cortaron los víveres. Pero lo plantó inmediatamente, asqueado. No sólo era necesario espiar a los clientes como un vulgar polizonte, sino que le habían ordenado que acechara a los ingenuos, a los tipos de lentes, por ejemplo, que se acercaban tímidamente a la estantería, para saltarles encima de golpe acusándolos de haber querido deslizar un volumen en el bolsillo. Naturalmente, los desdichados se descomponían, se los llevaba hasta el fondo de un largo corredor a un escritorio oscuro, y allí se les extorsionaban cien francos bajo la amenaza de persecuciones judiciales. Boris se sentía embriagado: los vengaría a todos; a él no lo cogerían. "La

mayor parte de los tipos, pensó, se defienden mal, porque sobre cien que roban, hay ochenta que improvi-
san". En cuanto a él, no improvisaría; cierto que no lo
sabía todo, pero lo que sabía lo había aprendido con
método, porque siempre pensó que un tipo que trabaja
con la cabeza debe poseer por encima de todo un oficio
manual para mantenerse en contacto con la realidad.
Hasta ese momento, no había obtenido ningún provecho material de sus empresas: no contaba para nada el
poseer diecisiete cepillos de dientes, una veintena de ce-
niceros, una brújula, un encendedor y un huevo de coser
medias. Lo que tomaba en consideración en cada caso
era la dificultad técnica. Valía más como la semana precedente, robar una cajita de regaliz Blackoid bajo los
ojos del farmacéutico, que una cartera de marroquí en
una tienda desierta. El provecho del robo era completamente moral; en ese punto, Boris se sentía completamente de acuerdo con los antiguos espartanos: era una
ascesis. Y además, había un momento gozoso, cuando
uno se decía: voy a contar hasta cinco; al cinco, es preciso que el cepillo de dientes esté en mi bolsillo: se sentía
una emoción, y una extraordinaria impresión de lucidez
y de potencia. Sonrió: iba a hacer una excepción a sus
principios; por primera vez el interés sería el móvil del
robo; media hora más tarde poseería esa joya, ese tesoro indispensable. "¡Ese Thesaurus!", se dijo a media
voz, porque le gustaba la palabra Thesaurus que le recordaba la Edad Media, a Abelardo, un herbario, y
Fausto y los cinturones de castidad que se ven en el Museo de Cluny. "Será mío, podré consultarlo a cualquier
hora del día." Mientras que hasta ahora, veíase obligado a hojearlo en el estante, y precipitadamente, y además las páginas estaban cortadas, muy a menudo no ha-

bía podido recoger más que informaciones truncas. Esa misma noche lo depositaría sobre su mesa de luz, y al día siguiente, al despertarse, su primera mirada sería para él: "Ah no, se dijo con fastidio, esta noche me acuesto con Lola". En todo caso, lo llevaría a la biblioteca de la Sorbona, y de cuando en cuando, interrumpiendo su trabajo de revisión, le lanzaría una hojeada para recrearse: se prometió que aprendería una locución y acaso dos por día, en seis meses eso haría seis veces tres dieciocho, multiplicados por dos: trescientos sesenta, con las quinientas o seiscientas que conocía ya, podía llegar hasta mil, lo que uno llamaba un buen conocimiento medio. Cruzó el bulevar Raspail y se adelantó por la calle Denfert-Rochereau con ligero disgusto. La calle Denfert-Rochereau lo aburría enormemente, puede que a causa de sus castaños; de todos modos, era un lugar nulo, a excepción de una tintorería negra con cortinas rojo sangre, que pendían lamentablemente como cabelleras mutiladas. Boris lanzó de pasada una ojeada amable a la tintorería. Y luego se sumergió en el silencio rubio y distinguido de la calle. ¿Una calle? Eso no era más que un agujero con casas en cada borde. "Sí, pero el metro pasa por debajo", pensó Boris y consiguió reconfortarse con esta idea, representándose durante un minuto o dos que caminaba sobre una delgada costra de betún que acaso fuera a hundirse. "Tendré que contar esto a Mateo, se dijo Boris. Le va a encantar." No. La sangre subió de pronto a su rostro, no le contaría nada en absoluto. A Ivich sí; ella lo comprendía y si no robaba también era porque no tenía condiciones. Le contaría también la historia a Lola, para hacerla rabiar. Pero Mateo no era franco del todo con respecto a esos robos. Bromeaba con indulgencia cuando Boris le hablaba de ellos, pero Boris no estaba muy seguro de que los aprobara. Naturalmente que se preguntaba qué reproches podía hacerle Mateo. En cuanto a Lola, eso la volvía loca, pero en ella era normal, puesto que no podía comprender ciertas delicadezas, tanto más cuanto que era un poco tacaña. Lola le decía: "Tú robarías a tu propia madre; un día acabarás por robarme a mí". Y él contestaba: "¡Eh, eh! Si se presenta la ocasión, no digo que no". Naturalmente, aquello no tenía sentido común: uno no robaba a sus íntimos, hubiera sido demasiado fácil; contestaba así por fastidio, porque detestaba esa manera que tenía Lola de referir todas las cosas a sí misma. Pero Mateo... sí, Mateo, era algo verdaderamente incomprensible. ¿Qué podía objetar contra el robo, desde el momento en que era ejecutado de acuerdo a las reglas? Esta reprobación tácita de Mateo atormentó a Boris durante algunos instantes; después sacudió la cabeza y se dijo: "¡Tiene gracia!". Dentro de cinco años, dentro de siete años, él tendría sus propias ideas, y las de Mateo le parecerían enternecedoras y anticuadas, Boris sería su propio juez: "¡Quién sabe si ni siquiera nos veremos!". Boris no tenía ningún deseo de que sobreviniera ese día, se sentía perfectamente feliz, pero era razonable y sabía que aquello era una necesidad; era menester que él cambiara, que dejara una multitud de cosas y gentes detrás de sí, no estaba formado todavía. Mateo era una etapa como Lola, y hasta en los momentos en que Boris más le admiraba, había en esta admiración algo de provisional que le permitía ser inmensa sin servilismo. Mateo era tan admirable cuanto era posible serlo, pero no podía cambiar al *mismo tiempo* que Boris, no podía ya cambiar de ningún modo, era demasiado perfecto. Estos pensamientos ensombrecieron a Boris, y se alegró de llegar a la plaza Edmond Rostand: siempre era agradable cruzarla a causa de los ómnibus que se precipitaban pesadamente sobre uno, como gordos pavos, a los que había que esquivar casi rozándolos, nada más que comprimiendo un poco el busto. "Con tal de que no hayan tenido la ocurrencia de guardar el libro justamente hoy." En la esquina de la calle Monsieur-le-Prince y del bulevar Saint-Michel hizo un alto; quería refrenar su impaciencia; no era prudente presentarse con las mejillas enrojecidas por la esperanza y los ojos de lobo. Boris tenía por principio proceder con sangre fría. Se impuso la obligación de permanecer inmóvil delante de la tienda de un comerciante de sombrillas y cuchillos y de mirar uno tras otro, metódicamente, los artículos expuestos, unos paragüitas verdes y rojos, aceitosos, unos paraguas con mango de marfil que figuraban cabezas de bull-dog; todo aquello era tan triste como para echarse a llorar, y para colmo, Boris interesó voluntariamente su pensamiento en las personas viejas que venían a comprar esos objetos. Iba a alcanzar un estado de resolución fría y sin alegría, cuando de pronto vio, algo que lo hundió de nuevo en su júbilo: "¡Una navaja albaceteña!" murmuró, con las manos temblorosas. Era una verdadera navaja albaceteña, de hoja gruesa y larga, con muelle, mango negro de asta, elegante como el creciente de la luna. Tenía dos manchas de herrumbre en la hoja que parecían de sangre: "¡Oh!" gimió Boris, con el corazón retorcido de deseo. El cuchillo descansaba, bien abierto, sobre una tablita de madera barnizada, entre dos paraguas. Boris lo miró largo tiempo y el mundo perdió el color a su alrededor, todo cuanto no era el brillo frío de aquella hoja perdió el valor a sus ojos, hubiera deseado plantarlo todo, entrar en la tienda, comprar el cuchillo,

y escaparse a cualquier parte, como un ladrón, lleván-
dose su botín: "Picard me enseñará a lanzarlo", se dijo.
Pero el sentido riguroso de sus deberes volvió a adquirir
inmediatamente su preponderancia: "En seguida. Lo
compraré en seguida para premiarme si tengo éxito con
mi asunto".

La librería Garbure formaba la esquina de la calle
Vaugirad y el bulevar Saint-Michel y tenía –cosa que
servía para los designios de Boris– una entrada por cada calle. Delante del comercio habían dispuesto seis
largas mesas cargadas de libros que en su mayor parte
eran de ocasión. Boris reparó de soslayo en un señor de
bigote rojo que rondaba a menudo por esos parajes y
de quien tenía la sospecha de que fuera policía. Después se acercó a la tercera mesa y he ahí que el libro que
se ostentaba enorme, tan enorme que por un momento
Boris llegó a sentirse desanimado. Setecientas páginas
in quarto, con hojas estampadas, gruesas como el dedo
meñique. "Va a ser preciso hacerlo entrar en mi cartera", se dijo con un poco de agobio. Pero le bastó mirar
el título de oro que brillaba suavemente sobre la tapa,
para sentir que renacía su valor: *Diccionario histórico
y etimológico de la lengua popular y de los argots desde el siglo XIV hasta la época contemporánea.* "¡Histórico!", se repitió Boris, con éxtasis. Tocó la tapa con la
punta de los dedos, en un gesto tierno y familiar, para
retomar contacto: "Esto no es un libro, es un mueble",
pensó con admiración. A sus espaldas, sin duda alguna, el señor bigotudo se había vuelto y lo acechaba.
Había que comenzar la comedia, hojear el volumen,
poner la cara de badulaque que vacila y finalmente dejarse tentar. Boris abrió el diccionario al azar. Y leyó:
"Ser de... por: Ser inclinado a. Giro empleado hoy bas-

tante comúnmente. Ejemplo: «El cura era de la cosa como un abejorro». Tradúzcase el cura era aficionado a las bagatelas. Se dice también: «Ser del hombre» por «ser invertido». Esta elocución parece provenir de la Francia del Suroeste...".

Las páginas siguientes no estaban cortadas. Boris abandonó su lectura y se rió solo. Se repetía con delicia: "El cura era de la cosa como un abejorro". Luego volvió a quedarse serio bruscamente, y se puso a contar: "¡Uno! ¡Dos! ¡Tres! ¡Cuatro!" mientras que una dicha austera y pura hacía latir su corazón.

Una mano se posó sobre su hombro. "Estoy listo, pensó Boris; pero han procedido demasiado rápido, no pueden probarme nada." Y se volvió lentamente, con sangre fría. Era Daniel Sereno, un amigo de Mateo. Boris lo había visto dos o tres veces, y lo encontraba soberbio; pero eso sí, parecía un mal bicho.

—Buenos días –dijo Sereno–, ¿qué es lo que está leyendo? Parece estar fascinado.

No parecía un mal bicho en absoluto, pero había que desconfiar: a decir verdad, hasta parecía *demasiado* amable, debía estar preparando una mala jugada. Y además, como si lo hubiera hecho a propósito, había sorprendido a Boris hojeando ese diccionario de argot; aquello llegaría seguramente a oídos de Mateo, que se moriría de risa.

—Me había detenido al pasar –respondió con aire forzado.

Sereno sonrió; tomó el volumen con las dos manos y lo levantó hasta sus ojos; debía de ser un poco miope. Boris admiró su aplomo: de ordinario los que hojeaban los libros cuidaban de dejarlos sobre la mesa por temor a los detectives privados. Pero era evidente que Sereno creía que todo le estaba permitido. Boris murmuró con voz estrangulada fingiendo indiferencia:

—Es una obra curiosa…

Sereno no respondió; parecía sumergido en la lectura. Boris se irritó y le hizo sufrir un examen severo. Pero tuvo que reconocer, por espíritu de honestidad, que Sereno estaba perfectamente elegante. Para decirlo todo, había en ese terno de "tweed" casi rosado, en esa camisa de lino, en esa corbata amarilla, un atrevimiento calculado que chocaba un poco a Boris. A Boris le gustaba la elegancia sobria y un poco descuidada. Pero en fin, el conjunto era irreprochable, aunque tierno como la manteca fresca. Sereno se rió a carcajadas. Tenía una risa cálida y agradable y además Boris lo encontró simpático porque abría la boca bien grande al reír.

—¡Ser del hombre! –dijo Sereno–. ¡Ser del hombre! Es un hallazgo; lo utilizaré llegado el caso.

Depositó el libro sobre la mesa:

—¿Usted es del hombre, Serguin?

—Yo… –dijo Boris, cortada la respiración.

—No se ruborice –dijo Sereno, y Boris sintió que se ponía escarlata– y esté seguro de que ni siquiera me ha rozado ese pensamiento. Yo sé conocer a los que son del hombre –visiblemente esta expresión lo divertía–, sus gestos tienen una redondez muelle que no engaña. Mientras que usted, a usted lo estaba observando desde hacía un momento y estaba encantado: sus gestos son vivos y graciosos pero tienen ángulos. Debe ser usted muy diestro.

Boris escuchaba a Sereno con atención: siempre es interesante oír a alguien explicar cómo lo ve a uno. Y además, Sereno tenía una voz de bajo muy agradable. Eso sí, sus ojos eran molestos a primera vista, uno los hubiera creído todos velados de ternura, y después, cuando se los miraba mejor, se descubría en ellos algo de duro, casi de maniático. "Trata de gastarme una broma", pensó Boris, y se mantuvo en guardia. Le hubiera gustado preguntar a Sereno lo que entendía por "gestos que tienen ángulos", pero no se atrevió; pensó que convenía hablar lo menos posible, y además, bajo esa mirada insistente, sentía nacer dentro de sí una extraña dulzura desconcertada, sentía deseos de encresparse y de piafar para disipar ese vértigo de dulzura. Volvió la cabeza y hubo un silencio bastante penoso. "Va a tomarme por un idiota", pensó Boris con resignación.

—Usted hace estudios de filosofía, según creo –dijo Sereno.

—Sí, estudios de filosofía –dijo Boris apresuradamente.

Estaba contento de tener un pretexto para romper el silencio. Pero en ese momento, el reloj de la Sorbona dio una campanada, y Boris se detuvo, helado de espanto. "Las ocho y cuarto, pensó con angustia. Si no se va inmediatamente, estoy perdido." La librería Garbure cerraba a las ocho y media. Sereno no parecía tener ni remotamente ganas de marcharse. Dijo:

—Le confesaré que yo no entiendo nada de filosofía. Usted sí que debe entender, naturalmente...

—Yo no sé, un poco, creo –dijo Boris, que estaba en el potro.

Y pensaba: seguramente parezco descortés, pero ¿por qué no se va? Además. Mateo lo había prevenido: Sereno aparecía siempre a destiempo; aquello formaba parte de su naturaleza demoníaca.

—Me imagino que a usted le gusta eso –dijo Sereno.

—Sí –dijo Boris, que se sintió enrojecer por segunda vez. Detestaba hablar de lo que le gustaba: eso era impúdico. Tenía la impresión de que Sereno lo sospechaba y que se mostraba indiscreto a propósito. Sereno lo miró con atención penetrante:

—¿Por qué?

—No sé –dijo Boris.

Era cierto, no lo sabía. Sin embargo, le gustaba muchísimo. Hasta Kant.

Sereno sonrió:

—Al menos, uno ve inmediatamente que no se trata de un amor razonado –dijo.

Boris se encrespó, y Sereno agregó vivamente:

—Estoy bromeando. En realidad, me parece que usted tiene suerte. Yo la he estudiado, como todo el mundo. Pero no han sabido hacérmela gustar... Me imagino que fue Delarue el que me disgustó de ella: es demasiado fuerte para mí. Algunas veces le pedí explicaciones, pero en cuanto empezaba a dármelas yo ya no entendía nada; hasta me parecía que había dejado de comprender mi propia pregunta.

Boris se sintió herido por ese tono burlón y sospechó que Sereno quería llevarlo insidiosamente a que hablara mal de Mateo, para tener el gusto de contárselo después. Se admiró de que Sereno fuera tan gratuitamente mal bicho, pero se rebeló y dijo secamente:

—Mateo explica muy bien.

Esta vez Sereno se echó a reír y Boris se mordió los labios:

—Pero yo no lo dudo en absoluto. Sólo que ambos somos muy viejos amigos, y me imagino que reserva sus cualidades pedagógicas para los jóvenes. De ordinario, recluta sus discípulos entre sus alumnos.

—Yo no soy su discípulo –dijo Boris.

—No estaba pensando en usted –dijo Daniel–. Usted no tiene una cabeza de discípulo. Pensaba en Hourtiguère, un rubio alto que se fue el año pasado a Indochina. Usted tiene que haberle oído hablar de él: hace dos años, aquello era la gran pasión, se los veía siempre juntos.

Boris tuvo que reconocer que el golpe lo había herido, y su admiración por Sereno se acrecentó, pero hubiera preferido pegarle un puñetazo en la cara.

—Mateo me ha hablado de eso –dijo.

Detestaba a ese Hourtiguère, a quien Mateo había conocido antes que a él. Mateo tomaba a veces un aire preocupado, cuando Boris iba a buscarlo al Dôme, y le decía: "Tengo que escribir a Hourtiguère". Después de lo cual permanecía un buen rato ensoñador y aplicado como un soldado que escribe a su prójima y hacía redondeles en el aire por encima de una página blanca con la pluma de la estilográfica. Boris se ponía a trabajar a su lado, pero lo detestaba. No estaba celoso de Hourtiguère, naturalmente. Por el contrario experimentaba por él cierta piedad mezclada con un poco de repulsión (por otra parte, no conocía nada de él, salvo una foto que lo representaba como un muchacho grande, de aire desgraciado, con pantalones de golf, y una disertación filosófica completamente idiota que andaba todavía por ahí en la mesa de trabajo de Mateo). Sólo que por nada del mundo quería que Mateo lo tratara más tarde como trataba a Hourtiguère. Hubiera preferido no ver nunca más a Mateo, si hubiera llegado a creer que este último diría alguna vez con aire importante y moroso a un joven filósofo: "¡Ah, hoy tengo que escribir a Serguin!". Llegaba a aceptar que Mateo no fuera más que una etapa de su vida –y esto era ya bastante duro–, pero no podía soportar ser él una etapa en la vida de Mateo.

Sereno parecía haberse instalado. Se apoyaba en la mesa con sus dos manos en una postura descuidada y cómoda:

—Lamento a menudo ser tan ignorante en ese dominio –prosiguió–. Los que hacen esos estudios parecen recibir grandes satisfacciones.

Boris no respondió.

—Hubiera necesitado un iniciador –dijo Sereno–. Alguien por el estilo de usted... Que no sea todavía demasiado erudito, pero que tome la cosa en serio.

Rió, como asaltado por una idea graciosa:

—Qué le parece, sería divertido si tomara lecciones con usted...

Boris lo miró con desconfianza. Eso debía de ser una nueva trampa. No se veía en absoluto dando lecciones a Sereno, que debía de ser mucho más inteligente que él, y que plantearía ciertamente un montón de preguntas embarazosas. Se sofocaba de timidez. Pensó con fría resignación en que debían de ser las ocho y veinticinco. Sereno seguía sofrenado y parecía estar encantado con su idea. Pero tenía unos ojos rarísimos. A Boris le costaba mirarlo de frente.

—Yo soy muy perezoso, ¿sabe? –dijo Sereno–. Tendría que imponer su autoridad sobre mí.

Boris no pudo contener la risa y confesó francamente:

—Creo que yo no lo sabría hacer en absoluto...

—Claro que sí –dijo Sereno–, estoy seguro de que sí.

—Me intimidaría usted –dijo Boris.

Sereno se encogió de hombros:

—¡Bah!... Mire, ¿dispone de un momento? Podríamos tomar una copa en frente, en el bar de Harcourt, y hablaríamos de nuestro proyecto.

"Nuestro" proyecto... Boris seguía angustiosamente con los ojos a un empleado de la librería Garbure que comenzaba a apilar los libros unos sobre otros. Le hubiera gustado, sin embargo, seguir a Sereno al bar de Harcourt; era un tipo raro y además formidablemente guapo, y además era divertido hablar con él porque había que jugar en serio; uno sentía continuamente la impresión de estar en peligro. Se debatió un instante contra sí mismo, pero el sentido del deber fue más fuerte.

—Es que tengo algo de prisa –dijo con una voz que el pesar hacía cortante.

El rostro de Sereno cambió.

—Muy bien –dijo–, no quiero molestarlo. Excúseme por haberlo interrumpido tanto rato. Bueno, hasta la vista y dele saludos míos a Mateo.

Se apartó bruscamente y se fue. "¿Lo habré ofendido?", pensó Boris no muy a gusto. Siguió con mirada inquieta los anchos hombros de Sereno que subía el bulevar Saint-Michel. Y después pensó, de golpe, que no tenía ni un minuto que perder.

"Uno. Dos. Tres. Cuatro. Cinco."

Al cinco tomó ostensiblemente el volumen con la mano derecha, y salió de la librería sin tratar de ocultarlo.

Un tumulto de palabras que huían dondequiera; las palabras huían, Daniel huía de un largo cuerpo frágil, un poco agobiado, de unos ojos pardos, todo un rostro austero y encantador; es un monjecito, un monje ruso. Alioscha. Pasos, palabras, los pasos resonaban hasta en su cabeza, no ser más que esos pasos, que esas palabras, todo valía más que el silencio; el pequeño imbécil, yo lo había juzgado bien. Mis padres me han prohibido que hable con gentes a quienes no conozco, quiere usted un bombón, señorita mía, mis padres me han prohibido... Ah, no es más que un cerebro chiquitito, no sé, no sé, le gusta la filosofía, no sé, caramba, cómo había de saberlo, ¡el pobre cordero! Mateo hace de sultán en su clase, le ha tirado el pañuelo, lo lleva al café, y el chico traga todo los cafés con leche y las teorías, como si fueran hostias; ve, ve a pasear tus aires de primera comulgante, estaba allí, tieso y precioso, como un asno cargado de reliquias, oh, he comprendido, yo no quería ponerte la mano encima, no soy digno; y esa mirada que me lanzó cuando le dije que no comprendía la filosofía, al final ni siquiera se tomaba el trabajo de ser cortés. ¡Oh!, estoy *seguro* –lo presentí desde la época de Hourtiguère– estoy *seguro* de que los pone en guardia en contra de mí. "Está muy bien, dijo Daniel riendo de gusto; es una excelente lección a poco precio; estoy contento de que me haya mandado a paseo; si hubiera tenido la locura de interesarme un poco por él y hablarle con confianza, hubiera ido a contárselo fresquito a Mateo y ambos se hubieran retorcido de risa." Se detuvo tan bruscamente, que una señora que caminaba detrás de él chocó contra su espalda y lanzó un gritito: "¡Le ha hablado de mí!" Era una idea in-to-le-ra-ble, como hacer sudar de rabia, había de imaginárselos a los dos, bien dispuestos, contentos de estar juntos, el chico boquiabierto, naturalmente, agrandando los ojos y agarrándose la oreja con la mano para no perder nada del maná divino, en algún café de Montparnasse, uno de esos infectos tabucos que huelen a ropa sucia... "Mateo ha debido mirarlo desde abajo, con aire profundo, y le ha explicado mi carácter; es para morirse de risa." Daniel repitió: "Para morirse de risa", y se clavó las uñas en la palma de la mano. Lo habían juzgado a sus espaldas, lo habían desmontado, disecado, y él estaba allí sin defensa, sin sospechar nada, había podido *existir* ese día lo mismo que los otros, como si no hubiera sido más que una transparencia sin memoria y sin consecuencia, como si no fuera él para los otros un cuerpo un poco grueso, unas mejillas que se empastaban, una belleza oriental que se marchitaba, una sonrisa cruel y... ¿quién sabe?... Pero no, nadie. Si Bobby lo sabe y Ralph lo sabe, Mateo no. Bobby es una basura, eso no es una conciencia, vive en el número 6 de la calle de los Osos, con Ralph. Ah, ¡si uno pudiera vivir en medio de ciegos! Por su parte él no es ciego, se jacta, sabe ver, es un fino psicólogo, y tiene *derecho* a hablar de mí, dado que me conoce desde hace quince años y es mi mejor amigo, y no se priva de ello; en cuanto encuentra a alguno, ya son dos personas para quienes yo existo y después tres, y después nueve, y después cien. Sereno, Sereno, Sereno el comisionista, Sereno el bolsista, Sereno el... Ah, si pudiera reventar, pero no, se pasea en libertad con su opinión sobre mí en el fondo de la cabeza, e infecta con ella a todos cuantos se le acercan, habría que correr por todas partes y raspar, raspar, lavar con mucha agua; yo he raspado a Marcela hasta los huesos. El primer día ella me tendió la mano mirándome mucho y me dijo: "Mateo me ha hablado tanto de usted." Y yo la miré a mi vez, estaba fascinado estaba *ahí adentro*, existía en esa carne, detrás de esa frente testaruda, en el fondo de esos ojos, ¡puerca! Ahora, ella no cree una palabra de lo que él dice sobre mí.

Sonrió con satisfacción; estaba tan orgulloso de esa victoria, que, por un segundo, dejó de vigilarse; se hizo una desgarradura en la trama de las palabras, que creció poco a poco, se extendió, se convirtió en silencio. El silencio, pesado y vacío. Él no hubiera debido dejar de hablar. El viento había decaído, vacilaba la cólera; muy en el fondo del silencio, estaba el rostro de Serguin, como una llaga. Dulce rostro oscuro; qué paciencia, qué fervor no hubiera sido necesario para iluminarlo un poco. Y pensó: "Yo hubiera podido…" Ese año todavía, hoy todavía, hubiera podido. Después… Pensó: "Mi última oportunidad." Era su última probabilidad, y Mateo se la había quitado, descuidadamente. Los Ralph, los Bobby, eso era lo que le dejaban. "Y del pobre chico, él va a hacer un mono sabio." Caminaba en silencio, sólo sus pasos resonaban en el fondo de su cabeza, como en una calle desierta, hacia el alba. Su soledad era tan total bajo ese hermoso cielo, dulce como una conciencia tranquila, en medio de esa muchedumbre atareada, que se sentía estupefacto de existir; él debía de ser la pesadilla de alguien, de alguien que acabaría al fin por despertarse. Felizmente la cólera desbordó, cubrió todo, se sintió reanimado por una rabia alegre, la fuga recomenzó, recomenzó el desfile de las palabras; odiaba a Mateo. Éste es uno que debe encontrar muy natural existir, no se plantea cuestiones, esta luz griega y justa, este cielo virtuoso están hechos para él, está en su casa, jamás ha estado solo: "Palabra, pensó Daniel, se toma por Goethe." Había levantado la cabeza y miraba a los transeúntes a los ojos; miraba su odio: "Ten cuidado, pues; hazte discípulos, si eso te divierte, pero no *contra mí*, porque acabaré por jugarte una mala pasada." Un nuevo impulso de cólera lo levantó; ya ni tocaba la tierra, volaba, entregado a la dicha de sentirse terrible, y de golpe le sobrevino la idea, aguda, rutilante: "Pero, pero, pero… tal vez se podría

ayudarle a reflexionar, a entrar en sí mismo, arreglarse
para que las cosas no le resulten demasiado fáciles, y
sería hacerle un gran favor". Se acordaba del aire brusco y masculino con que Marcela le había dicho un día
por encima de su hombro: "Cuando una mujer está lista, no tiene más que hacerse un chico". Sería muy bueno que los dos no estuvieran completamente de acuerdo sobre el asunto, que él recorriera celosamente las
tiendas de los herbolarios, mientras ella, en el fondo de
su habitación rosada, se desecara del deseo de tener un
hijo. Ella no se habría atrevido a decirle nada, sólo
que... Si apareciera alguno, un buen amigo común, para darle un poco de valor... "Soy perverso", pensó,
inundado de alegría. La perversidad era esa extraordinaria impresión de rapidez, uno se separaba bruscamente de sí mismo, y se lanzaba hacia adelante, como
una flecha; la velocidad lo agarraba a uno de la nuca,
aumentaba de minuto en minuto, era intolerable y delicioso, uno rodaba sin frenos hacia la tumba abierta,
uno destrozaba las débiles barreras que surgían a derecha e izquierda, inesperadas –Mateo, pobre tipo, soy
demasiado canalla, voy a estropearle la vida–, y que se
rompían secamente como ramas muertas, y era em-
briagadora esta dicha traspasada de miedo, seca como
una sacudida eléctrica, esta dicha que no podía detenerse. "¿Me pregunto si conseguirá entonces discípulos? Un padre de familia no resulta muy a menudo tan
atrayente." La cara de Serguin cuando Mateo fuera a
anunciarle su matrimonio, el desprecio de ese chico, su
aplastante estupor. "¿Se casa usted?" Y Mateo barbo-
taría: "A veces uno tiene ciertos deberes". Pero los mocosos no comprenden esos deberes. Había alguna cosa
que trataba tímidamente de renacer. Era la cara de Ma-

teo, su buena cara de buena fe, pero la carrera recomenzó en seguida con más rapidez: el mal no permanecía en equilibrio sino a toda velocidad, como una bicicleta. Su pensamiento saltó delante de él, alerta y jubiloso: "Mateo es un hombre de bien. Ése no es un perverso, oh, no; es de la raza de Abel, tiene su conciencia para sí. Bueno, pues *tiene* que casarse con Marcela. Después de eso, no tendrá más que descansar sobre sus laureles, es joven todavía, tendrá toda una vida para felicitarse de su buena acción".

Era tan vertiginoso ese lánguido reposo de una conciencia pura, de una insondable conciencia pura bajo un cielo indulgente y familiar, que ya no sabía si lo deseaba para Mateo o para sí mismo. Un tipo acabado, resignado, tranquilo al fin, tranquilo...: "Y si ella no quisiera... Oh, si hay una probabilidad, una sola probabilidad de que ella quiera el chico, juro que le pedirá que se case con él mañana por la noche." El señor y la señora Delarue... El señor y la señora Delarue tienen el honor de participarle... "En suma, pensó Daniel, yo soy el ángel de la guarda de ambos, el ángel del hogar." Era un arcángel, un arcángel de odio, un arcángel justiciero el que entró por la calle Vercingétorix. Volvió a ver, por un momento, un largo cuerpo, torpe y gracioso, un rostro delgado inclinado sobre un libro, pero la imagen naufragó bien pronto y el que reapareció fue Bobby. "Calle de los Osos, 6." Se sentía libre como el aire, se acordaba todas las licencias. La gran confitería de la calle Vercingétorix estaba abierta todavía y Daniel entró. Cuando volvió a salir, tenía en la mano derecha la espada de fuego de San Miguel, y en la izquierda un paquete de bombones para la señora Duffet.

X

Dieron las diez en el relojillo. La señora Duffet no pareció haberlo oído. Fijaba en Daniel una atenta mirada; pero sus ojos habían enrojecido. "No tardará en largarse", pensó él. Ella le sonreía con aire amable, pero ciertos vientecillos colados se filtraban a través de sus labios mal unidos: bostezaba bajo su sonrisa. De pronto, echó la cabeza hacia atrás y pareció tomar una decisión; dijo con cierto impulso travieso:

—Bueno, hijos míos, yo me voy a la cama. No la haga trasnochar demasiado, Daniel, cuento con usted. Después, duerme hasta el mediodía.

Se levantó y fue a dar unos golpecitos en el hombro a Marcela con su ligera manecita. Marcela estaba sentada sobre la cama.

—Ya lo oyes, Rodilard –dijo divirtiéndose en hablar entre sus dientes apretados–; duermes hasta demasiado tarde, hija, duermes hasta el mediodía, estás criando grasa.

—Le juro que me marcho antes de las doce –dijo Daniel.

Marcela sonrió:

—Si yo quiero.

Él se volvió hacia la señora Duffet, fingiéndose abrumado:

—¿Qué puedo hacer yo?

—En fin, sean razonables –dijo la señora Duffet–. Y gracias por sus deliciosos bombones.

Levantó la caja encintada hasta la altura de sus ojos, con gesto algo amenazante:

—¡Es usted *demasiado* amable, me mima, acabaré por regañarlo!

—No podía usted darme un gusto mayor que el de saborearlos –dijo Daniel con voz profunda.

Se inclinó sobre la mano de la señora Duffet y la besó. De cerca, la carne era arrugada, con tatuados malvas.

—¡Arcángel! –dijo la señora Duffet, enternecida–. Bueno, me escapo –agregó, besando a Marcela en la frente.

Marcela le rodeó la cintura con el brazo y la retuvo un segundo; la señora Duffet le revolvió los cabellos y se desligó rápidamente.

—Iré a arroparte en seguida –dijo Marcela.

—No, no, mala hija; te dejo con tu arcángel.

Huyó con la vivacidad de una niñita, y Daniel siguió con una mirada fría su dorso menudo: había creído que no se marcharía jamás. La puerta se cerró pero él no se sintió aliviado; tenía un poco de miedo de quedarse solo con Marcela. Se volvió hacia ella y vio que lo miraba sonriendo.

—¿Por qué se sonríe?

—Siempre me divierte verlo a usted con mamá –dijo Marcela–. Qué zalamero es usted, mi pobre arcángel; es una vergüenza que no pueda contenerse y seduzca siempre a la gente.

Lo miraba con una ternura de propietaria, y parecía satisfecha de tenerlo para ella sola. "Tiene la máscara del embarazo", pensó Daniel con rencor. La odiaba por parecer tan contenta. Siempre sentía un poco de angustia cuando se encontraba al borde de esas largas conversaciones cuchicheantes y era menester sumergirse en ellas. Se compuso la garganta: "Voy a tener asma", pensó. Marcela era un olor espeso y triste depositado sobre la cama, como una bola, que se desflecaría al menor gesto.

Marcela se levantó:

—Tengo algo que mostrarle.

Y fue a buscar una foto en la chimenea.

—Usted que siempre quiere saber cómo era yo cuando era joven... –dijo tendiéndosela.

Daniel la tomó; era Marcela a los dieciocho años, y parecía una pelandusca, con la boca indecisa y dura la mirada. Y siempre esa carne floja que flotaba como un traje demasiado ancho. Pero estaba delgada. Daniel levantó los ojos y sorprendió su ansiosa mirada.

—Era usted encantadora –dijo con prudencia– pero apenas si ha cambiado.

Marcela se echó a reír.

—¡Sí! Usted sabe muy bien que he cambiado, adulador, pero no se inquiete, que no está con mi madre.

Y agregó:

—¿Pero no es cierto que era una chica bonitilla?

—Me gusta más ahora –dijo Daniel–. Tenía usted algo blanda la boca... Ahora parece *tanto* más interesante.

—Uno no sabe nunca si habla usted en serio –dijo ella con aire mohíno. Pero era fácil advertir que se sentía halagada.

Se estiró un poco y lanzó una breve ojeada al espejo. Ese gesto torpe y sin pudor fastidió a Daniel: había en su coquetería una buena fe infantil y desarmada que se contradecía con su rostro de mujer desdichada. Él le sonrió.

—Yo también le voy a preguntar por qué se sonríe –dijo ella.

—Porque ha tenido usted un gesto de chiquilina para mirarse en el espejo. Es tan emocionante cuando por casualidad se ocupa de usted misma.

Marcela enrojeció y golpeó con el pie:

—¡Nunca podrá dejar de adular!

Rieron ambos y Daniel pensó sin mucho ánimo: "Vamos a ello". La cosa se presentaba bien, era el momento, pero se sentía blando y vacío. Para darse ánimos pensó en Mateo y quedó satisfecho al recordar su odio intacto. Mateo era neto y seco como un hueso: uno podía odiarlo. Pero no se podía odiar a Marcela.

—¡Marcela! ¡Míreme!

Había adelantado el busto y la observaba con aire preocupado.

—Ya está –dijo Marcela.

Le devolvió la mirada, pero su cabeza se agitaba con rígidas sacudidas: difícilmente podía sostener la mirada de un hombre.

—Parece usted fatigada.

Marcela parpadeó.

—Estoy un poco cascajo –dijo–. Son los calores.

Daniel se inclinó un poco más y repitió con aire de crítica desolada:

—*Muy* fatigada. La estaba mirando hace un momento, mientras su mamá nos contaba su viaje a Roma: parecía tan preocupada, tan nerviosa...

Marcela lo interrumpió con una risa indignada:

—Escuche, Daniel, es la tercera vez que ella le cuenta ese viaje. Y todas las veces la escucha usted con el mismo aire de apasionado interés; para serle completamente franca, eso me fastidia un poco, porque no discierno mucho lo que pasa por su cabeza en esos momentos.

—Su mamá me divierte –dijo Daniel–. Conozco sus historias, pero me gusta oírselas contar porque tiene gestecillos que me encantan.

Hizo un pequeño movimiento con el cuello y Marcela se echó a reír: Daniel, cuando quería, sabía imitar muy bien a la gente. Pero recobró inmediatamente su seriedad y Marcela cesó de reír. Él la miró con reproche y ella se agitó un poco bajo esa mirada, diciéndole:

—Usted es el que tiene un aire raro esta noche; ¿qué le pasa?

Daniel no se apresuró a contestar. Cayó sobre ellos un silencio pesado: la pieza era un verdadero horno. Marcela emitió una risita molesta que murió en el acto entre sus labios. Daniel se divertía mucho.

—Marcela –dijo–, yo no debería decírselo...

Ella se echó hacia atrás:

—¿Qué? ¿Qué? ¿Qué es lo que hay?

—¿No se molestará con Mateo?

Ella palideció.

—Él... ¡oh! que... Me había jurado que no le diría nada.

—¡Marcela, es algo tan importante y usted quería ocultármelo! ¿Entonces ya no soy su amigo?

Marcela se estremeció.

—¡Es asqueroso! –dijo.

¡Bueno! Ahí está: está desnuda. Ya no se trataba de arcángeles ni de fotos de juventud; había perdido su máscara de dignidad risueña. No quedaba más que una gorda mujer embarazada que olía a carne. Daniel tenía calor y se pasó la mano por la frente, que le sudaba.

—No –dijo lentamente–, no, eso no es asqueroso.

Ella hizo un gesto brusco con el codo y con el antebrazo, que rayó el aire tórrido de la habitación.

—Le produzco horror –dijo.

Él rió con risa juvenil:

—¿Horror? ¿A mí? Marcela, se cansaría usted de

224

buscar antes de encontrar algo que me hiciera sentir horror por usted.

Marcela no respondió, había bajado la nariz, tristemente. Y acabó por decir:

—¡Yo deseaba tanto mantenerlo a usted fuera de todo esto!...

Callaron ambos. Ahora existía un nuevo lazo entre los dos: un lazo inmundo y blando como un cordón umbilical.

—¿Usted ha visto a Mateo después de haber hablado conmigo? –preguntó Daniel.

—Me telefoneó hace una hora –dijo Marcela con brusquedad.

Se había reportado y endurecido y se mantenía a la defensiva, bien derecha y con las narices apretadas; estaba sufriendo.

—¿Le dijo que yo le había negado el dinero?

—Me dijo que usted no lo tenía.

—Lo tenía.

—¿Lo tenía usted? –repitió ella atónita.

—Lo tenía, pero no quería prestárselo. No antes de haberla visto, al menos.

Se tomó un tiempo y agregó:

—Marcela, ¿debo prestárselo?

—Yo no lo sé –dijo ella haciéndose violenta–. Usted es quien tiene que ver si puede.

—Yo puedo perfectamente. Tengo quince mil francos de los que puedo disponer sin que eso me moleste en lo más mínimo.

—Entonces, sí –dijo Marcela–. Sí, mi querido Daniel, tiene que prestárnoslo.

Hubo un silencio. Marcela arrugaba la colcha con los dedos y sus pesados senos palpitaban.

—Usted no me comprende –dijo Daniel–. Yo quiero decir: ¿desea usted desde el fondo de su corazón que se lo preste?

Marcela levantó la cabeza y lo miró sorprendida:

—Es usted raro, Daniel –dijo–; usted piensa algo que no me dice.

—Bueno, pues… me preguntaba simplemente si Mateo la habría consultado.

—Pero naturalmente. En fin –dijo con una ligerísima sonrisa–, no hay nada que consultar; usted sabe cómo somos nosotros: uno dice, haremos esto o aquello, y el otro protesta si no está de acuerdo.

—Sí –dijo Daniel–. Sí… Sólo que con eso toda la ventaja es para aquel cuya opinión ya está dicha: el otro queda dominado y no tiene tiempo de formarse una opinión.

—Quizá… –dijo Marcela.

—Yo sé cuánto respeta Mateo su opinión –dijo Daniel–. Pero me imagino también la escena; me ha obsesionado toda la tarde. Ha debido hacerse el fuerte como hace en esos casos y después ha dicho tragando saliva: "¡Bueno!, pues recurriremos a los grandes remedios." No ha de haber tenido vacilaciones y además no podía tenerlas; es un hombre. Sólo que… ¿no ha sido todo eso algo precipitado? ¿No debía usted saber por sí misma lo que quería?

Se inclinó de nuevo hacia Marcela:

—¿No ha pasado todo así?

Marcela no lo miraba. Había vuelto la cabeza hacia el lado del lavabo y Daniel la veía de perfil. Parecía sombría.

—Un poco así –dijo.

Enrojeció violentamente.

—¡Oh, pero no hablemos más de esto, Daniel, se lo ruego! Esto…, esto no me resulta muy agradable.

Daniel no le quitaba los ojos de encima. "Está palpitante", pensó. Pero no sabía en realidad si se complacía en humillarla o en humillarse con ella. Y se dijo: "Será más fácil de lo que yo pensaba."

—Marcela –dijo–, no se ponga hermética, se lo suplico: yo sé qué desagradable le resulta que hablemos de todo esto…

—Sobre todo con usted –dijo Marcela–. ¡Daniel, usted es tan distinto!

¡Caramba, yo soy su pureza! Marcela se estremeció de nuevo y apretó los brazos contra el pecho:

—No me atrevo ya a mirarlo –dijo–. Aun cuando yo no lo asquee, me parece como si lo hubiera perdido.

—Ya sé –dijo Daniel con amargura–. Un arcángel es cosa que se escandaliza fácilmente. Escuche, Marcela, no me haga desempeñar más ese papel ridículo. Yo no tengo nada de arcángel; yo soy simplemente su amigo, su mejor amigo. Y de cualquier modo tengo derecho a decir algo –agregó con firmeza–, porque estoy en condiciones de ayudarla. Marcela, ¿está usted realmente segura de que no tiene ganas de tener un hijo?

Hubo una pequeña y rápida dispersión a través del cuerpo de Marcela; se hubiera dicho que quería desarmarse. Y después ese comienzo de dislocación fue detenido en seco, el cuerpo se aplastó sobre el borde de la cama, inmóvil y pesado. Marcela volvió la cabeza hacia Daniel; estaba encarnada; pero lo miraba sin rencor, con un estupor inerme. Daniel pensó: "Está desesperada."

—No tiene más que decir una palabra: si está segura de sí misma, Mateo recibirá el dinero mañana por la mañana.

Casi deseaba que ella le dijera: "Estoy segura de mí misma." Él enviaría el dinero y todo quedaría allí. Pero Marcela no decía nada, se había vuelto hacia él, parecía esperar; era necesario ir hasta el final. "¡Ah, claro, pensó Daniel con horror; parece estarme agradecida, palabra!" Como Malvina, cuando la había apaleado.

—¡Usted! –dijo ella–. ¡Usted se ha preguntado eso! Y él... Daniel, usted es la única persona en el mundo que se interesa por mí.

Él se levantó, fue a sentarse junto a ella y le tomó la mano. Una mano blanca y febril como una confidencia: él la conservó en la suya, sin hablar, Marcela Parecía luchar contra sus lágrimas y se miraba las rodillas.

—Marcela, ¿le da lo mismo que supriman al chiquilín?

Marcela tuvo un gesto cansado:

—¿Qué otra cosa quiere que haga?

Daniel pensó: "He ganado." Pero no sintió ningún placer. Se ahogaba. De muy cerca. Marcela olía un poco, lo hubiera jurado, aquello era imperceptible y hasta si se quería no era verdaderamente hablando un olor, pero se hubiera dicho que fecundaba el aire a su alrededor. Y además, estaba esa mano que sudaba dentro de la suya. Se obligaba a apretarla más fuerte, para que exprimiera todo su jugo.

—Yo no sé lo que se puede hacer –dijo con voz algo seca–; ya veremos después. Por el momento, no pienso más que en usted. Si usted tuviera esa criatura, puede que fuera un desastre, pero puede que fuera también una suerte. ¡Marcela! No hay que permitir que pueda usted acusarse más tarde de no haber reflexionado suficientemente.

—Sí... –dijo Marcela–, sí...

Y miraba el vacío con un aire de buena fe que la rejuvenecía. Daniel pensó en la joven estudiante que había visto en la foto. "¡Es cierto! Ha sido joven..." Pero sobre ese rostro desagradable, ni siquiera los reflejos de la juventud eran emocionantes. Dejó bruscamente su mano y sé apartó un poco de ella.

—Reflexione –repitió con voz apremiante–. ¿Está usted realmente *segura*?

—Yo no sé –dijo Marcela.

Y se levantó:

—Perdóneme –dijo–, tengo que ir a arreglar a mamá.

Daniel se inclinó en silencio: era de ritual. "Gané", pensó cuando la puerta se hubo cerrado de nuevo. Se enjugó las manos con el pañuelo, después se levantó vivamente y abrió el cajón de la mesa de noche: había allí a veces cartas divertidas, cortos billetes de Mateo, completamente conyugales, o interminables quejas de Andrea, que no era feliz. El cajón estaba vacío; Daniel se volvió a sentar en el sillón y pensó: "He ganado; se muere de ganas de aovar". Estaba contento de estar solo: podía recuperar su odio. "Juro que se casará con ella, se dijo. Además ha estado innoble, ni siquiera la ha consultado. No vale la pena, continuó con risa seca. No vale la pena de odiarlo por *buenos* motivos: bastante tengo que hacer con los otros."

Marcela volvió con la cara descompuesta y dijo con voz áspera:

—¿Y suponiendo que yo tuviera ganas de tener la criatura? ¿Qué se adelantaría con eso? Yo no puedo darme el lujo de ser madre soltera, y no se trata de que se case conmigo, ¿no es cierto?

Daniel enarcó dos cejas atónitas:

—¿Y por qué? –pregunto–. ¿Por qué no puede casarse con usted?

Marcela lo miró aturdida y después tomó el partido de reír:

—¡Pero Daniel! ¡En fin, usted sabe cómo somos nosotros!

—Yo no sé nada en absoluto –dijo Daniel–. Yo no sé más que una cosa: si él quiere, no tiene más que hacer los trámites necesarios, como todo el mundo, y dentro de un mes usted será su mujer. ¿Es *usted*, Marcela, la que ha decidido no casarse nunca?

—Me horrorizaría que se casara conmigo a la fuerza.

—Ésa no es una contestación.

Marcela se aflojó un poco. Se echó a reír y Daniel comprendió que tomaba por mal camino. Marcela dijo:

—No, realmente, me es indiferente del todo no llamarme señora Delarue.

—Estoy seguro –dijo Daniel vivamente–. Yo quería decir: ¿y si ése fuese el único medio de conservar al niño?...

Marcela pareció conmovida.

—Pero... jamás he considerado las cosas de esa manera.

Debía de ser cierto. Era muy difícil hacerle mirar las cosas de frente: había que meterle la nariz en ellas, pues de lo contrario se desperdigaba en todas direcciones. Ella agregó:

—Es... es una cosa sobrentendida entre nosotros: el matrimonio es una servidumbre y no la deseábamos ni el uno ni el otro.

—¿Pero usted quiere la criatura?

Ella no respondió. Era el momento decisivo; Daniel repitió con voz dura:

—¿No es cierto? ¿Usted quiere la criatura?

Marcela se apoyaba en la almohada con una mano y había posado la otra sobre su falda. La levantó un poco y se la aplicó contra el vientre, como si le dolieran los intestinos; era grotesco y fascinante. Y dijo con voz solitaria:

—Sí. Yo quiero la criatura.

Gané. Daniel se calló. No podía apartar los ojos de ese vientre. Carne enemiga, carne grasienta y nutritiva, despensa. Pensó que Mateo la había deseado, y sintió una breve llama de satisfacción: era como si ya se hubiera vengado un poco. La mano morena y ensortijada se crispaba sobre la seda, se apretaba contra ese vientre. ¿Qué sentía, ahí dentro esa pesada hembra confundida? Daniel hubiera querido *ser ella*. Marcela dijo sordamente:

—Daniel, usted me ha liberado. Yo no... podía decirle eso a nadie, a nadie en el mundo, había acabado por creer que era culpable.

Lo miró ansiosamente:

—¿No es culpable eso?

Él no pudo dejar de reírse:

—¿Culpable? Pero eso ya es perversión, Marcela. ¿A usted sus deseos le parecen culpables cuando son naturales?

—No, quiero decir con respecto a Mateo. Es como una ruptura de contrato.

—Tiene usted que explicarse francamente con él, eso es todo.

Marcela no respondió; parecía rumiar. Y de pronto, dijo apasionadamente:

—Oh, si yo tuviera un mocoso, se lo juro, no permitiría que estropeara su vida como yo.

—Usted no ha estropeado su vida.

—¡Sí!

—¡Pero no, Marcela, todavía no!

—¡Sí! Yo no he hecho nada y nadie necesita de mí!

Daniel no contestó: era cierto.

—Mateo no me necesita. Si yo reventara... eso no lo alcanzaría íntimamente. Usted tampoco, Daniel. Usted tiene un gran afecto por mí, que es quizá lo que tengo de más precioso en el mundo; pero usted no me necesita, soy yo más bien la que lo necesita a usted.

¿Contestar? ¿Protestar? Había que desconfiar: Marcela parecía estar en uno de sus accesos de clarividencia cínica. Él le tomó la mano sin decir palabra y se la estrechó en forma significativa.

—Un mocoso –continuaba Marcela–, un mocoso... Él sí tendrá necesidad de mí.

Daniel le acarició la mano:

—Es a Mateo a quien hay que decirle todo eso.

—Yo no puedo.

—¿Pero por qué?

—Estoy atada. Espero que eso salga de él, espontáneamente.

—Pero bien sabe que a él no se le ocurrirá jamás: ni siquiera lo piensa.

—¿Y por qué no lo piensa? Usted lo ha pensado.

—No sé.

—Bueno, entonces todo quedará así. Usted nos prestará el dinero y yo iré a ver a ese médico.

—No puede usted hacerlo –exclamó bruscamente Daniel–: ¡no puede usted!

Se detuvo en seco y la consideró con desconfianza, era la emoción la que le había hecho lanzar ese grito estúpido. Esta idea lo heló, porque el abandono lo horrorizaba. Frunció los labios y puso ojos irónicos arqueando una ceja. Vana defensa: hubiera sido menester no verla; ella había encorvado los hombros y sus brazos pendían a lo largo de los costados; esperaba, pasiva y gastada, iba a esperar así durante años, hasta el fin. Daniel pensó: "¡Su última oportunidad!", como lo había pensado para sí mismo hacía un momento. Entre los treinta y los cuarenta años, las personas juegan su última probabilidad. Ella iba a jugar y perder; dentro de unos días no seria más que un montón de miseria. Había que impedirlo.

—¿Y si yo mismo le hablara a Mateo?

Una piedad enorme y lodosa lo había invadido. No sentía ninguna simpatía por Marcela, y sentía profundo asco de sí mismo, pero la piedad estaba allí, irresistible. Hubiera hecho cualquier cosa con tal de libertarse de ella. Marcela levantó la cabeza, parecía que lo creía loco.

—¿Hablarle? ¿Usted? ¡Pero, Daniel! ¿Qué está pensando?

—Podríamos decirle... que me he encontrado con usted...

—¿Dónde? Yo no salgo nunca. ¿Y aun admitiéndolo, acaso hubiera ido yo a contarle todo de golpe y porrazo?

—No. No, evidentemente.

Marcela le puso la mano sobre la rodilla:

—Daniel, se lo ruego, no se meta en eso. Estoy furiosa contra Mateo, que no debió contárselo a usted...

Pero Daniel se aferraba a su idea:

—Escuche, Marcela. ¿Sabe lo que vamos a hacer? Decirle la verdad, muy simplemente. Yo le diré: tienes que perdonarnos un secretillo: Marcela y yo nos vemos a veces y no te lo hemos dicho.

—¡Daniel! –suplicó Marcela–, no puede ser. No quiero que hable de mí. Por nada del mundo quiero aparecer como reclamando. A él le correspondía comprender.

Y agregó con aire conyugal:

—Y además, sabe, no me perdonaría que no se lo hubiera dicho yo misma. Nosotros nos decimos siempre todo.

Daniel pensó: "Buena está ella". Pero no tenía ganas de reír.

—Pero yo no hablaré en su nombre –dijo–. Le diré que la he visto, que parecía usted atormentada, que puede que no todo sea tan sencillo como él cree. Todo eso como si viniera sólo de mí.

—No quiero –dijo Marcela con aire hosco–. No quiero.

Daniel miraba con avidez sus hombros y su cuello. Esa obstinación tonta lo irritaba y quería quebrarla. Estaba poseído por un deseo enorme y torpe: violar esa conciencia, hundirse con ella en la humildad. Pero aquello no era sadismo: era algo más vacilante y más húmedo, más carnal. Era bondad.

—Es necesario, Marcela, ¡míreme!

La tomó por los hombros y sus dedos se hundieron entre manteca tibia.

—Si yo no le hablo, usted nunca le dirá nada, y... y todo habrá terminado, usted vivirá junto a él en silencio y acabará por odiarlo.

Marcela no contestó, pero por su aire rencoroso y vencido, Daniel comprendió que estaba a punto de ceder. Ella dijo una vez más:

—Yo no quiero.

Él la soltó:

—Si no me deja usted proceder –dijo colérico– le guardaré rencor por mucho tiempo. Habrá usted estropeado su vida con sus propias manos.

Marcela paseaba la punta del pie por la colcha.

—Habría... habría que decirle cosas completamente vagas... –dijo–; despertar sencillamente su atención...

—Naturalmente –dijo Daniel.

Y pensaba: "Cuenta con ello".

Marcela hizo un gesto de despecho:

—Eso no es posible.

—¡Vamos, pues! Se iba poniendo usted razonable... ¿por qué no es posible?

—Estaría usted obligado a decirle que nosotros nos vemos.

—Pues bien, sí –dijo Daniel con fastidio–, ya se lo he dicho. Pero yo lo conozco, no se enfadará; se irritará un poco, por fórmula, y después, como va a sentirse culpable, estará muy contento de tener alguna cosa que reprocharle a usted. Por lo demás, yo le diré que nos vemos sólo desde hace unos meses y a largos intervalos. De todas las maneras, hubiéramos tenido que decírselo algún día.

—Sí.

Ella no parecía estar muy convencida.

—Era *nuestro* secreto –dijo con profunda nostalgia–. Escuche, Daniel, ésa era mi vida privada; yo no tengo otra.

Y agregó rencorosamente:

—Yo sólo puedo considerar mío lo que le escondo.

—Hay que intentarlo. Por el hijo.

Marcela iba a ceder, no había sino que esperar; ella iba a deslizarse, arrastrada por su propio peso, hacia la resignación, hacia el abandono; dentro de un momento estaría completamente abierta, sin defensa y colmada, y le diría: "Haga lo que quiera, estoy en sus manos". Y Marcela lo fascinaba; Daniel no sabía ya si ese tierno fuego que lo devoraba era el Mal o la bondad. Bien y Mal, el Bien de ellos y su Mal de él, todo era igual. Estaban esta mujer y esta comunión repugnante y vertiginosa.

Marcela se pasó la mano por los cabellos:

—Bueno, pues ensayemos –dijo desafiante–. Después de todo, esa será una prueba.

—¿Una prueba? –preguntó Daniel–. ¿Es a Mateo a quien quiere usted poner a prueba?

—Sí.

—¿Puede usted pensar que permanezca indiferente? ¿Que no sienta prisa de venir a explicarse con usted?

—No lo sé.

Y agregó secamente:

—Tengo necesidad de estimarlo.

El corazón de Daniel comenzó a latir con violencia:

—¿De modo que ya no lo estima usted?

—Sí... Pero no tengo ya confianza en él desde anoche, Ha sido... Tiene usted razón: ha sido demasiado negligente. No se ha preocupado por mí. Y además, su llamada telefónica de hoy fue lamentable. Él ha...

Marcela enrojeció...

—Él ha creído deber suyo decirme que me amaba. Al colgar. Eso olía de lejos a conciencia poco tranquila. ¡No puedo decirle el efecto que me hizo! Si alguna vez dejara de estimarlo... Pero no quiero ni pensar en eso. Cuando por casualidad le guardo rencor, me resulta extremadamente penoso. Ah, si tratara de hacerme hablar un poco mañana, si me *preguntara* una vez, una sola vez: "¿En qué piensas?..."

Se calló y sacudió tristemente la cabeza.

—Yo le hablaré –dijo Daniel–. Al salir de aquí le pondré unas líneas y lo citaré para mañana.

Callaron ambos. Daniel se puso a pensar en la entrevista del día siguiente: prometía ser violenta y dura, cosa que lo lavaría de esta viscosa piedad.

—¡Daniel! –dijo Marcela–. Querido Daniel.

Él levantó la cabeza y encontró su mirada. Era una mirada pesada y hechizante que desbordaba de agradecimiento sexual, una mirada para después del amor. Daniel cerró los ojos: había entre ellos dos algo más fuerte que el amor. Ella se había abierto, él había entrado en ella y no constituían ya más que uno.

—¡Daniel! –repitió Marcela.

Daniel abrió los ojos y tosió penosamente; sufría de asma. Tomó la mano de Marcela y la besó largamente reteniendo el aliento.

—Mi arcángel –decía Marcela por encima de su cabeza.

Él pasará su vida inclinado sobre esa mano olorosa y ella le acariciará los cabellos.

XI

Una gran flor malva subía hacia el cielo: era la noche. Mateo se paseaba en esa noche, y pensaba: "¡Soy un tipo reventado!" Era una idea completamente nueva; había que volverla y revolverla, husmearla con circunspección. De cuando en cuando, Mateo la perdía; no quedaban de ella más que las palabras. Las palabras no se hallaban desprovistas de cierto encanto sombrío: "Un tipo reventado." Uno imaginaba hermosos desastres, el suicidio, la rebelión, otras salidas extremas. Pero la idea volvía de prisa: no era eso, no era eso en absoluto; se trataba de una pequeña miseria tranquila y modesta, no era cuestión ya de desesperación, por el contrario: aquello era más bien confortable. Mateo sentía la impresión de que acababan de darle todas las licencias, como a un incurable: "No tengo más que ir viviendo", pensó. Leyó "Sumatra" en letras de fuego, y el negro se precipitó hacia él tocándose la gorra. En el umbral de la puerta, Mateo vaciló: oía rumores, un tango. Su corazón estaba lleno todavía de pereza y de noche. Y después aquello se produjo de golpe, como la mañana, cuando uno se encuentra de pie sin saber cómo se ha levantado: había apartado la cortina verde, había bajado las diecisiete gradas de la escalera, y estaba en un sótano escarlata y ruidoso, con manchas de un blanco malsano: los manteles; allí olía a hombre, la sala estaba llena de hombres, como en la misa. En el fondo del sótano, unos gauchos de camisa de seda interpretaban música en un estrado. Delante de él había personas de pie, inmóviles y correctas, que parecían esperar; bailaban; y estaban mohínas, parecían ser presa de un interminable destino. Mateo registró la sala con sus ojos cansados para descubrir a Boris e Ivich.

—¿El señor desea una mesa?

Un lindo joven se inclinaba ante él con aire de alcahuete.

—Busco a alguien –dijo Mateo.

El joven lo reconoció:

—Ah, ¿es usted, señor? –dijo con cordialidad–. La señorita Lola se está vistiendo. Sus amigos están en el fondo, a la izquierda, voy a llevarlo.

—No, gracias, ya los encontraré. Tienen mucha gente, hoy.

—Sí, bastante. Holandeses. Son un poco ruidosos, pero consumen bien.

El joven desapareció. No había ni que pensar en franquearse paso entre las parejas que bailaban. Mateo esperó: escuchaba el tango y el arrastrado de los pies, y contemplaba los lentos desplazamientos de ese mitin silencioso. Hombros desnudos, una cabeza de negro, el brillo de un cuello, mujeres soberbias y maduras, muchos señores de edad que bailaban con aire de excusa. Los sonidos acres del tango les pasaban por encima de la cabeza: los músicos no parecían tocar para ellos. "¿Qué vengo yo a hacer aquí?" se preguntó Mateo. Su chaqueta brillaba en los codos, su pantalón carecía de línea, no bailaba bien, era incapaz de divertirse con esa grave ociosidad. Se sintió molesto: en Montmartre, pese a la simpatía de los "maître dôtel" uno nunca podía sentirse cómodo; había en el aire una crueldad inquieta y sin reposo.

Las lamparillas blancas volvieron a encenderse. Mateo se adelantó por la pista en medio de espaldas en fuga. En un rincón había dos mesas. En una de ellas, un hombre y una mujer hablaban a ratitos, sin mirarse. En la otra vio a Boris e Ivich que se inclinaban el uno hacia el otro, muy ocupados, con una austeridad llena de gracia. "Parecen dos monjecitos." La que hablaba era Ivich, haciendo vivos gestos. Jamás, ni aun en los momentos de confianza, había ofrecido a Mateo semejante rostro. "¡Qué jóvenes son!", pensó Mateo. Tenía ganas de dar media vuelta y marcharse. Se aproximó, sin embargo, porque no podía soportar ya la soledad; sentía la impresión de mirarlos por el agujero de la llave. Bien pronto lo distinguieron, y volvieron hacia él esos rostros compuestos que reservaban para sus padres, para las personas grandes; y hasta en el fondo de sus corazones había algo de cambiado. Ahora Mateo estaba muy cerca de Ivich, pero ella no lo veía. Se había inclinado al oído de Boris y cuchicheaba. Tenía un poco –muy poquito–, del aire de una hermana mayor; hablaba a Boris con maravillada condescendencia. Mateo se sintió algo reconfortado: aun con su hermano, Ivich no se abandonaba por completo, jugaba a la hermana mayor, no se entregaba nunca. Boris lanzó una risa breve:

—¡Tonteras! –dijo sencillamente.

Mateo posó la mano sobre la mesa. "Tonterías." Con esa palabra el diálogo terminaba definitivamente, era como la última réplica de una novela o de una pieza de teatro. Mateo contemplaba a Boris e Ivich y los encontraba novelescos.

—Salud –dijo.

—Salud –dijo Boris, levantándose.

Mateo lanzó una rápida ojeada hacia Ivich; ella se había echado hacia atrás. Él vio un par de ojos pálidos y sombríos. La *verdadera* Ivich había desaparecido. "¿Y por qué la *verdadera*?", pensó con irritación.

—Buenos días, Mateo –dijo Ivich.

No sonrió, pero no tenía tampoco un aire atónito ni rencoroso; parecía encontrar muy natural la presencia de Mateo. Boris mostró la multitud con un gesto rápido:

—Hay unos cuantos –dijo con satisfacción.

—Sí –dijo Mateo.

—¿Quiere mi lugar?

—No, no vale la pena; se lo dará a Lola luego.

Se sentó. La pista estaba desierta; no había nadie en el estrado de los músicos. Los gauchos habían terminado su serie de tangos y el jazz negro "Hijito's band" iba a reemplazarlos.

—¿Qué beben ustedes? –preguntó Mateo.

La gente zumbaba a su alrededor. Ivich no lo había recibido mal; hallábase penetrado de un calor húmedo, gozaba de la vulgarización feliz que produce el sentimiento de ser un hombre entre otros.

—Un vodka –dijo Ivich.

—Toma, ¿le gusta eso ahora?

—Es fuerte –dijo ella sin pronunciarse.

—¿Y esto? –preguntó Mateo por espíritu de justicia, señalando una crema blanca en el vaso de Boris. Boris lo miraba con una admiración jovial y estupefacta: Mateo se sentía molesto.

—Es asqueroso –dijo Boris–: es el cocktail del barman.

—¿Y usted lo ha pedido por cortesía?

—Hace tres semanas que me está dando la lata para que lo pruebe. Imagínese que no sabe hacer cocktails. Ha llegado a ser barman porque era prestidigitador. Él dice que es el mismo oficio, pero se equivoca.

—Supongo que será a causa de la coctelera –dijo Mateo–, y además, cuando se rompen los huevos hay que saber mover las manos.

—Entonces hubiera valido más hacerse saltimbanqui. Yo hubiera tenido de cualquier modo que tomar esta sucia mezcla, pero esta noche le he pedido prestados cien francos.

—Cien francos –dijo Ivich–, pero si yo los tenía.

—Yo también –dijo Boris–, pero es porque era el barman. Al barman uno *debe* pedirle dinero prestado –explicó con un matiz de austeridad.

Mateo miró al barman. Estaba de pie detrás de un bar, todo de blanco, cruzado de brazos, y fumaba un cigarrillo. Tenía un aire apacible.

—A mí me hubiera gustado ser barman –dijo Mateo–; debe de ser estupendo.

—Le hubiera costado caro –dijo Boris– porque usted hubiera roto todo.

Hubo un silencio. Boris miraba a Mateo e Ivich miraba a Boris.

—Estoy de más –se dijo Mateo con tristeza.

El "maître d'hôtel" le tendió la lista de los champagnes; había que poner atención: no le quedaban ya ni quinientos francos.

—Un whisky –dijo Mateo.

De pronto sintió horror por las economías y por ese magro rollo que se albergaba en su cartera. Y volvió a llamar al "maître d'hôtel".

—Espere. Prefiero champán.

Volvió a tomar la lista. El Mumm costaba trescientos francos.

—¿Le gustaría de éste? –dijo a Ivich.

—No. Sí –dijo ella reflexionando–. Es preferible.

—Tráiganos un Mumm, *cordon rouge*.

—Me alegro de beber champán –dijo Boris–, porque no me gusta. Hay que habituarse.

—Sois fastidiosos –dijo Mateo–; siempre estáis bebiendo cosas que no os gustan.

Boris se alegró: le encantaba que Mateo le hablara en ese tono. Ivich frunció los labios. "No se les puede decir nada", pensó Mateo con un poco de fastidio. "Siempre hay uno que se escandaliza". Ambos estaban allí, frente a él, atentos y severos; uno y otro se habían formado de Mateo una imagen personal y uno y otro exigían que él se le pareciera. Sólo que las dos imágenes no eran conciliables.

Callaron.

Mateo extendió las piernas y sonrió de placer. Le llegaban por bocanadas unos sones de trompeta acidulados y gloriosos; no se le ocurría buscar en ellos una tonada: estaban allí, eso era todo, hacían ruido, aquello le producía un tosco goce de cobres a flor de piel. Naturalmente, él sabía muy bien que estaba destrozado; pero después de todo, en ese dancing, en esa mesa, en medio de todos esos otros tipos igualmente destrozados, aquello no tenía tanta importancia y no era penoso en absoluto. Volvió la cabeza; el barman seguía soñando. A la derecha había un tipo de monóculo, totalmente solo, de aspecto devastado; y otro más lejos, totalmente solo también, ante tres consumiciones y una cartera de mujer; su mujer y su amigo debían estar bailando y él parecía más bien aliviado: bostezó ampliamente detrás de la mano y sus ojillos parpadearon con voluptuosidad. Dondequiera, caras sonrientes y limpias con ojos hundidos. Mateo se sintió de pronto solidario de todos esos tipos que hubieran hecho mejor volviendo a su casa, pero que ni siquiera tenían fuerza para ello, que permanecían allí fumando delgados cigarrillos, bebiendo mezclas con sabor de acero, sonriendo, con las orejas asqueantes de música, contemplando con los ojos vacíos los restos de su destino; y sintió el llamado discreto de una dicha humilde y cobarde: "Ser como ellos..." Tuvo miedo y se sobresaltó: se volvió hacia Ivich. Rencorosa y distante como estaba, era sin embargo su único socorro. Ivich miraba el líquido transparente que quedaba en su vaso: bizqueaba con aire inquieto.

—Hay que beberlo de un solo golpe –dijo Boris.

—No haga eso –dijo Mateo–; se va a incendiar la garganta.

—El vodka se bebe de un solo golpe –dijo Boris con severidad.

Ivich tomó su vaso.

—Prefiero bebérmelo de un golpe, así terminaré más rápido.

—No, no beba, espere el champán.

—*Tengo* que tragar esto –dijo ella con irritación–; quiero divertirme.

Se echó hacia atrás, aproximando el vaso a sus labios, e hizo deslizar todo el contenido en su boca; parecía estar llenando una jarra. Permaneció así un segundo, sin atreverse a tragar, con ese charquito de fuego en el fondo de la garganta. Mateo sufría por ella.

—¡Traga! –le dijo Boris–. Imagínate que es agua: no hay más que eso.

El cuello de Ivich se hinchó, y depositó el vaso con una horrible mueca; tenía los ojos llenos de lágrimas. La señora morena, su vecina, abandonando por un instante su morosa ensoñación, dejó caer sobre ella una mirada llena de reprobación.

—¡Puaf! –dijo Ivich–, ¡esto quema…, es fuego!

—Yo te voy a comprar una botella para que te ejercites –dijo Boris.

Ivich reflexionó un segundo:

—Valdría más que ensayara con orujo, es más fuerte.

Y agregó con una especie de angustia:

—Creo que voy a poder divertirme, ahora.

Nadie le contestó. Ella se volvió hacia Mateo: era la primera vez que lo miraba.

—Usted soporta bien el alcohol?

—¿Él? Él es formidable –dijo Boris–. Siete whiskys lo he visto beber un día que me hablaba de Kant. Al último yo ya no escuchaba, estaba borracho por él.

Era cierto: ni aun así podía Mateo perderse a sí mismo. Durante todo el tiempo que bebía, se aferraba. ¿A qué? Volvió a ver de pronto a Gauguin, una gruesa cara descolorida de ojos desiertos; y pensó: "A mi dignidad humana". Temía, si se abandonaba un instante, encontrar de pronto en su cabeza, extraviado, flotando como una bruma de calor, un pensamiento de mosca o de cucaracha.

—Tengo horror de emborracharme –explicó con humildad–; bebo, pero me niego a la embriaguez con todo mi cuerpo.

—En cuanto a eso, es usted testarudo –dijo Boris con admiración–; ¡peor que una mula!

—Yo no soy testarudo, estoy tenso: no sé dejarme ir. Siempre tengo que pensar sobre lo que me ocurre, es una defensa.

Y agregó con ironía para sí mismo:

—Yo soy un junco pensante.

Como para sí mismo. Pero eso no era cierto, él no era sincero: en el fondo quería gustarle a Ivich. Y pensó: "¿Entonces, he llegado a eso?" Había llegado a aprovecharse de su decadencia, no desdeñaba arrancarle menudas ventajas, se servía de ella para hacer cortesías a las niñitas: "¡Puerco!" Pero se detuvo aterrado; cuando se trataba de puerco, no era sincero tampoco, no estaba verdaderamente indignado. Era un truco para revalorarse; creía salvarse de la abyección por la lucidez, pero esa "lucidez" no le costaba nada, más bien le divertía. Y ese mismo juicio que formulaba sobre su lucidez, esa manera de trepar sobre sus propios hombros... "Habría que cambiar hasta la médula", pero nada podía ayudarlo a ello. De pronto, Mateó se abrió blandamente como una herida; se vio todo entero, abierto: pensamiento, pensamientos, sobre pensamientos, pensamientos sobre pensamientos de pensamientos, era transparente hasta el infinito y estaba podrido hasta el infinito. Y después aquello se extinguió y se volvió a encontrar sentado frente a Ivich que lo miraba con aire extraño.

—¿Ha trabajado hoy? –le preguntó él.

Ivich se encogió de hombros, colérica:

—¡No quiero que me hablen de eso! Estoy harta y he venido aquí para divertirme.

—Pasó la jornada enroscada en el diván, con unos ojos como platos.

Boris agregó orgullosamente sin preocuparse de la mirada negra que le lanzaba su hermana:

—Es estupenda, puede reventar de frío en pleno verano.

Ivich se había estremecido durante largas horas y quizá sollozado. En aquel momento, no lo parecía: se había puesto azul en los párpados y rojo frambuesa en los labios; el alcohol inflamaba sus mejillas, estaba espléndida.

—Yo querría pasar una noche formidable –dijo porque es mi última noche.

—Es usted ridícula.

—Si –dijo ella con obstinación–, me suspenderán, lo sé, y me marcharé en el acto, no podré quedarme ni un día más en París. O si no...

Se calló.

—¿O si no?

—Nada. Se lo ruego, no hablemos más de eso, me humilla. Ah, aquí está el champán –dijo alegremente.

Mateo miró la botella y pensó: "350 francos". El tipo que lo había abordado la víspera, en la calle Vercingetórix, estaba fastidiado también, pero modestamente, sin champán, ni hermosas locuras; y por encima de todo, tenía hambre. Mateo sintió horror de la botella. Era pesada y negra, con una etiqueta blanca alrededor del gollete. El mozo, inclinado sobre el balde de hielo con aire entendido y reverente, la hacía girar competentemente con la punta de los dedos. Mateo seguía mirando la botella, seguía pensando en el tipo de la víspera, y sentía el corazón oprimido por una verdadera angustia: pero justamente allí estaba un digno joven, en el estrado, que cantaba en un micrófono.

> *Il a mis dans le mille,*
> *Émile.*

Y además, estaba esa botella que giraba ceremoniosamente en la punta de unos pálidos dedos, y además todas esas personas que se cocían en su propio jugo sin hacer tantas historias. Mateo pensó: "Apestaba a vinazo; en el fondo es igual. Y además, a mí no me gusta el champán". El dancing todo entero le pareció un pequeño infierno, ligero como una pompa de jabón, y sonrió.

—¿De qué se ríe? –le preguntó Boris riéndose de antemano.

—Acabo de acordarme de que a mí tampoco me gusta el champán.

Los tres se echaron a reír. La risa de Ivich era estridente; su vecina volvió la cabeza y la miró de reojo.

—¡Tenemos buena cara! –dijo Boris.

Y agregó:

—Podríamos vaciarla en el balde de hielo cuando se vaya el mozo.

—Si quiere —dijo Mateo.

—¡No! –dijo Ivich–, yo por mi parte quiero beber; me beberé toda la botella, si ustedes no la quieren.

El mozo les sirvió y Mateo llevó melancólicamente el vaso a sus labios. Ivich miraba el suyo con aire perplejo.

—Esto no sería malo –dijo Boris– si lo sirvieran hirviendo.

Las lamparillas blancas se apagaron, volvieron a encender las lamparillas rojas y resonó un redoble de tambor. Un señor bajito, calvo y gordezuelo, de smoking, saltó sobre el estrado y comenzó a sonreír en un micrófono.

—Señoras y señores, la dirección de "Sumatra" tiene el gran placer de presentar a Miss Elinor, que se presenta en París por vez primera. Miss E-li-nor –repitió–. ¡Ah!

A los primeros acordes de un *biguine*, una muchacha larga y rubia entró en la sala. Estaba desnuda, y su cuerpo, en el aire rojo, parecía un gran trozo de algodón. Mateo se volvió hacia Ivich: ella miraba a la muchacha desnuda con sus pálidos ojos bien abiertos; había adoptado su aire de crueldad maniática.

—Yo la conozco –susurró Boris.

La muchacha bailaba, enloquecida por el deseo de gustar; parecía inexperta; lanzaba sus piernas hacia adelante, una tras de la otra, con energía, y sus pies aparecían como dedos en el extremo de sus piernas.

—Hace lo suyo –dijo Boris–; va a reventar.

En realidad, había una fragilidad inquietante en sus largos miembros; cuando descansaba los pies en el suelo, sus piernas se sacudían desde los tobillos hasta las cajeras. Se aproximó al estrado y se volvió: "Ya está, pensó

Mateo con hastío, va a trabajar con el traste". El ruido de las conversaciones cubría las ráfagas de música.

—No sabe bailar –dijo la vecina de Ivich frunciendo los labios–. Cuando ponen las consumiciones a treinta y cinco francos deberían cuidar las atracciones.

—Tiene a Lola Montero –dijo el tipo gordo.

—Y qué importa; es vergonzoso, a ésta la han recogido en la calle.

Bebió un trago del cocktail y se puso a jugar con los anillos. Mateo recorrió la sala con la mirada, y no encontró más que rostros severos y justos; las gentes se deleitaban con su indignación; la muchacha les parecía doblemente desnuda, porque era torpe. Y se hubiera dicho que ella sentía esa hostilidad, y que esperaba enternecerlos. Mateo se sintió conmovido por su desesperada buena voluntad. Ella les tendía las nalgas entreabiertas en un arrebato de celo que partía el corazón.

—¡Cómo se gasta! –dijo Boris.

—Y no prenderá –dijo Mateo–; éstos quieren que se les respete.

—Pero sobre todo quieren ver culos.

—Sí, pero necesitan tener arte alrededor.

Durante un momento las piernas de la bailarina piafaron bajo la impotencia jocosa de su traste; después se enderezó con una sonrisa, levantó los brazos en el aire y los sacudió, haciendo caer de ellos como capas de estremecimientos, que se deslizaron a lo largo de los omoplatos y fueron a morir en el hueco de los riñones.

—Es increíble cómo tiene de rígidas las caderas –dijo Boris.

Mateo no respondió; se había puesto a pensar en Ivich. No se atrevía a mirarla, pero recordaba su aire de crueldad. Al final era como los otros la criatura sagrada: doblemente defendida por su gracia y por sus juiciosos vestidos, devoraba con los ojos y con los sentimientos de un buey, a aquella pobre carne desnuda. Una ola de rencor subió a los labios de Mateo, envenenándole la boca: "No valía la pena de hacer tantos dengues esta mañana". Volvió un poco la cabeza, y vio el puño de Ivich todo crispado que descansaba sobre la mesa. La uña del pulgar, escarlata y afilada, apuntaba a la pista como una flecha indicadora. "Está completamente sola, pensó, oculta bajo los cabellos su cara descompuesta, aprieta las caderas, está *gozando*." Esta idea le resultó insoportable, y estuvo a punto de levantarse y desaparecer, pero no tuvo fuerzas para ello, y pensó solamente: "¡Y decir que la amo por su pureza!" La bailarina, con los puños en las caderas, se desplazaba de costado, sobre los talones y rozó la mesa con la cadera. A Mateo le hubiera gustado desear ese gordo "pouf" regocijado en el extremo posterior de un espinazo miedoso, para distraerse de sus pensamientos, para jugarle una buena pasada a Ivich. La muchacha se había acurrucado con las piernas separadas, y balanceaba lentamente el traste, de delante a atrás como una de esas linternas pálidas que oscilan, de noche, en las pequeñas estaciones, al cabo de un brazo invisible.

—¡Puaf! –dijo Ivich–; no puedo seguir mirándola.

—Mateo se volvió atónito hacia ella, y vio una cara triangular descompuesta por la rabia y el asco: "No estaba turbada", pensó con agradecimiento. Ivich se estremecía; él hubiera querido sonreírle pero su cabeza se llenó de cascabeles; Boris, Ivich, el cuerpo obsceno y la bruma purpúrea se deslizaron fuera de su alcance. Estaba solo: lejos se veía un fuego de Bengala, y entre el humo un monstruo a bocanadas a través de un rumor húmedo de follaje. "¿Qué tengo?", se preguntó. Era como por la mañana: a su alrededor no había más que un espectáculo. Mateo estaba fuera.

La música se quebró y la muchacha se inmovilizó volviendo el rostro hacia la sala. Por encima de su sonrisa, tenía unos hermosos ojos desamparados. Nadie aplaudió y se produjeron algunas risas ofensivas.

—¡Qué bestias! —dijo Boris.

Golpeó las manos con fuerza. Algunos rostros atónitos se volvieron hacia él.

—¿Quieres callarte? —dijo Ivich furiosa—; no irás a aplaudirla.

—La pobre hace lo que puede —dijo Boris, aplaudiendo.

—Razón de más.

Boris se encogió de hombros:

—Yo la conozco —dijo—; he comido con ella y Lola; es una buena muchacha pero no tiene cabeza.

La muchacha desapareció sonriendo y tirando besos. Una luz blanca invadió la sala y fue como un despertar: la gente está contenta de volverse a encontrar después de haber hecho justicia. La vecina de Ivich encendió un cigarrillo e hizo una mueca tierna para ella sola. Mateo no se despertaba, estaba bajo una pesadilla blanca, eso era todo; las caras florecían a su alrededor con una suficiencia risueña y blanda, la mayoría no parecían estar habitadas, la mía debe estar así también, debe tener esa pertinencia de los ojos, de las comisuras de la boca, y no obstante, se debe ver que está hueca; y era una figura de pesadilla ese hombre que daba saltitos sobre el estrado y hacía gestos para reclamar silencio, con su aire de saborear de antemano el asombro que iba a provocar, con su afectación de dejar caer en el micrófono, sin comentarios, muy sencillamente, el nombre célebre:

—¡Lola Montero!

La sala se estremeció de complicidad y de entusiasmo, los aplausos crepitaron y Boris quedó encantado.

—Están de buena pasta, la cosa va a marchar.

Lola se había adosado contra la puerta; de lejos, su cara aplastada y devastada, parecía el hocico de un león; sus hombros, estremecida blancura con reflejos verdes, eran de follaje de un álamo una noche de viento bajo los faros de un auto.

—¡Qué hermosa es! –murmuró Ivich.

Lola avanzó, a grandes zancadas tranquilas, con una desesperación llena de aplomo; tenía las manos pequeñas y las gracias pesadas de una sultana, pero ponía en su manera de caminar una generosidad de hombre.

—Se los traga –dijo Boris con admiración–; no va a ser a ella a quien le hagan una burrada.

Y era cierto: las personas de la primera fila habían hecho retroceder sus sillas intimidadas, y apenas si se atrevían a mirar de cerca a esa cabeza célebre. Una hermosa cabeza de tribuno, voluminosa y pública, empastada por un dejo de importancia política: la boca conocía su oficio, estaba acostumbrada a bostezar largamente, con los labios bien hacia afuera, para vomitar el horror y el asco y para que la voz llegara lejos. Lola se inmovilizó de golpe y la vecina de Ivich suspiró de escándalo y de admiración. "Se los traga", pensó Mateo.

Se sentía molesto: en el fondo de sí misma Lola era noble y apasionada, y sin embargo su cara mentía, estaba representando la nobleza y la pasión. Lola sufría. Boris la desesperaba, pero cinco minutos por día ella aprovechaba su programa de canto para sufrir con belleza. "¿Bueno, y yo? ¿Acaso no estoy en trance de sufrir, de representar el tipo fastidiado con acompañamiento de música? Y sin embargo, pensó, es muy cierto que estoy fastidiado." A su alrededor todos eran iguales: había allí gentes que no existían en absoluto, meras pompas, y había también otras que existían casi en exceso. El barman, por ejemplo. Hacía un momento fumaba un cigarrillo, vago y poético como una campánula; ahora se había despertado y era casi *demasiado* barman. Sacudía la coctelera, la abría, dejaba caer en los vasos una crema amarilla con gestos de una precisión ligeramente superflua: jugaba al barman. Mateo pensó en Brunet. "Quizá no se pueda hacer de otro modo; quizá haya que elegir: no ser nada o jugar a lo que se es. Sería terrible, se dijo; seríamos seres chasqueados por naturaleza."

Lola, sin apresurarse, recorría la sala con la mirada. Su máscara dolorosa se había endurecido y fijado, parecía olvidada sobre su rostro. Pero en el fondo de los ojos lo único viviente, Mateo creyó sorprender una llama de curiosidad áspera y amenazadora que no era farsa. Lola distinguió por fin a Boris e Ivich y pareció tranquilizada. Les dirigió una larga sonrisa llena de bondad, y luego anunció con aire perdido:

—Una canción de marineros: *Johnny Palmer*.

—Me gusta esta voz –dijo Ivich–; parece un grueso terciopelo *cotelé*.

Mateo pensó: "¡Siempre *Johnny Palmer*!"

La orquesta preludió y Lola levantó sus pesados brazos; ahí está, ya hizo la cruz; y vio abrirse una boca sangrante.

¿Quién es cruel, celoso, infiel?
¿Quién hace trampas si al juego pierde?

Mateo dejó de escuchar; sentía vergüenza ante esa imagen del dolor. Aquello no era más que una imagen, bien lo sabía y sin embargo... "Yo no sé sufrir, nunca sufro bastante." Lo que había de más penoso en el sufrimiento, es que era un fantasma; uno pasaba el tiempo en correrle detrás, uno creía siempre que iba a alcanzarlo y a echársele encima y a sufrir de una buena vez apretando los dientes, pero en el momento en que lo atrapaba el dolor se escapaba y uno no encontraba ya más que un desperdigamiento de palabras y miles de razonamientos enloquecidos que hormigueaban minuciosamente: "Y eso charla dentro de mi cabeza, no deja de charlar. Daría cualquier cosa por poder callarme". Miró a Boris con envidia: detrás de esa frente esquiva debía de haber enormes silencios.

¿Quién es cruel, celoso, infiel?
Johnny Palmer.

"¡Miento!" Su decadencia, sus lamentaciones, eran mentiras, vacío, él se había lanzado hacia el vacío, hacia la superficie de sí mismo, para escapar a la insostenible presión de su verdadero mundo. Un mundo negro y tórrido que hedía a éter. En ese mundo Mateo no estaba fastidiado –nada de eso, era peor–, estaba rozagante, rozagante y criminal. Era Marcela la que quedaría fastidiada si él no encontraba cinco mil francos antes de dos días. Fastidiada del todo, sin lirismo; lo cual quería decir que pondría el huevo, o bien que se arriesgaría a reventar entre las manos de una curandera. En ese mundo el sufrimiento no era un estado de alma, y no se necesitaban palabras para expresarlo: era un aspecto de las cosas. "Cásate con ella, falso bohemio, cásate con ella, querido mío, ¿por qué no te casas?" Apostaría que va a reventar, pensó Mateo con horror. Todo el mundo aplaudió y Lola se dignó sonreír. Se inclinó y dijo:

—Una canción de la *voa de quat'sous: La novia del pirata.*

"No me gusta cuando canta eso. Margo Lión estaba mucho mejor. Más misteriosa. Lola es una racionalista, carece de misterio. Y además, demasiado buena. Me odia pero con un odio grueso, redondo, sano, con un odio de hombre honrado". Mateo escuchaba distraídamente esos pensamientos ligeros que corrían como ratones en un granero. Por debajo de ellos había un sueño opaco y triste, un mundo opaco que esperaba en silencio, Mateo recaería en él más o menos tarde. Y vio a Marcela, vio su boca dura y sus ojos extraviados: "Cásate con ella, falso bohemio, cásate con ella; ya has llegado realmente a la edad de la razón, hay que casarse".

Un navío de alto bordo,
treinta cañones por banda,
entrará en el puerto.

"¡Basta! ¡Basta!, yo encontraré el dinero, acabaré por encontrarlo, y si no, me casaré con ella; como se comprende, no soy ningún sinvergüenza, pero por esta noche, nada más que por esta noche, que me dejen en paz con todo eso, yo quiero olvidarlo; Marcela no lo olvida, está en su habitación, echada en la cama y lo recuerda todo, me VE, escucha los rumores de su cuerpo... ¿Y qué hay? Le daré mi nombre, mi vida entera, si es menester, pero esta noche es mía." Se volvió hacia Ivich, se lanzó hacia ella y ella le sonrió, pero Mateo se dio de narices con una pared de vidrio en tanto que aplaudían. "¡Otra, reclamaban, otra!" Lola no escuchó esos ruegos: tenía otro número de canciones a las dos de la mañana y se cuidaba. Saludó dos veces y se adelantó a Ivich. Las cabezas se volvían hacia la mesa de Mateo. Mateo y Boris se levantaron.

—Buenos días, mi pequeña Ivich, ¿cómo está?

—Buenos días, Lola –dijo Ivich con aire esquivo.

Lola rozó el mentón de Boris con mano ligera:

—Buenos días, crápula.

Su voz calma y grave confería a la palabra "crápula" una especie de dignidad; parecía que Lola la hubiera escogido expresamente entre las palabras torpes y patéticas de sus canciones.

—Buenos días, señora –dijo Mateo.

—Ah –dijo ella–, ¿estaba usted aquí?

Y se sentaron. Lola se volvió hacia Boris; parecía completamente a gusto.

—¿Parece que patearon a Elinor?

—Así parece.

—Fue a llorar a mi camarín. Sarrunyan estaba furioso, es la tercera vez en ocho días.

—¿Y la va a echar?

—No le faltan ganas, porque ella no tiene contrato. Pero yo le dije: si se va, me voy con ella.

—¿Y él qué dijo?

—Que Elinor podía quedarse una semana más.

Recorrió la sala con la mirada y dijo con voz alta:

—Qué público asqueroso el de esta noche.

—Toma –dijo Boris–, yo no diría lo mismo.

La vecina de Ivich, que devoraba a Lola con los ojos con toda imprudencia, se había estremecido. Mateo sintió ganas de reírse; Lola le parecía muy simpática.

—Es que tú no tienes la costumbre –dijo Lola–. Cuando entré me di cuenta de que acababan de hacer una canallada: tenían aire de camanduleros. Imagínate –agregó– que si la chica pierde el puesto no le queda más que largarse a la calle.

Ivich levantó de golpe la cabeza, con aire extraviado.

—Me importa un bledo que se largue a la calle –dijo con violencia–; eso le vendría mejor que el baile.

Hacía esfuerzo para mantener derecha la cabeza y para conservar abiertos los ojos, mortecinos y enrojecidos. Perdió algo de su aplomo y agregó con aire conciliador y acosado:

—Naturalmente, yo comprendo muy bien que tiene que ganarse la vida.

Nadie respondió y Mateo sufrió por ella: le debía de costar mucho mantener la cabeza erguida. Lola la miraba con placidez. Como si pensara: "Hija de rico". Ivich emitió una risita.

—Yo no tengo necesidad de bailar –dijo con aire picaresco.

Se le quebró la risa y se desplomó su cabeza.

—¿Qué le pasa? –dijo apaciblemente Boris.

Lola contemplaba la cabeza de Ivich con curiosidad. Al cabo de un momento adelantó su gorda manita, empuñó los cabellos de Ivich y le levantó la cabeza. Parecía enfermera.

—¿Qué pasa, chiquita mía? ¿Hemos bebido demasiado?

Apartaba como una cortina los bucles rubios de Ivich, dejando al descubierto una gruesa mejilla descolorida. Ivich entreabrió los ojos moribundos y dejó que su cabeza rodara hacia atrás. "Va a vomitar", pensó Mateo sin conmoverse. Lola tiraba a sacudidas de los cabellos de Ivich.

— ¡Abra los ojos, vamos, abra los ojos! ¿Míreme, quiere?

Los ojos de Ivich se abrieron bien grandes, brillaban de odio.

—Bueno, ahí está, ya la miro –dijo con voz clara y helada.

—Toma –dijo Lola–, no estaba usted tan borracha como parecía.

Soltó los cabellos de Ivich. Ivich levantó vivamente las manos y se aplastó de nuevo los bucles sobre las mejillas; parecía estar modelando una máscara, y en realidad su rostro en triángulo reapareció bajo sus dedos, pero quedó alrededor de su boca y de sus ojos algo de pastoso y gastado.

Permaneció un momento inmóvil, con el aire intimidante de una sonámbula, mientras que la orquesta interpretaba un "slow".

—¿Me invitas? –preguntó Lola.

Boris se levantó y se pusieron a bailar. Mateo los siguió con los ojos; no tenía ganas de hablar.

—Esa mujer me critica –dijo Ivich con aire sombrío.

—¿Lola?

—No, mi vecina. Me está criticando.

Mateo no respondió. Ivich continuó:

—Tenía tantas ganas de divertirme esta noche y... ¡ya ve! ¡Odio el champán!

"Debe odiarme a mí también, porque fui quien se lo hice beber." La vio con sorpresa tomar la botella del balde y llenarse la copa.

—¿Qué hace usted? –preguntó.

—Creo que no he tomado bastante. Hay que alcanzar cierto estado y después uno se siente bien.

Mateo pensó que hubiera debido impedirle que bebiera, pero no lo hizo. Ivich se llevó la copa a los labios e hizo una mueca de disgusto.

—Qué malo es –dijo volviendo a dejar la copa.

Boris y Lola pasaron riendo junto a la mesa.

—¿Cómo va, chiquita? –gritó Lola.

—Completamente bien ahora –dijo Ivich con amable sonrisa.

Volvió a tomar la copa de champán y la vació de un trago sin quitar los ojos de Lola. Lola le devolvió la sonrisa, y la pareja se alejó bailando. Ivich parecía fascinada.

—Se aprieta contra él –dijo con voz casi ininteligible–; es... es risible. Parece una ogresa.

—Está celosa –se dijo Mateo–, pero ¿de cuál de los dos?

Ivich estaba medio ebria, sonreía con aire maniático, muy ocupada de Boris y de Lola; se preocupaba tanto de él como de un gusano; él le servía solamente de pretexto para hablar en voz alta: sus sonrisas, sus mimos y todas las palabras que decía, se las dirigía a sí misma a través de él. "Esto debería resultarme insoportable, pensó Mateo, y me deja completamente frío."

—Bailemos –dijo bruscamente Ivich.

Mateo se sobresaltó:

—A usted no le gusta bailar conmigo.

—No importa –dijo Ivich–, estoy borracha.

Se levantó tambaleándose, estuvo a punto de caer y se agarró al borde de la mesa. Mateo la tomó en sus brazos y se la llevó; ambos entraron en un baño de vapor, y la gente se cerró sobre ellos, oscura y perfumada. Por un instante, Mateo quedó sorbido. Pero inmediatamente se recobró: marcaba el paso detrás de un negro, estaba solo, desde los primeros compases Ivich había volado, ya no la sentía.

—¡Qué liviana es usted!

Mateo bajó los ojos y miró los pies: "Hay muchos que no bailan mejor que yo", pensó. Tenía a Ivich a distancia, casi al extremo de los brazos, y no la miraba.

—Usted baila correctamente –dijo ella–, pero se ve que no le produce placer.

—Es que me intimida –dijo Mateo.

Y sonrió:

—Usted es extraordinaria; hace un momento apenas podía caminar y ahora baila como una profesional.

—Yo puedo bailar borracha como una cuba –dijo Ivich–; puedo bailar toda la noche, sin que me canse nunca.

—Me gustaría ser así.

—No podría usted.

—Ya sé.

Ivich miraba nerviosamente a su alrededor.

—No veo más a la ogresa –dijo.

—¿Lola? Detrás de usted, a la izquierda.

—Vamos hacia ellos –dijo Ivich.

Atropellaron a una pareja enclenque; el hombre les pidió perdón y la mujer les lanzó una mirada furibunda. Ivich con la cabeza vuelta a su espalda, impulsaba a Mateo a empujones. Ni Boris ni Lola los habían visto llegar. Lola tenía los ojos cerrados y sus párpados resultaban como dos manchas azules en su duro rostro; Boris sonreía, perdido en una soledad angélica.

—¿Y ahora? –preguntó Mateo.

Ivich se había vuelto casi pesada, y apenas bailaba, con los ojos fijos en su hermano y en Lola. Mateo no veía más que el lóbulo de su oreja, entre dos bucles. Boris y Lola se aproximaron, girando sobre sí mismos. Cuando estuvieron bien cerca, Ivich pellizcó a su hermano por encima del codo:

—Buenos días, Pulgarcito.

Boris abrió los ojos atónito:

—¡Eh! –dijo– Ivich, ¡no te escapes! ¿Por qué me dices eso?

Ivich no respondió, hizo dar una vuelta a Mateo, y se arregló para dar la espalda a Boris. Lola había abierto los ojos.

—¿Comprendes tú por qué me llama Pulgarcito? –le preguntó Boris.

—Me parece que lo sospecho –dijo Lola.

Boris dijo todavía algunas palabras, pero el estrépito de los aplausos cubrió su voz; el jazz había callado y los negros se apresuraban a largarse para dejar el sitio a la orquesta argentina.

Ivich y Mateo regresaron a su mesa.

—Me estoy divirtiendo locamente –dijo Ivich.

Lola ya se había sentado.

—Baila usted formidablemente –dijo a Ivich.

Ivich, sin responder, dejaba caer sobre Lola el peso de su mirada:

—Qué cargante es usted –dijo Boris a Mateo–; yo creía que no sabía bailar.

—Fue su hermana quien lo quiso.

—Pesado como es usted –dijo Boris–, debería más bien realizar danzas acrobáticas.

Hubo un silencio difícil. Ivich callaba, solitaria y rencorosa, y nadie tenía ganas de hablar. Un pequeñísimo cielo local se había formado por encima de sus cabezas, redondo, seco y sofocante. Las lámparas se encendieron. A los primeros compases del tango Ivich se inclinó hacia Lola.

—¡Venga! –dijo con voz ronca.

—Yo no sé llevar –dijo Lola.

—Yo la voy a llevar –dijo Ivich. Y agregó con aire perverso, mostrando los dientes:

—No tenga miedo, llevo como un hombre.

Ambas se levantaron, Ivich estrechó brutalmente a Lola y la empujó hacia la pista.

—Son estupendas –dijo Boris cargando su pipa.

—Sí.

Lola, sobre todo, era estupenda: tenía el aspecto de una niña.

—Mire –dijo Boris.

Sacó del bolsillo un enorme cuchillo de mango de asta y lo depositó sobre la mesa.

—Es un cuchillo vasco –explicó–; se abre a muelle.

Mateo tomó cortésmente el cuchillo y trató de abrirlo.

—¡Así no, desdichado! –dijo Boris–, ¡se va a despedazar usted!

Tomó el cuchillo, lo abrió y lo dejó cerca de su vaso.

—Es un cuchillo de caid –dijo–. ¿Ve esas manchas oscuras? El tipo que me lo vendió me juró que era sangre.

Callaron. Mateo miraba de lejos la cabeza trágica de Lola que se deslizaba sobre un mar sombrío. "No, sabía que fuera tan alta." Apartó los ojos y leyó en la cara de Boris una alegría ingenua que le partió el corazón. "Está contento porque está conmigo, pensó con remordimiento, y yo jamás encuentro nada que decirle."

—Mire la fulana que acaba de llegar. A la derecha, la tercera mesa –dijo Boris.

—¿La rubia con perlas?

—Sí, son falsas. Disimule, que nos está mirando.

Mateo lanzó una mirada sigilosa hacia una muchacha alta y bella, de aspecto frío.

—¿Qué le parece?

—Así, así.

—Se encaprichó conmigo el martes último, estaba lanzada, quería invitarme a bailar todo el tiempo. Y además de eso, me regaló su cigarrera. Lola estaba como loca, se la hizo devolver con el mozo. –Y agregó con aire discreto:

—Era de plata, con piedras incrustadas.

—Se lo está comiendo con los ojos –dijo Mateo–. ¿Qué va a hacer con ella?

—Nada –dijo con desprecio–, es una mantenida.

—¿Y qué hay? –preguntó Mateo sorprendido–. Ahora se volvió puritano, de golpe.

—No es eso –dijo Boris riendo–. No es eso, sino que las zorras, las bailarinas, las cantantes, al final son todas iguales. Si usted tiene una, las tiene a todas.

Dejó la pipa y dijo con gravedad:

—Además, yo soy casto, yo no soy como usted.

—¡Hum! –dijo Mateo.

—Ya verá –dijo Boris–, ya verá, se sorprenderá usted; voy a vivir como un monje cuando termine con Lola.

Se frotaba las manos con aire regocijado. Mateo dijo:

—Eso no se terminará tan pronto.

—El primero de julio. ¿Apostamos algo?

—Nada. Usted apuesta todos los meses que va a

romper el mes siguiente y pierde cada vez. Ya me debe cien francos, un par de anteojos gemelos, cinco Corona-Corona y la botella con barco que vimos en la calle de Seine. Usted no ha pensado nunca en romper. Lola le importa demasiado.

—Me hace usted daño en el alma –explicó Boris.

—Lo que pasa es que es más fuerte que usted –prosiguió Mateo sin alterarse–; usted no puede sentirse comprometido, porque eso lo enloquece.

—Cállese, pues –dijo Boris furioso y divertido–; tiene para un rato si quiere conseguir sus cigarros y su barco.

—Ya sé que usted no paga nunca sus deudas de honor: es usted un pobre desgraciado.

—Y usted, usted es un mediocre –respondió Boris.

Su rostro se iluminó:

—¿No le parece que es una injuria formidable para lanzarle a un tipo: señor, es usted un mediocre?

—No está mal –dijo Mateo.

—O si no, mejor todavía: ¡señor, es usted un novalor!

—No –dijo Mateo–, eso no; debilitaría usted su posición.

Boris lo reconoció de buen grado:

—Tiene razón –dijo–; usted es odioso porque siempre tiene razón.

Volvió a encender cuidadosamente su pipa.

—Para decírselo todo, tengo una idea –dijo con aire confuso y maniático–: yo querría poseer a una mujer del gran mundo.

—Toma –dijo Mateo–; ¿y por qué?

—No sé. Me imagino que debe ser estupendo; han de hacer un montón de melindres. Y además es halagador, porque las hay que tienen fama en *Vogue*. Imagínese, usted compra el *Vogue*, mira las fotos, lee: la señora condesa de Rocamadour con sus seis lebreles, y piensa: me he acostado con esta mujer ayer a la tarde. Eso ha de ser fuerte.

—Oiga, ésta le está sonriendo ahora –dijo Mateo.

—Sí es una caradura. Y es puro vicio, ¿sabe?, quiere soplarme de las manos de Lola porque no la puede tragar. Voy a darle la espalda –decidió.

—¿Y quién es el tipo que está con ella?

—Un compinche. Baila en el Alcázar. Y es hermoso, ¿eh? Mírele la trompa. Ya debe andar raspando los treinta y cinco y se da aires de querubín.

—Bueno, ¿y qué? –dijo Mateo–. Cuando usted tenga treinta y cinco años va a ser así.

—A los treinta y cinco años –dijo Boris discretamente– habré reventado hará mucho tiempo.

—Eso está bien para decirlo.

—Soy tuberculoso –dijo.

—Ya lo sé –un día Boris se había lastimado las encías limpiándose los dientes y había escupido sangre–. Ya lo sé, ¿y qué?

—Me da lo mismo ser tuberculoso –dijo Boris–. Sólo que me asquearía cuidarme. Me parece que uno no debe pasar de los treinta, porque después ya es un viejo cascote.

Miró a Mateo y agregó:

—No lo digo por usted.

—No –dijo Mateo–. Pero tiene razón; después de los treinta años uno es un viejo cascote.

—Yo querría tener dos años más y después quedarme toda la vida en esa edad; eso sí que sería bueno.

Mateo lo miró con simpatía escandalizada. Para

Boris la juventud era a la vez una calidad perecedera y gratuita de la que había que aprovecharse cínicamente, y una virtud moral de la que había que mostrarse digno. Era más aún: era una justificación. "Eso no es nada, pensó Mateo. Él *sabe* ser joven." Él solo, quizá, entre todas esas personas, estaba verdaderamente, plenamente *allí*, en ese dancing, sobre esa silla. "Y en el fondo, no es tan tonto eso: vivir su juventud a fondo y reventar a los treinta años. De todas maneras, después de los treinta años, uno es un muerto."

—Parece usted endiabladamente preocupado –dijo Boris.

Mateo se sobresaltó: Boris estaba rojo de confusión, pero miraba a Mateo con inquieta solicitud.

—¿Se nota? –preguntó Mateo.

—¡Y cómo! Vaya si se nota.

—Estoy fastidiado con el dinero.

—Se defiende usted mal –dijo Boris severamente–. Si yo tuviera su sueldo, no necesitaría pedir prestado. ¿Quiere los cien francos del barman?

—Gracias; necesito cinco mil.

Boris silbó con aire de admiración.

—¡Oh, perdón! –dijo–. ¿Y se los va a pasar su amigo Daniel?

—No puede.

—¿Y su hermano?

—No quiere.

—Ah, diablo –dijo Boris, desolado–. Si usted quisiera... –agregó con embarazo.

—Si yo quisiera, ¿qué?

—Nada, pensaba que es idiota porque Lola tiene la maleta llena de dinero y no sabe qué hacer con él.

—Yo no quiero pedirle a Lola.

—Pero puesto que yo le juro que no sabe qué hacer. Si se tratara de su cuenta en el banco, no digo que no: ella compra valores, juega a la Bolsa, pongamos que tenga necesidad de sus ahorros. Pero desde hace cuatro meses tiene siete mil francos en su casa y ni los ha tocado, ni siquiera se da tiempo para llevarlos al Banco. Le digo que se arrastran en el fondo de una maleta.

—No me comprende usted –dijo Mateo, fastidiado–. Yo no quiero pedirle a Lola, porque no me puede tragar.

—En cuanto a eso sí –dijo–, no lo puede tragar.

Boris se echó a reír:

—Ya ve.

—De cualquier modo es idiota –dijo Boris–. Usted está reventado como un piojo a causa de los cinco mil francos, los tiene a mano y no quiere tomarlos. ¿Y si yo se los pidiera como para mí?

—¡No, no! No lo haga –dijo vivamente Mateo– ella terminaría siempre por saber la verdad. En serio: ¿eh? –dijo con insistencia–; me sería desagradable que se los pidiera usted.

Boris no respondió. Había tomado su cuchillo entre dos dedos y lo había levantado con lentitud hasta la altura de su frente, con la punta hacia abajo. Mateo se sentía incómodo: "Soy innoble, pensó, no tengo derecho a hacer el hombre de honor a expensas de Marcela". Se volvió hacia Boris queriendo decirle: "Vaya, pídale el dinero a Lola". Pero no pudo arrancarse una palabra y la sangre le subió a las mejillas. Boris apartó los dedos y el cuchillo cayó. La hoja se hincó en la madera y el mango quedó vibrando.

Ivich y Lola volvían a sus asientos. Boris recogió el cuchillo y lo depositó sobre la mesa.

—¿Qué es ese horror? –preguntó Lola.

—Es un cuchillo de caid –dijo Boris–, para hacerte marchar derecha.

—Eres un pequeño monstruo.

La orquesta había atacado otro tango. Boris miró a Lola con aire sombrío.

—Oye, ven a bailar –dijo entre dientes.

—Ustedes me van a hacer reventar, uno después de otro –dijo Lola.

Su cara se había iluminado y agregó con una sonrisa feliz:

—Eres muy amable.

Boris se levantó y Mateo pensó: "Le va a pedir lo mismo el dinero". Sentíase aplastado de vergüenza y cobardemente aliviado. Ivich se sentó a su lado.

—Lola es formidable –dijo con voz enronquecida.

—Sí, es hermosa.

—¡Oh!... ¡Y además ese cuerpo! Lo conmovedora que resulta esa cabeza devastada sobre ese cuerpo florecido. Yo sentía correr el tiempo, tenía la impresión de que ella iba a marchitarse entre mis brazos.

Mateo seguía con los ojos a Boris y a Lola. Boris no había abordado aún la cuestión. Parecía bromear y Lola le sonreía.

—Es simpática –dijo Mateo distraídamente.

—¿Simpática? ¡Ah, no! –dijo ella con tono seco–. Es una individua asquerosa, una hembra.

Y agregó con orgullo:

—Yo la intimidaba.

—Ya lo vi –dijo Mateo.

Cruzaba y descruzaba nerviosamente los piernas.

—¿Quiere bailar? –preguntó.

—No –dijo Ivich–. Quiero beber. –Llenó a medias

su copa y explicó–: Es bueno beber cuando uno baila porque el baile impide la embriaguez y el alcohol la sostiene a una.

Y agregó con aire tenso:

—Es formidable lo que me divierto; tengo un buen final.

"Ya está, pensó Mateo; le está hablando." Boris había adoptado un aire serio y hablaba sin mirar a Lola. Lola no decía nada. Mateo sintió que se ponía escarlata; estaba irritado contra Boris. Los hombros de un negro gigantesco le taparon un momento la cabeza de Lola que reapareció con aire de firmeza, después cesó la música, la gente se entreabrió y Boris salió de ella, burlón y perverso. Lola le seguía algo más lejos y no parecía contenta. Boris se inclinó hacia Ivich.

—Hazme un favor: invítala –dijo rápidamente.

Ivich se levantó sin parecer sorprendida y se lanzó al encuentro de Lola.

—Oh, no –dijo Lola–, no, mi pequeña Ivich, estoy tan fatigada.

Ambas parlamentaron un instante y después Ivich se la llevó.

—¿No quiere? –preguntó Mateo.

—No –dijo Boris–, y me lo va a pagar.

Estaba descolorido y su mueca rencorosa y equívoca le daba cierto parecido con su hermana. Era una semejanza turbia y disgustante.

—No haga tonterías –dijo Mateo, inquieto.

—Me guarda usted rencor, ¿eh? –preguntó Boris–; usted me había prohibido que le hablara...

—Sería un puerco si le guardara rencor; bien sabe usted que lo he dejado hacer... ¿Por qué se niega?

—No sé –dijo Boris encogiéndose de hombros–. Puso una fea jeta y dijo que necesitaba su dinero. ¡Vaya, pues! –dijo con atónito furor–, por una vez que le pido algo... ¡Ella no se da cuenta en absoluto! ¡Una mujer de su edad debe pagar cuando quiere tener un tipo de la mía!

—¿Y cómo le presentó el asunto?

—Le dije que era para un compinche que quiere comprar un garaje. Y hasta le dije el nombre: Picard. Ella lo conoce. Y *es cierto* que quiere comprar un garaje.

—No le ha debido creer.

—No sé nada –dijo Boris–, pero lo que sé es que me lo va a pagar en seguida.

—Quédese tranquilo –gritó Mateo.

—Oh, está bien –dijo Boris con aire hostil–, eso es asunto mío.

Y fue a inclinarse ante la rubia alta que enrojeció un poco y se levantó. Cuando empezaron a bailar, Lola e Ivich pasaron cerca de Mateo. La rubia hacía dengues. Pero parecía estar sobre aviso bajo su sonrisa. Lola conservaba su calma, se adelantaba majestuosamente y las gentes se apartaban a su paso para demostrarle respeto. Ivich caminaba hacia atrás, los ojos en el cielo, inconsciente. Mateo tomó el cuchillo de Boris por la hoja, y golpeó el mango contra la mesa con golpecitos secos: aquí va a haber sangre, pensó. Lo que le importaba un bledo, además, pues pensaba en Marcela. Pensó: "Marcela, mi mujer", algo se cerró sobre él, chapoteando. Mi mujer vivirá en mi casa. Bueno. Era natural, perfectamente natural, como respirar, como tragar su saliva. Aquello lo rozaba por todas partes, déjate ir, no te crispes, sé dócil, sé natural. En mi casa. La veré todos los días de mi vida. Y pensó: "Todo está claro, yo tengo una vida".

Una vida. Miraba esas caras enrojecidas, esas lunas rojas que se deslizaban sobre cojinillos de nubes. "Ellos tienen sus vidas. Todos. Cada uno la suya. Que se estiran a través de las paredes del dancing, a través de las calles de París, a través de Francia, y se entrecruzan, se cortan y permanecen sin embargo tan rigurosamente personales como un cepillo de dientes, como una navaja, como los objetos de tocador que no se prestan. Yo lo sabía. Yo sabía que cada uno de ellos tenía su vida. Pero no sabía que yo también tuviera una." Pensaba: "Yo no hago nada y escaparé a ello. Bueno, pues me estaba zambullendo dentro". Posó el cuchillo sobre la mesa, tomó la botella y la inclinó sobre un vaso: estaba vacía. Quedaba un poco de champagne en la copa de Ivich: tomó la copa y bebió.

"He bostezado, he leído, he hecho el amor. ¡Y eso contaba! Cada uno de mis gestos suscitaba, más allá de sí mismo, en el futuro, una pequeña obstinada espera que maduraba. Esas esperas eran yo mismo; era yo quien me esperaba en las esquinas, en el cruce de los caminos, en la gran sala de la municipalidad del distrito XIV, soy yo quien me espero allí en un sillón rojo, espero que yo llegue, vestido de negro, de cuello duro, que vaya allí a reventar de calor y a decir: sí, sí, consiento en tomarla por esposa." Sacudió violentamente la cabeza, pero su vida se aferraba a su alrededor. "Lentamente, seguramente, al azar de mis humores, de mis perezas, he segregado mi caparazón. ¡Al presente, eso ha terminado y estoy emparedado, yo dondequiera! En el centro, está mi departamento con mi persona dentro, en medio de mis sillones de cuero verde; fuera está la calle de la Gaité, en un solo sentido porque yo la bajo siempre, la avenida del Maine, y todo París en redondo alrededor de mí, el Norte delante, el Sur detrás, el Panteón a mi derecha, la torre Eiffel a mano izquierda, la puerta de Clignancourt frente a mí, y en medio de la calle Vercingetórix, un agujerito satinado de rosa, la habitación de Marcela, mi mujer, y Marcela está dentro, desnuda, y me espera. Y luego, alrededor de París, Francia surcada de caminos de una sola mano, y luego mares teñidos de azul o de negro, el Mediterráneo de azul el Mar del Norte de negro, la Mancha de color café con leche, y luego los países, Alemania, Italia –España está de blanco porque no he ido allí a batirme– y después ciudades redondas a distancias fijas de mi aposento, Tombuctú, Toronto, Kazan, Nijni-Novgorod, inmutables como límites. Yo voy, yo me voy, yo me paseo, vago, pero por mucho que vague ésas no son más que vacaciones de universitario, dondequiera que vaya transporto mi caparazón conmigo, me quedo *en casa*, en mi aposento, en medio de mis libros, no me aproximo ni en un centímetro a Marrakech, o a Tombuctú. Aun si tomara el tren, el vapor, el ómnibus, si fuera a pasar, mis vacaciones a Marruecos, si llegara súbitamente a Marrakech, estaría siempre en mi aposento, en casa. Y si fuera a pasearme por las plazas, por los zocos, si estrechara el hombro de un árabe para tocar en él a Marrakech, ¡bueno!, pues ese árabe estaría en Marrakech y yo no, yo estaría siempre sentado en mi aposento apacible y meditativo como lo he elegido, a tres mil kilómetros del marroquí y de su albornoz. En mi aposento. Para siempre. Para siempre el antiguo amante de Marcela y ahora su marido el profesor; para siempre aquel que no aprendió inglés, que no se adhirió al Partido Comunista, que no ha estado en España, para siempre."

"Mi vida." Su vida lo rodeaba. Era un curioso objeto sin comienzo ni fin, que no era infinito sin embargo. Él la recorría con los ojos desde una municipalidad a la otra, desde la municipalidad del XVIII, donde había comparecido en octubre de 1923 ante el consejo de revisión militar, hasta la municipalidad del XIV, donde iba a casarse con Marcela en el mes de agosto o en el mes de septiembre de 1948; tenía un sentido vago y vacilante como las cosas naturales, una tenacidad sosa, un olor de polvo y de violetas.

"He llevado una vida desdentada, pensó. Una vida desdentada. Jamás he mordido, esperaba, me reservaba para más tarde, y acabo de darme cuenta de que ya no tengo dientes. ¿Qué hacer? ¿Romper el caparazón? Eso es fácil de decir. Y además, ¿qué quedaría? Una pequeña goma viscosa que se arrastraría en el polvo, dejando tras de sí una huella brillante."

Levantó los ojos y vio a Lola, que tenía en los labios una sonrisa perversa. Y miró a Ivich: bailaba con la cabeza echada hacia atrás, perdida, sin piedad, sin porvenir: "Ella no tiene caparazón". Bailaba, estaba ebria, no pensaba en Mateo, en absoluto. Lo mismo que si nunca hubiera existido. La orquesta se había puesto a interpretar un tango argentino. Mateo conocía bien ese tango: era "Murió mi caballo",[1] pero miraba a Ivich y le parecía que oía ese aire triste y rudo por primera vez. "Jamás será mía, jamás entrará en mi caparazón." Sonrió, sentía un dolor humilde y refrescante, contempló tiernamente ese pequeño cuerpo rabioso y frágil donde había encallado su libertad: "Mi querida Ivich,

[1] El autor, sin duda mal informado, menciona obstinadamente el nombre del supuesto tango, como "mio caballo murrio". *N. del T.*

mi querida libertad." Y de golpe, por encima de su cuerpo roñoso, por encima de su vida, se puso a planear una pura conciencia, una conciencia sin yo, apenas un poco de aire cálido; planeaba, era una mirada al falso bohemio, al pequeño burgués aferrado a sus comodidades, al intelectual frustrado, "no revolucionario, rebelde", al soñador abstracto rodeado de su vida blanda, y lo juzgaba. "Este tipo está deshecho; él se lo ha buscado." Y ella ella no era solidaria de nadie, giraba en la girante pompa, aplastada, perdida, sufriendo allá lejos en la cara de Ivich, toda resonante de música, efímera y desolada. Una conciencia roja, un sombrío y pequeño lamento, *mi caballo murió*; era capaz de todo, de desesperarse *realmente* por los españoles, de decidir cualquier cosa. Si pudiera durar así... Pero no podía durar: la conciencia se hinchaba, se hinchaba, calló la orquesta y ella estalló. Mateo volvió a encontrarse solo consigo mismo, en el fondo de su vida, seco y duro; ya no se juzgaba ni se aceptaba tampoco, él era Mateo, he ahí todo: "Un éxtasis más. ¿Y después, qué?"

Boris volvió a su sitio, no parecía muy gallardo. Dijo a Mateo:

—¡Caray!

—¿Eh? –preguntó Mateo.

—La rubia. Es una individua asquerosa.

—¿Qué ha hecho?

Boris frunció el ceño y se estremeció sin responder. Ivich volvió a sentarse junto a Mateo. Estaba sola. Boris recorrió la sala con la mirada, y descubrió a Lola cerca de los músicos, hablando con Sarrunyan. Sarrunyan parecía atónito, después lanzó una ojeada sigilosa hacia la rubia alta que se abanicaba descuidadamente. Lola le sonrió y cruzó la sala. Cuando se sentó, tenía un aire muy raro. Boris miró con afectación su zapato derecho y hubo un pesado silencio.

—¡Esto es demasiado –gritó la rubia–, usted no tiene derecho, no me marcharé!

Mateo se sobresaltó y todo el mundo se volvió. Sarrunyan se había inclinado obsequiosamente hacia la rubia, como un "maître d'hôtel" que toma el pedido, y le hablaba en voz baja, con aire tranquilo y duro. La rubia se levantó de golpe.

—Ven –dijo a su tipo.

Hurgó en la cartera. Le temblaban las comisuras de la boca.

—No, no –dijo Sarrunyan–, soy yo quien la invita.

La rubia arrugó un billete de cien francos y lo arrojó sobre la mesa. Su compañero se había levantado y miraba con reprobación el billete de cien francos. Después la rubia tomó su brazo y ambos partieron con la cabeza alta, contoneando del mismo modo las caderas.

Sarrunyan se adelantó hacia Lola silboteando.

—Tardará antes de volver –dijo con sonrisa divertida.

—Gracias –dijo Lola–. No hubiera creído que fuera tan fácil.

Sarrunyan se marchó. La orquesta argentina había abandonado la sala y los negros entraban uno a uno con sus instrumentos. Boris fijó en Lola una mirada de furor y de admiración y luego se volvió bruscamente hacia Ivich.

—Ven a bailar –dijo.

Lola los miró con aire apacible mientras se levantaban. Pero cuando se hubieron alejado, su rostro se descompuso de golpe, Mateo le sonrió:

—Hace usted lo que quiere en la "boîte" –dijo.

—Me los domino –dijo ella con indiferencia–. La gente viene acá por mí.

Sus ojos seguían inquietos y se puso a golpetear nerviosamente sobre la mesa. Mateo no sabía ya qué decirle. Felizmente, ella se levantó al cabo de un momento.

—Excúseme –dijo.

Mateo la vio dar vuelta a la sala y desaparecer. Pensó: "Es la hora de la droga". Estaba solo. Ivich y Boris bailaban tan puros como un aire de música y apenas menos implacables. Volvió la cabeza y se miró los pies. El tiempo transcurrió. Él no pensaba en nada. Una especie de queja ronca lo hizo sobresaltarse. Lola había vuelto, tenía los ojos cerrados y sonreía: "Tiene lo suyo", pensó. Ella abrió los ojos y se sentó sin dejar de sonreír.

—¿Sabía usted que Boris tuviera necesidad de cinco mil francos?

—No –dijo él–. No lo sabía. ¿Necesita cinco mil francos?

Lola lo seguía mirando y oscilaba de adelante a atrás. Mateo veía dos gruesas pupilas verdes, con puntillos minúsculos.

—Acabo de negárselos –dijo Lola–. Él dice que es para Picard y pensé que se hubiera dirigido a usted.

Mateo se echó a reír:

—Él sabe que yo nunca tengo un centavo.

—¿Entonces usted no estaba al corriente? –preguntó Lola con aire incrédulo.

—¡Claro que no!

—¡Toma –dijo–, es extraño!

Daba la impresión de que iba a derrumbarse con la cáscara al aire, como un viejo trasto, o bien que su boca iba a desgarrarse y a dejar salir un grito enorme.

—¿Él fue a su casa hoy? –preguntó.

—Sí, a eso de las tres.

—¿Y no le habló de nada?

—¿Qué tiene de notable? Pudo encontrarse con Picard esta tarde.

—Es lo que me dijo.

—Bueno, ¿y entonces?

Lola se encogió de hombros.

—Picard trabaja todo el día en Argenteuil.

Mateo dijo con indiferencia:

—Si Picard tenía necesidad de dinero, ha debido pasar por el hotel de Boris. No lo habrá encontrado y luego le ha caído encima al bajar el bulevar Saint-Michel.

Lola lo miró irónicamente.

—¿Usted cree que Picard iría a pedirle cinco mil francos a Boris que no tiene más que trescientos francos mensuales para gastos personales?

—Entonces no sé –dijo Mateo, exasperado.

Tenía ganas de decirle: "El dinero era para mí". Con eso hubiera acabado de una vez. Pero no era posible a causa de Boris. "Ella le guardaría un rencor terrible, y él parecería haber sido mi cómplice." Lola golpeteaba la mesa con la punta de sus uñas escarlatas, las comisuras de su boca se levantaban bruscamente, temblaban un poco y recaían. Espiaba a Mateo con una insistencia inquieta, pero bajo esa cólera en acecho, Mateo adivinaba un grande y turbio vacío. Sintió deseos de reír.

Lola apartó los ojos:

—¿No será más bien una prueba? –preguntó.

—¿Una prueba? –repitió Mateo atónito.

—Me lo pregunto.

—¿Una prueba? ¡Qué extraña idea!

—Ivich le dice todo el tiempo que yo soy avara.

—¿Quién le ha dicho eso?

—¿Le asombra que yo lo sepa? –dijo Lola con aire de triunfo–. Es que es un chico leal. No se vaya a imaginar que pueden hablarle mal de mí sin que me lo cuente. Todas las veces me doy cuenta, nada más que en la forma como me mira. O bien me plantea cuestiones con aire disimulado. Imagínese si no lo veo venir desde lejos. Es más fuerte que él mismo, eso: quiere tener el corazón tranquilo.

—¿Y entonces?

—Ha querido ver si yo era avara. Ha inventado ese truco de Picard. A menos que no se lo hayan soplado.

—¿Quién quiere usted que se lo soplara?

—Qué sé yo. Hay muchos que piensan que yo soy una vieja macaca y que él es un gigoló. No hay más que ver las caras de las mujerzuelas de aquí cuando nos ven juntos.

—¿Y usted se imagina que él se ocupa de lo que ellas le dicen?

—No, pero hay gentes que creen proceder por su bien calentándole la cabeza.

—Escuche –dijo Mateo–, no vale la pena andarse con rodeos: si lo dice por mí, usted se equivoca.

—Ah –dijo Lola fríamente–. Es muy posible. –Hubo un silencio y después ella preguntó fríamente:

—¿Cómo se explica que siempre haya escenas cuando usted viene acá con él?

—No sé. Yo no hago nada para eso. Hoy yo no quería venir… Me imagino que él nos aprecia a cada uno de nosotros de diferente manera y que le incomoda vernos a los dos al mismo tiempo.

Lola miraba fijamente hacia adelante con aire sombrío y tenso. Por fin dijo:

—Acuérdese bien de esto: yo no quiero que me lo quiten. Estoy segura de que no le hago mal alguno. Cuando se canse de mí, podrá dejarme, y eso ocurrirá demasiado pronto. Pero no quiero que los demás me lo quiten.

"Se está desinflando", pensó Mateo. Naturalmente que era la influencia de la droga. Pero había otra cosa: Lola odiaba a Mateo y sin embargo no se hubiera atrevido a decir a otros lo que le decía en ese momento. Entre ella y él, pese al odio, había una especie de solidaridad.

—Yo no quiero quitárselo –dijo.

—Me parecía –dijo Lola con aire de firmeza.

—Bueno, pues no le tiene que parecer. Sus relaciones con Boris no me conciernen. Y si me concernieran, me parecería que están muy bien así.

—Yo me decía: él se cree con responsabilidades porque es su profesor.

Se calló y Mateo comprendió que no la había convencido. Lola parecía buscar sus palabras.

—Yo... yo sé que soy una vieja –continuó ella penosamente–; no lo he esperado a usted para darme cuenta. Pero por eso mismo puedo ayudarlo: hay cosas que yo puedo enseñarle –agregó con desafío–. Y además, ¿quién le dice que sea demasiado vieja para él? Él me ama como soy y es feliz conmigo cuando no le meten todas esas ideas en la cabeza.

Mateo callaba. Lola exclamó con una violencia insegura:

—Pero sin embargo usted debía saber que me ama. Él ha tenido que decírselo, puesto que se lo dice todo.

—Yo creo que la ama –dijo Mateo.

Lola volvió hacia él sus ojos pesados:

—Me las he visto de todos los colores y no me ilusiono, pero yo le digo a usted que ese chiquillo es mi última oportunidad. Después de esto, haga lo que quiera.

Mateo no respondió de inmediato. Miraba a Boris a Ivich que bailaban y tenía ganas de decir a Lola: "No disputemos, ya ve usted que somos iguales". Pero esta semejanza lo asqueaba un poco; había en el amor de Lola, pese a su violencia, pese a su pureza, algo de blanduzco y voraz. Dijo sin embargo, entre dientes:

—Usted me dice eso... Pero si yo lo sé tan bien como usted.

—¿Por qué tan bien como yo?

—Porque somos iguales.

—¿Qué quiere decir con eso?

—Mírenos –dijo él– y mírelos.

Lola hizo una mueca desprecativa:

—No somos iguales –dijo.

Mateo se encogió de hombros y ambos callaron, sin reconciliarse. Los dos miraban a Boris e Ivich. Boris e Ivich bailaban y eran crueles sin saberlo siquiera. O puede que lo supieran un poco. Mateo estaba sentado junto a Lola, y ninguno de los dos bailaba porque eso no era ya enteramente de su edad. "Deben de tomarnos por dos amantes", pensó él. Y oyó a Lola murmurar para sí misma: "Si al menos estuviera segura de que es para Picard".

Boris e Ivich volvían hacia ellos, Lola se levantó con esfuerzo. Mateo creyó que iba a caerse, pero se apoyó en la mesa y aspiró profundamente.

—Ven –dijo ella a Boris–, tengo que hablarte.

Boris pareció mal dispuesto.

—¿No puedes hacerlo aquí?

—No.

—Bueno, pues espera que la orquesta toque y bailaremos.

—No –dijo Lola–, estoy fatigada, Vas a venir a mi camarín. ¿Me perdona usted, mi pequeña Ivich?

—Yo estoy borracha –dijo Ivich amablemente.

—Volveremos en seguida –dijo Lola–, y además pronto llegará mi número de canto.

Lola se alejó y Boris la siguió de mala gana. Ivich se dejó caer sobre su silla.

—Es cierto que estoy borracha –dijo–; me he puesto así bailando.

Mateo no contestó.

—¿Por qué se marchan ésos? –preguntó Ivich.

—Van a explicarse. Y además, Lola acaba de doparse. Ya sabe usted que después de la primera dosis no tienen más que una idea, tomar la segunda.

—Me parece que me gustaría doparme –dijo Ivich, pensativa.

—Naturalmente.

—Bueno, ¿y qué? –dijo ella, indignada–. Si he de quedarme en Laon toda la vida, será preciso que me ocupe de eso.

Mateo callaba.

—Ah, ya sé –dijo ella–. Me guarda rencor porque estoy borracha.

—Nada de eso.

—Sí, usted lo reprueba.

—¿Por qué habría de hacerlo? Además, usted no está tan borracha.

—Estoy for-mi-da-ble-men-te borracha –dijo Ivich con satisfacción.

La gente empezaba a marcharse. Serían las dos de la mañana. En su camarín, una piecita roñosa y tapizada de terciopelo rojo con un viejo espejo de marco dorado, Lola amenazaba y suplicaba: ¡Boris! ¡Boris! ¡Boris! Tú me vuelves loca. Y Boris bajaba la nariz, temeroso y testarudo. Un largo traje negro agitándose entre paredes rojas, y el brillo negro del traje en el espejo, y el subir de dos hermosos brazos blancos que se retorcían con anticuado patetismo. Y después Lola pasaría inmediatamente detrás de una mampara, y allí, con abandono, la cabeza echada hacia atrás como para detener una hemorragia nasal, respiraría dos pellizcos de polvo blanco. La frente de Mateo chorreaba, pero no se atrevía a enjugársela y estaba avergonzado de transpirar delante de Ivich; ella había bailado sin cesar y permanecía pálida, no transpiraba. Esa misma mañana ella había dicho: "Tengo horror de todas esas manos húmedas". Y él no supo ya qué hacer con sus manos. Se sentía débil y cansado, no tenía deseo alguno, no pensaba ya en nada. De cuando en cuando se decía que el sol iba a salir bien pronto, y que tendría que recomenzar sus diligencias, telefonear a Marcela, a Sarah, vivir de cabo a rabo una nueva jornada y aquello le parecía increíble. Le hubiera gustado permanecer indefinidamente sentado en esa mesa, bajo esas luces artificiales, al lado de Ivich.

—Yo me divierto –dijo Ivich con voz borracha.

Mateo la miró: estaba en ese estado de exaltación alegre que una nada basta para transformar en furor.

—Me río de los exámenes –dijo Ivich– y me alegraré de que me suspendan. Esta noche, entierro mi vida de soltera.

Sonrió y dijo con aire extasiado:

—Brilla como un diamantito.

—¿Qué es lo que brilla como un diamantito?

—Este momento. Es bien redondo, está suspendido en el vacío como un diamantito y yo soy eterna.

Tomó el cuchillo de Boris por el mango, apoyó la hoja contra el reborde de la mesa y se entretuvo en doblarlo:

—¿Y ésa qué es lo que tiene? –preguntó de pronto.

—¿Quién?

—La mujer de negro, a mi lado. Desde que está aquí no ha dejado de criticarme.

Mateo volvió la cabeza: la mujer de negro miraba a Ivich de reojo.

—¿Y qué? –preguntó Ivich. –¿No es cierto?

—Me parece que sí.

Vio la carita malhumorada de Ivich toda encogida, con ojos rencorosos y vagos, y pensó: "Hubiera hecho mejor callándome". La mujer de negro había comprendido muy bien que hablaban de ella: adoptó un aire majestuoso y su marido se despertó, mirando a Ivich con sus ojos saltones. "Qué aburrimiento", pensó Mateo. Se sentía perezoso y cobarde, y hubiera dado cualquier cosa con tal de no tener historias.

—Esta mujer me desprecia porque ella es decente –farfulló Ivich dirigiéndose a su cuchillo–. Yo no soy decente, yo me divierto, me emborracho, voy a hacer que me suspendan en el P.C.B. Yo odio la decencia –dijo de pronto en voz alta.

—Cállese, Ivich, se lo ruego.

Ivich lo miró con aire helado.

—¿Me hablaba? –dijo–. Es cierto, usted también es decente. No tenga miedo; cuando yo haya pasado diez años en Laon, entre mi padre y mi madre, seré todavía mucho más decente que usted.

Se había aplastado sobre su silla, apoyaba obstinadamente la hoja del cuchillo contra la mesa y la hacía doblarse con aire de loca. Hubo un pesado silencio y después la mujer de negro se volvió a su marido:

—Yo no comprendo que nadie se comporte como esa chiquita –dijo.

El marido miró temerosamente los hombros de Mateo:

—¡Hem! –dijo.

—La culpa no es sólo de ella –prosiguió la mujer–. Los culpables son los que la han traído aquí.

"Ya está, pensó Mateo; ya tenemos escándalo." Ivich había oído con toda seguridad, pero no dijo nada, era juiciosa. Demasiado juiciosa: parecía espiar algo, había levantado la cabeza y adoptó un extraño visaje, maniático y regocijado.

—¿Qué pasa? –preguntó Mateo con inquietud.

Ivich se había puesto completamente pálida:

—Nada. Estoy… estoy cometiendo una nueva indecencia para divertir a esa señora. Quiero ver cómo soporta la vista de la sangre.

La vecina de Ivich lanzó un ligero grito y parpadeó. Mateo miró precipitadamente las manos de Ivich. Tenía el cuchillo con su mano derecha y se hendía la palma de la mano izquierda con toda aplicación. Su carne se había abierto desde la pulpa del pulgar hasta la raíz del meñique y la sangre brotaba suavemente.

—¡Ivich! –exclamó Mateo–, ¡sus pobres manos!

Ivich reía sarcástica con aspecto vago:

—¿Cree usted que se va a desmayar? –le preguntó.

Mateo alargó la mano por encima de la mesa, e Ivich le dejó tomar el cuchillo sin resistencia. Mateo estaba desesperado; miraba los delgados dedos de Ivich que la sangre embadurnaba ya y pensaba que a ella le dolía la mano.

—¡Usted está loca! –dijo–. Venga conmigo al tocador, la encargada del baño la va a curar.

—¿Curarme? –Ivich emitió una risa perversa–. ¿Se da cuenta de lo que dice?

Mateo se levantó.

—Venga, Ivich, se lo ruego, venga rápido.

—Es una sensación muy agradable –dijo Ivich, sin levantarse–. Yo creía que mi mano era un pan de manteca.

Había alzado la mano izquierda hasta su nariz y la miraba con ojos críticos. La sangre chorreaba por todas partes; se hubiera dicho el vaivén de un hormiguero.

—Es mi sangre –dijo ella–. Me gusta mucho ver mi sangre.

—¡Basta ya! –dijo Mateo.

Cogió a Ivich por el hombro, pero ella se desprendió violentamente y una gruesa gota de sangre cayó sobre el mantel. Ivich miraba a Mateo con ojos brillantes de odio.

—¿Y usted se permite *todavía* tocarme? –preguntó ella. Y agregó con risa insultante–: Hubiera debido imaginarme que esto le parecería excesivo. A usted le escandaliza que uno pueda divertirse con su sangre.

Mateo sintió que palidecía de furor. Se volvió a sentar, extendió la mano izquierda chata sobre la mesa, y dijo suavemente:

—¿Excesivo? Nada de eso, Ivich, lo encuentro encantador. Es un juego a propósito para señoritas de la nobleza, ¿supongo?

Se plantó el cuchillo de un solo golpe en la palma y no sintió casi nada. Cuando lo soltó, el cuchillo permaneció clavado en su carne, bien derecho, con el mango en el aire.

—¡Ah, ¡Ah! –dijo Ivich, horrorizada–, ¡sáquelo! ¡Sáquelo, pues!

—Ya ve –dijo Mateo con los dientes apretados– que es algo al alcance de todo el mundo.

Se sentía dulce y macizo y tenía un poco de miedo de desvanecerse. Pero había en él algo como una satisfacción obstinada y una maliciosa mala voluntad de cangrejo. No era sólo por desafiar a Ivich por lo que se había dado la cuchillada; aquello era también un desafío a Santiago, a Brunet, a Daniel, a su vida: "Soy un imbécil, pensó; Brunet tiene mucha razón en decir que soy un niño viejo." Pero no podía dejar de sentirse contento. Ivich miraba la mano de Mateo que parecía clavada sobre la mesa y la sangre que brotaba alrededor de la hoja. Después miró a Mateo con la cara completamente cambiada y dijo dulcemente:

—¿Por qué ha hecho eso?

—¿Y usted? –preguntó Mateo con rigidez.

A su izquierda había un pequeño tumulto amenazante: era la opinión pública. A Mateo le importaba un bledo; miraba a Ivich.

—Oh –dijo Ivich–, lo… lo lamento tanto.

El tumulto creció y la dama de negro se puso a chillar:

—Están ebrios, van a estropearse, hay que impedírselo, yo no puedo ver eso.

Algunas cabezas se volvieron y el mozo acudió:

—¿Desea algo la señora?

La mujer de negro se apretaba un pañuelo sobre la boca, e indicó a Mateo e Ivich sin una palabra. Mateo arrancó rápidamente el cuchillo de la herida; aquello le hizo mucho daño.

—Nos hemos herido con este cuchillo.

El mozo se las había visto en peores:

—Si el señor y la señora quieren pasar al tocador –dijo sin alterarse–, la encargada del vestuario tiene todo lo que se necesita.

Esta vez Ivich se levantó dócilmente. Ambos cruzaron la pista detrás del mozo, teniendo cada uno su mano en el aire; aquello era tan cómico que Mateo se echó a reír. Ivich lo miró con aire inquieto y luego se puso a reír también. Se reía tan fuerte que le temblaba la mano. Dos gotas de sangre cayeron en el piso.

—¡Qué divertido! –dijo Ivich.

—¡Dios mío! –exclamó la encargada del vestuario–, mi pobre señorita, ¡qué se ha hecho usted! ¡Y el pobre señor!

—Hemos estado jugando con un cuchillo –dijo Ivich.

—¡Vea usted! –dijo la mujer del vestuario indignada–. ¡Un accidente ocurre tan fácil! ¿Era un cuchillo de la casa?

—No.

—¡Ah! Ya me parecía… Y es bastante profundo –dijo examinando la herida de Ivich–. No se inquiete, yo voy a arreglarlo todo.

Abrió un armario e hizo desaparecer en él la mitad de su cuerpo. Mateo e Ivich se sonreían. Ivich parecía estar lúcida.

—No hubiera creído que fuera capaz de hacer eso –dijo a Mateo.

—Ya ve que no todo está perdido –dijo Mateo.

—Ahora esto me duele –dijo Ivich.

—A mí también.

Mateo era feliz. Leyó: "Damas" y después "Caballe-

ros" en letras de oro sobre dos puertas pintadas al ripo-
lín en gris cremoso, miró el suelo de cuadrados blancos,
respiró un olor de desinfectante y su corazón se dilató:

—No debe ser tan desagradable ser encargada del
vestuario –dijo con ímpetu.

—¡Claro que no! –dijo Ivich, expansiva.

Ella lo miraba con aire de tierna rusticidad, vaciló
un instante, y después aplicó de pronto la palma de su
mano izquierda contra la palma herida de Mateo. Hubo un húmedo chasquido.

—Esto es la mezcla de las sangres –explicó ella.

Mateo le apretó la mano sin decir palabra, y sintió
un vivo dolor; tenía la impresión de que en su mano se
abriera una boca.

—Me hace usted mucho daño –dijo Ivich.

—Ya lo sé.

La encargada del vestuario había salido del armario
un poco congestionada. Abrió una caja de hojalata:

—Aquí está la cosa –dijo.

Mateo vio un frasco de tintura de iodo, unas agujas,
unas tijeras y tiras de gasa Velpeau.

—Está usted bien provista –dijo.

Ella inclinó la cabeza con gravedad:

—¡Ah!, es que hay días en que la cosa no está para
bromas. Anteayer una mujer le tiró un vaso a la cabeza
a uno de nuestros buenos clientes. Cómo sangraba ese
señor, cómo sangraba, yo temía por sus ojos y le retiré
una gran esquirla de vidrio de la ceja.

—Diablo –dijo Mateo.

La encargada del vestuario se afanaba en torno a
Ivich:

—Un poco de paciencia, preciosa, esto nos va a ar-
der un poco, porque es tintura de iodo; así, ya está.

—¿Me... me dirá usted si soy indiscreta? –preguntó Ivich a media voz.

—Sí.

—Querría saber en qué pensaba usted cuando yo bailaba con Lola.

—¿Hace un momento?

—Sí, en el momento en que Boris invitó a la rubia. Usted se quedó solo en su rincón.

—Creo que pensaba en mí mismo –dijo Mateo.

—Yo lo estaba mirando, estaba usted... casi hermoso. ¡Si pudiera conservar siempre esa cara!

—Uno no puede pensar siempre en sí mismo.

Ivich se rió.

—Yo creo que siempre estoy pensando en mí misma.

—Deme su mano, señor –dijo la encargada del vestuario–. Cuidado, esto le va a quemar. ¡Así! ¡Así!, no será nada.

Mateo sintió una fuerte quemadura, pero no le prestó atención; miraba a Ivich que se peinaba sin habilidad ante el espejo, reteniendo los bucles en su mano vendada.

Acabó por echarse los cabellos hacia atrás, y su ancho rostro apareció completamente desnudo. Mateo se sintió henchir por un deseo áspero y desesperado.

—Qué hermosa es usted –dijo.

—Nada de eso –dijo Ivich, riendo–; yo soy horriblemente fea, por el contrario. Ésa es mi cara secreta.

—Yo creo que me gusta todavía más que la otra –dijo Mateo.

—Mañana me voy a peinar así –dijo ella.

Mateo no encontró nada que contestar. Inclinó la cabeza y se calló.

—Ya está –dijo la encargada del vestuario

Mateo advirtió que ella tenía un bigote gris.

—Muchas gracias, señora, es usted hábil como una enfermera.

La señora del tocador enrojeció de placer:

—Oh –dijo–, es natural. En nuestro oficio hay muchas tareas delicadas.

Mateo puso diez francos en un platillo y ambos salieron. Los dos miraban con satisfacción sus manos voluminosas y vendadas.

—Es como si tuviera una mano de madera –dijo Ivich.

El dancing estaba casi desierto. Lola, de pie en medio de la pista, iba a cantar. Boris estaba sentado a la mesa y los esperaba. La señora de negro y su marido habían desaparecido. Quedaban sobre la mesa dos copas a medio llenar y una docena de cigarrillos en un paquete abierto.

—Esto es una derrota –dijo Mateo.

—Sí –dijo Ivich–, la he vencido.

Boris los miraba con aire divertido.

—Se han hecho pedazos –dijo.

—Con tu asqueroso cuchillo –dijo Ivich con fastidio.

—Parece que corta muy bien –dijo Boris, que miraba sus manos como aficionado.

—¿Y Lola? –preguntó Mateo.

Boris se ensombreció.

—Eso anda muy mal. He dicho una estupidez.

—¿Qué?

—Le dije que Picard había ido a casa y que lo había recibido en mi habitación. Parece que había dicho otra cosa la primera vez, yo qué diablos sé.

—Usted había dicho que lo encontró en el bulevar Saint-Michel.

—¡Ayyy! –dijo Boris.

—¿Y está furiosa?

—¡Vaya! Como un demonio. No tiene más que mirarla.

Mateo miró a Lola. Tenía una cara rencorosa y desolada.

—Perdóneme –dijo Mateo.

—No tengo nada que perdonarle: es culpa mía. Y además, eso se arreglará, ya estoy acostumbrado. Siempre acaba por arreglarse.

Callaron. Ivich miraba tiernamente su mano vendada. El sueño, la frescura, el alba gris, se habían deslizado en la sala, impalpablemente; el dancing olla a madrugada. "Un diamante, pensaba Mateo; ella dijo: un diamantito." Era feliz, no pensaba ya nada sobre sí mismo, tenía la impresión de estar sentado afuera en un banco: fuera, fuera del dancing, fuera de su vida. Sonrió: "También ha dicho ella lo otro. Ha dicho: yo soy eterna…"

Lola comenzó a cantar.

XII

"En el 'Dôme', a las diez." Mateo se despertó. Ese pequeño montículo de gasa blanca, en la cama, era su mano izquierda. Le dolía, pero su cuerpo estaba alegre. "En el 'Dôme', a las diez." Ella le había dicho: "Yo estaré antes que usted; no voy a poder pegar los ojos en toda la noche". Eran las nueve y Mateo saltó de la cama. "Se va a cambiar de peinado", pensó.

Empujó las persianas: la calle estaba desierta, el cielo bajo y gris, hacía menos calor que la víspera, era una verdadera mañana. Abrió la canilla del lavabo y sumergió la cabeza en el agua: yo también estoy mañanero. Su vida había caído a sus pies en pesados pliegues y lo rodeaba aún, le sujetaba los tobillos, pero saltaría por encima y la dejaría tras sí como una piel muerta. La cama, el escritorio, la lámpara, el sillón verde, ésos no eran ya sus cómplices sino objetos anónimos de hierro y de madera, meros utensilios; él había pasado la noche en una habitación de hotel. Se vistió y bajó la escalera silbando.

—Hay una carta para usted –dijo la portera.

¡Marcela! Mateo sintió en la boca un sabor amargo: había olvidado a Marcela. La portera le tendió un sobre amarillo: era de Daniel.

"Mi querido Mateo –escribía Daniel– he buscado por todas partes, pero decididamente no puedo reunir la suma que me pides. Créeme que lo lamento. ¿Quieres pasar por casa a mediodía? Querría conversar contigo de tu asunto. Amistosamente tuyo."

"Bueno, pensó Mateo, iré a verlo. No quiere largarlos él, pero habrá encontrado una combinación." La vida le parecía fácil, era *menester* que fuera fácil: de todas maneras, Sarah se encargaría de obtener que el médico tuviera paciencia por unos días; en caso necesario se le mandaría el dinero a América.

Ivich estaba allí, en un rincón oscuro. Él vio ante todo su mano vendada.

—¡Ivich! –dijo con dulzura.

Ella levantó los ojos hacia él: tenía su rostro mentiroso y triangular su maligna y pequeña pureza y sus bucles le ocultaban la mitad de las mejillas: no se había levantado el cabello.

—¿Durmió usted algo? –preguntó Mateo tristemente.

—Apenas.

Mateo se sentó. Ella vio que él miraba las vendadas manos de ambos, retiró lentamente la suya y la escondió debajo de la mesa. Se acercó el mozo, que conocía mucho a Mateo.

—¿Cómo está, señor? –preguntó.

—Bien –dijo Mateo–. Deme un té y dos manzanas.

Hubo un silencio que Mateo aprovechó para amortajar sus recuerdos de la noche. Cuando sintió que su corazón estaba desierto, levantó la cabeza:

—No parece estar muy bien. ¿Es por ese examen?

Ivich sólo respondió con una mueca despreciativa, y Mateo se calló mirando las banquetas vacías. Una mujer arrodillada lavaba el piso con mucha agua. El "Dôme" acababa de despertarse, era por la mañana. ¡Quince horas antes de poder dormir! Ivich empezó a hablar en voz baja con aire atormentado:

—Es a las dos –dijo–, y ya son las nueve. Siento que las horas se desploman sobre mí.

Recomenzaba a tironearse los rizos con aire maniático; era insoportable.

—¿Cree que me aceptarían como vendedora en un almacén? –dijo.

—Ni piense en eso, Ivich, es matador.

—¿Y maniquí?

—Es usted un poco bajita, pero se podría ensayar...

—Haré cualquier cosa con tal de no quedarme en Laon. Sería lavaplatos. –Agregó con aire preocupado y envejecido–: ¿En casos así uno pone anuncios en los periódicos?

—Escuche, Ivich, tenemos tiempo de volvernos. De todas las maneras, todavía no la han suspendido.

Ivich se encogió de hombros y Mateo continuó vivamente:

—Pero aun cuando la suspendieran no estaría usted perdida. Por ejemplo, podría volver a su casa por un par de meses, y durante ese tiempo yo buscaría y le encontraría seguramente alguna cosa.

Hablaba con un aire de convicción bonachona, pero no tenía ninguna esperanza, aun procurándole un empleo, ella se haría despedir al cabo de una semana.

—Dos meses en Laon –dijo Ivich con cólera–. Bien se ve que usted habla sin saber. Es… es insoportable.

—De todas las maneras, habría pasado usted allí sus vacaciones.

—Sí, ¿pero qué acogida van a dispensarme ahora?

Ella se calló. Él la miraba sin decir palabra: Ivich tenía su tez amarilla de las mañanas, de todas las mañanas. La noche parecía haberse deslizado sobre ella. "Nada la marca", pensó él. Y no pudo dejar de decirle:

—¿No se levantó usted el cabello?

—Bien se ve que no –dijo Ivich secamente..

—Usted me lo prometió anoche –dijo él con un poco de irritación.

—Yo estaba borracha –dijo ella–. Y repitió con fuerza, como si quisiera intimidarlo–: Estaba completamente borracha.

—No parecía estar tan borracha cuando me lo prometió.

—¡Bueno! –dijo ella con impaciencia–, ¿y qué hay con eso? Las gentes son asombrosas con sus promesas.

Mateo no respondió. Tenía la impresión de que le planteaban sin descanso preguntas urgentes: ¿Cómo encontrar cinco mil francos antes de la noche? ¿Cómo hacer volver a Ivich el año próximo? ¿Qué actitud adoptar ahora con respecto a Marcela? No tenía tiempo de recobrarse, de volver a los interrogantes que constituían el fondo de sus pensamientos desde la víspera. ¿Quién soy? ¿Qué he hecho de mi vida? Como volviera la cabeza para sacudir esa nueva preocupación, vio a lo lejos la silueta larga y vacilante de Boris, que parecía buscarlo en la terraza.

—Ahí está Boris –dijo contrariado. Y preguntó, presa de una sospecha desagradable–: ¿Usted le dijo que viniera?

—Nada de eso –dijo Ivich estupefacta–. Tenía que encontrarme con él al mediodía porque... porque pasaba la noche con Lola. Y mire el aire que tiene.

Boris los había visto y fue hacia ellos. Tenía los ojos muy abiertas y fijos, y estaba lívido. Sonreía.

—¡Hola! –gritó Mateo.

Boris levantó dos dedos hasta la sien para hacer su saludo habitual, pero no pudo acabar su gesto. Aplastó las dos manos sobre la mesa, y se puso a balancearse sobre los talones sin decir nada. Seguía sonriendo.

—¿Qué es lo que tienes? –preguntó Ivich–. Te pareces a Frankenstein.

—Lola está muerta –dijo Boris.

Miraba fijamente hacia adelante con aire estúpido. Mateo permaneció algunos momentos sin comprender, y después lo invadió un estupor escandalizado.

—¿Qué es lo que...?

Miró a Boris; no había que pensar en interrogarlo de inmediato. Lo atrapó por un brazo y lo obligó a sentarse cerca de Ivich. Él repitió maquinalmente:

—¡Lola está muerta!

Ivich volvió hacia su hermano los ojos desorbitados. Había retrocedido un poco sobre la banqueta, como si temiera tocarlo.

—¿Se ha matado? –preguntó.

Boris no respondió y le empezaron a temblar las manos.

—Di –repitió Ivich nerviosamente–. ¿Se ha matado? ¿Es que se ha matado?

La sonrisa de Boris se delató de manera inquietante, y sus labios bailaban. Ivich lo miraba fijamente tironeándose los bucles: "Ella no se da cuenta", pensó Mateo con irritación.

—Está bien –dijo–. Nos lo contará más tarde. No hable.

Boris empezó a reírse. Dijo:

—Si usted…, si usted…

Mateo le propinó una bofetada seca y silenciosa, con la punta de los dedos. Boris dejó de reír y lo miró gruñendo, después se encogió un poco y permaneció tranquilo, con la boca abierta y el aire de estúpido. Callaban los tres, y la muerta estaba entre ellos, anónima y sagrada. Aquello no era un acontecimiento, era un medio, una sustancia pastosa, a través de la cual Mateo veía una taza de té y la mesa de mármol, y el rostro noble y perverso de Ivich.

—¿Y para el señor? –preguntó el mozo.

Se había acercado y miraba a Boris con ironía.

—Traiga rápido un cognac –dijo Mateo. Y agregó con aire natural–: El señor está apurado.

El mozo se alejó y volvió en seguida con una botella y un vaso. Mateo se sentía blando y vacío. Empezaba a sentir las fatigas de la noche.

—Beba –dijo a Boris.

Boris bebió dócilmente. Dejó el vaso y dijo como para sí mismo:

—No es gran cosa.

—¡Chiquillo! –dijo Ivich, acercándose a él–. ¡Chiquillo mío!

Le sonrió con ternura, le cogió por los cabellos y le sacudió la cabeza.

—Estás tú aquí, tienes las manos calientes –suspiró Boris con alivio.

—¡Ahora, cuenta! –dijo Ivich–. ¿Estás seguro de que está muerta?

—Tomó la droga anoche –dijo Boris penosamente–. La cosa andaba mal entre nosotros.

—¿Entonces se ha envenenado? –dijo ella vivamente.

—Yo no sé –dijo Boris.

Mateo miraba a Ivich con estupor: ella acariciaba tiernamente la mano de su hermano, pero su labio superior se retraía de rara manera sobre sus dientecillos. Boris recomenzó a hablar con voz sorda. No parecía dirigirse a ellos:

—Subimos a su habitación y ella tomó la droga. Ya lo había hecho una primera vez en su habitación, cuando nos disputábamos.

—En realidad, ésa debió ser la segunda vez –dijo Mateo–. Tengo la impresión de que tomó también mientras usted bailaba con Ivich.

—Bueno –dijo Boris con lasitud–. Entonces son tres veces. Nunca tomaba tanto. Nos acostamos sin hablar. Ella saltaba en la cama, yo no me podía dormir. Y después, se quedó tranquila de pronto y yo me dormí.

Vació su vaso y continuó:

—Esta mañana me desperté porque me sofocaba. Era su brazo: estaba extendido por encima de la sábana cruzado sobre mí. Yo le dije: "Quita el brazo, que me ahogas". Pero ella no lo quitaba. Yo creía que era para que nos reconciliáramos y le tomé el brazo, estaba frío. Le dije: "¿Qué te pasa?" No dijo nada. Entonces empujé su brazo con todas mis fuerzas, y ella estuvo a punto de caer al suelo; yo salí de la cama, le tomé el puño y tiré de él para ponerla derecha. Tenía los ojos abiertos. Yo vi sus ojos –dijo con una especie de cólera–, y no podré olvidarlos.

—Mi pobre chiquillo –dijo Ivich.

Mateo se esforzaba en compadecer a Boris, pero no lo conseguía. Boris lo desconcertaba más todavía que Ivich. Se hubiera dicho que le guardaba rencor a Lola por estar muerta.

—Tomé mis cosas y me vestí –continuó Boris con voz monótona–. No quería que me encontraran en su habitación. No me han visto salir, no había nadie en la caja. Tomé un taxi y me vine.

—¿Estás apenado? –preguntó dulcemente Ivich. Se había inclinado sobre él, pero sin demasiada compasión: parecía pedirle un informe. E insistió:

—¡Mírame! ¿Estás apenado?

—Yo… –dijo Boris. La miró y dijo bruscamente–: Eso me produce horror.

Pasaba el mozo y él lo llamó:

—Quisiera otro cognac.

—¿Es de tanto apuro como el primero? –preguntó el mozo sonriendo.

—Vamos, sirva rápido –dijo Mateo secamente.

Boris lo asqueaba un poco. No le quedaba nada ya de su gracia seca y rígida. Su nueva cara se parecía demasiado a la de Ivich. Mateo se puso a pensar en el cuerpo de Lola, tendido sobre la cama de una habitación de hotel. Entrarían en la habitación unos señores de sombrero hongo, mirarían el cuerpo suntuoso con una mezcla de concupiscencia y de precupación profesional, apartarían las manos y levantarían el camisón para buscar las heridas pensando que el oficio de inspector tiene a veces algo de bueno. Se estremeció:

—¿Está completamente sola allá? –dijo.

—Sí, supongo que la encontrarán al mediodía –dijo Boris con expresión preocupada–. La mucama la despierta siempre hacia esa hora.

—Dentro de dos horas –dijo Ivich.

Había vuelto a tomar sus aires de hermana mayor, y acariciaba los cabellos de su hermano con aspecto compasivo y triunfante. Boris se dejaba mimar. Bruscamente gritó:

—¡Qué diablos!

Ivich se sobresaltó. Boris hablaba con gusto en argot, pero nunca juraba.

—¿Qué has hecho? –preguntó ella con inquietud.

—Mis garabatos –dijo Boris.

—¿Qué?

—Mis garabatos, he sido un estúpido, se los he dejado allí.

Mateo no comprendía.

—¿Son cartas que usted le había escrito?

—Sí.

—¿Y qué hay?

—¡Pues bueno…, que el médico va a venir y se enterarán de que murió intoxicada!

—¿Usted en sus cartas hablaba de la droga?

—Pues claro que sí –dijo Boris con voz sombría.

Mateo tenía la impresión de que Boris estaba representando una comedia.

—¿Usted tomaba la droga? –preguntó. Estaba un poco ofendido porque Boris no se lo hubiera dicho nunca.

—Me... me ha pasado. Una o dos veces, por curiosidad. Y además yo hablo de un tipo que la vendía, un tipo de la Bola-Blanca, al que le compré una vez para Lola. No me gustaría que lo pescaran por mi culpa.

—Boris, tú estás loco –dijo Ivich–, ¡cómo has podido escribir semejantes cosas!

Boris levantó la cabeza:

—¡Se dan cuenta qué cretino!

—Pero puede que no las encuentren –dijo Mateo.

—Va a ser lo primero que encuentren. Poniéndonos en el mejor caso, me citarán como testigo.

—Oh, nuestro padre –dijo Ivich–. ¡Lo que va a rabiar!

—Es capaz de llamarme a Laon y meterme en un Banco.

—Me harás compañía –dijo Ivich con voz siniestra.

Mateo los miraba con compasión: "¡De modo que son así!" Ivich había perdido su aire victorioso: acurrucados el uno contra el otro, descoloridos y descompuestos, parecían dos viejecillas. Hubo un silencio y después Mateo advirtió que Boris los miraba de reojo, con un aire de astucia alrededor de la boca, una pobre astucia desarmada. "Ya hay alguna combinación en esto", pensó Mateo, fastidiado.

—¿Usted dice que la sirvienta va a despertarla al mediodía? –preguntó.

—Sí. Llama hasta que Lola le contesta.

—¡Pues bueno!, son las diez y media. Tiene tiempo de volver allí tranquilamente y recoger sus cartas. Tome un taxi, si quiere, pero lo mismo podría ir en ómnibus.

Boris apartó los ojos.

—Yo no puedo volver allí.

"Ya estamos", pensó Mateo. Y preguntó:

—¿Le resulta verdaderamente imposible?

—No puedo.

Mateo vio que Ivich lo miraba:

—¿Dónde están sus cartas? –preguntó.

—En una maleta negra, delante de la ventana. Hay una valija sobre la maleta, no tendrá más que empujarla. Ya verá, hay montones de cartas. Las mías están atadas con una cinta amarilla.

Se tomó un momento, y agregó en tono de indiferencia.

—También hay dinero. Billetes.

Hay dinero. Mateo silbó suavemente, mientras pensaba: "No está loco, el chiquilín; ha pensado en todo, hasta en pagarme".

—¿La maleta está cerrada con llave?

—Sí, la llave está en la cartera de Lola, y la cartera está sobre la mesa de noche. Encontrará un "trousseau" y luego una llavecita chata. Es ésa.

—¿Qué número, la habitación?

—El 21, en el tercero, la segunda puerta a la izquierda.

—Bueno –dijo Mateo–, voy allá.

Se levantó. Ivich lo seguía mirando, Boris parecía liberado. Echó sus cabellos hacia atrás con recobrada gracia y dijo sonriendo débilmente:

—Si lo paran, no tiene más que decir que va a ver a Bolívar, que es el negro del "Kamtchatka", y es conocido mío. Vive también en el tercero.

—Ustedes dos me esperarán aquí –dijo Mateo.

Inconscientemente había tomado un tono de mando. Y agregó con más suavidad.

—Estaré de vuelta dentro de una hora.

—Se le esperará –dijo Boris.

Agregó con aire de admiración y de inmenso agradecimiento:

—Usted vale lo que pesa en oro.

Mateo dio algunos pasos por el bulevar Montparnasse; estaba contento de andar solo. Detrás de él, Boris e Ivich iban a ponerse a cuchichear, iban a cerrar de nuevo su mundo irrespirable y precioso. Pero a él no le importaba. A su alrededor, hechos pedazos, estaban sus cuidados de la víspera, su amor por Ivich, el embarazo de Marcela, el dinero, y después en el centro, una mancha ciega: la muerte. Hizo "¡uf!" varias veces pasándose la mano por la cara y frotándose las mejillas. "Pobre Lola, pensó, yo la quería mucho." Pero no le correspondía a él lamentar su muerte: esa muerte estaba maldita porque no había recibido sanción alguna y no era él quien iba a sancionarla. Había caído pesadamente en una almita enloquecida y hacía redondeles en ella. Sólo a esa almita incumbía la aplastante responsabilidad de pensarla y de rescatarla. Si al menos hubiera tenido Boris un relámpago de tristeza… Pero no había experimentado más que horror. La muerte de Lola permanecería eternamente al margen del mundo, eternamente fuera de lugar, como un reproche. "Ha reventado como un perro." Era un pensamiento insostenible.

—¡Taxi! –gritó Mateo.

Cuando se hubo sentado en el coche, se sintió más tranquilo. Hasta experimentaba un sentimiento de superioridad tranquila, como si de golpe se hubiera hecho perdonar el no tener ya la edad de Ivich, o más bien como si la juventud acabara súbitamente de perder su valor. "Ambos dependen de mí", se dijo con amargo orgullo. Valía más que el taxi no se detuviera delante del hotel.

—En la esquina de la calle de Navarin y de los Mártires.

Mateo miraba el desfile de los grandes edificios tristes del bulevar Raspail. Y se repitió: "Dependen de mí." Se sentía sólido y hasta un poco grosero. Y después, los vidrios se ensombrecieron, el taxi se introdujo en el gollete estrecho de la calle del Bac, y súbitamente, Mateo se dio cuenta de que Lola estaba muerta, que él iba a entrar en su habitación y que vería sus ojos muy abiertos y su cuerpo blanco. "No la miraré", decidió. Estaba muerta. Su conciencia se había aniquilado. Pero no su vida. Abandonada por el animal blando y tierno que la había habitado tan largo tiempo, esa vida desierta se había detenido simplemente, y flotaba, llena de gritos sin eco y de esperanzas ineficaces, de estallidos sombríos, de rostros y de olores anticuados, flotaba al margen del mundo, entre paréntesis, inolvidable y definitiva, más indestructible que un mineral, y nada podía impedir que hubiera *sido*; acababa de sufrir su última metamorfosis: su porvenir se había fijado. "Una vida, pensó Mateo, es algo hecho con el porvenir, como los cuerpos están hechos con el vacío." Y bajó la cabeza, pensaba en su propia vida. El porvenir lo había penetrado hasta el corazón, todo estaba allí, en última instancia, aplazado. Los días más antiguos de su infancia, el día en que había dicho yo seré libre; el día en que había dicho: yo seré grande, se le aparecían todavía hoy rodando por encima de ellos, y ese porvenir era él, él, tal como era en aquel momento, cansado y ya maduro; los días tenían derechos sobre él, a través de todo ese tiempo transcurrido, mantenían sus exigencias, y él sufría a menudo remordimientos aplastantes porque su presente, descuidado y hastiado, era el viejo porvenir de sus pasados días. Era él a quien esos días habían esperado veinte años, era de él, de ese hombre fatigado, de quien un niño duro había exigido que cumpliera sus esperanzas; de él dependía que esos juramentos infantiles siguieran siendo infantiles para siempre, o que se convirtieran en los primeros anuncios de un destino. Su pasado no dejaba de sufrir los retoques del presente; cada día decepcionaba más aquellos viejos sueños de grandeza, y cada día tenía un porvenir nuevo; de espera en espera, de porvenir en porvenir, la vida de Mateo se deslizaba suavemente... ¿hacia qué?

Hacia nada. Pensó en Lola; estaba muerta, y su vida como la de Mateo no había sido más que una espera. Había habido seguramente, en algún viejo verano, una niñita de bucles rojizos que había jurado ser una gran cantante, y también hacia 1923 una joven cantante impaciente de aparecer como "vedette" en los carteles. Y su amor por Boris, ese gran amor de vieja que tanto la hiciera sufrir, había estado al acecho desde el primer día. Ayer aún, oscuro y vacilante, esperaba su sentido del porvenir; ayer aún pensaba que ella iba a vivir y que Boris la amaría algún día; los momentos más plenos, los más pesados, las noches de amor que le parecieron más eternas, no fueron sino esperas.

Y nada consiguió esperando: la muerte había retrocedido sobre todas esas esperas, y las había detenido; permanecían inmóviles y mudas, sin objetivo, absurdas. Ya no había nada que esperar: nadie sabría jamás si Lola habría acabado por hacerse amar de Boris, la pregunta no tenía sentido. Lola estaba muerta: no quedaba ya ni un gesto por hacer, ni una caricia, ni una oración; no había ya nada más que esperas de esperas, nada más que una vida desinflada de colores borrosos, que se aplastaba sobre sí misma. "Si yo me muriera hoy, pensó bruscamente Mateo, nadie sabría jamás si yo estaba hundido, o si conservaba todavía algunas probabilidades de salvarme."

El taxi se detuvo y Mateo bajó: "Espéreme", dijo al chofer. Cruzó oblicuamente la calzada, empujó la puerta del hotel, entró en un vestíbulo oscuro y pesadamente perfumado. Encima de una puerta de vidrio, a la izquierda, había un rectángulo de esmalte: "Dirección". Mateo lanzó una ojeada a través de los vidrios; la pieza parecía vacía, no se oía más que el tic-tac de un reloj. La clientela ordinaria del hotel, cantantes, bailarinas, negros de jazz, se recogía tarde y se levantaba tarde: todo dormía aún. "No tengo que subir demasiado de prisa", pensó Mateo. Sentía los latidos de su corazón y sus piernas parecían flojas. Se detuvo en el descansillo del tercero, y miró a su alrededor. La llave estaba en la puerta. "¿Y si hubiera alguno?" Tendió el oído un momento, y llamó. Nadie respondía. En el cuarto piso alguien tiró de una cadena y Mateo oyó unos hervores en cascada seguidos de un ruidito líquido y aflautado. Empujó la puerta y entró.

La habitación estaba a oscuras y conservaba todavía el olor húmedo del sueño. Mateo registró la penumbra con la mirada; estaba ávido de leer la muerte en los rasgos de Lola, como si hubiera sido un sentimiento humano. La cama estaba a la derecha, en el fondo de la pieza; Mateo vio a Lola que lo miraba, blanquísima: "¿Lola?", dijo en voz baja. Lola no respondió. Tenía un rostro extraordinariamente expresivo, pero indescifrable; sus senos estaban desnudos; uno de sus hermosos brazos se extendía, rígido a través de la cama, y el otro se hundía bajo las mantas. "¡Lola!", repitió Mateo adelantándose hacia la cama. No podía apartar los ojos de aquel pecho tan orgulloso, y tenía ganas de tocarlo. Permaneció algunos instantes al borde de la cama, vacilante, inquieto, con el cuerpo envenenado por un deseo acre; después se volvió y cogió rápidamente la cartera de Lola sobre la mesa de luz. La llave chata estaba en la cartera: Mateo la tomó y se dirigió a la ventana. Una claridad gris se filtraba a través de las cortinas, la habitación estaba colmada por una presencia inmóvil. Mateo se arrodilló ante la maleta: la presencia irremediable estaba allí, a su espalda, como una mirada. Mateo introdujo la llave en la cerradura. Levantó la tapa, metió las dos manos en la maleta, y se produjo un roce de papeles bajo sus dedos. Eran billetes de Banco y había muchos. Billetes de a mil. Bajo una pila de recibos y de facturas, Lola había escondido un paquete de cartas atado con una cinta amarilla. Mateo levantó el paquete a la luz, examinó la letra, y dijo a media voz: "Aquí están". Después deslizó el paquete en su bolsillo. Pero no podía marcharse: seguía de rodillas, con los ojos fijos en el dinero. Al cabo de un momento, hurgó nerviosamente entre los papeles, volviendo la cabeza, trampeando sin mirar, al solo tacto. "Estoy pagado", pensó. Detrás de él estaba esa larga mujer blanca de rostro atónito, cuyos brazos parecían poder tenderse todavía y cuyas uñas rojas parecían todavía arañar. Mateo se levantó, se alisó las rodillas con la palma de la mano derecha. Su mano izquierda apretaba un mazo de billetes de Banco. Pensó: "Ya salimos del apuro" y consideraba los billetes con perplejidad. "Ya salimos del apuro..." Involuntariamente tendía el oído, escuchaba el cuerpo silencioso de Lola, y se sentía clavado en el sitio. "¡Está bueno!", murmuró con resignación. Sus dedos se abrieron, y los billetes volvieron a caer girando en la maleta. Mateo volvió a cerrar la tapa, dio una vuelta de llave, se metió la llave en el bolsillo y salió de la habitación a paso de lobo.

La luz lo deslumbró: "No he cogido el dinero", se dijo con estupor.

Permanecía inmóvil, la mano en la barandilla de la escalera y pensaba: "Soy un débil". Hacía lo posible para temblar de rabia, pero uno nunca puede temblar de rabia realmente contra sí mismo. De pronto pensó en Marcela, en la innoble vieja de manos de estrangulador, y sintió verdadero miedo. "Eso no era nada; sólo había que hacer un gesto para evitar que sufriera, para evitarle una historia sórdida que la marque. Y yo no he podido: soy demasiado delicado. Buen muchacho, vaya. Después de esto, pensó mirando su mano vendada, bien puedo darme de cuchillazos en la mano, para hacer de hombre funesto ante las señoritas: jamás llegaré a tomarme en serio en adelante." Marcela iría a casa de la vieja, no había otra solución: a ella le tocaría mostrarse valiente, luchar contra la angustia y el horror, y durante ese tiempo él se animaría bebiendo ron en un cafetín. "No, pensó aterrado. No irá. Me casaré con ella", apretando fuertemente su mano herida contra la barandilla. Le pareció que se ahogaba y murmuró: "¡No! ¡No!", echando la cabeza hacia atrás. Después respiró con fuerza, giró sobre sí mismo, atravesó el corredor y volvió a entrar en la habitación. Se pegó a la puerta como la primera vez y trató de acostumbrar sus ojos a la penumbra.

Ni siquiera estaba seguro de tener el valor de robar. Dio algunos pasos inciertos y distinguió por fin la cara gris de Lola y sus ojos bien abiertos que lo miraban.

—¿Quién está ahí? –preguntó Lola.

Era una voz débil, pero gruñona. Mateo se estremeció de la cabeza a los pies. "¡Qué niño idiota!", pensó.

—Soy Mateo.

Hubo un largo silencio y después Lola preguntó:

—¿Qué hora *es?*

—Las once menos cuarto.

—Me duele la cabeza –dijo ella. Se levantó las mantas hasta el mentón y permaneció inmóvil con los ojos fijos en Mateo. Parecía muerta aún.

—¿Dónde está Boris? –preguntó–. ¿Qué hace usted aquí?

—Ha estado usted enferma –explicó Mateo precipitadamente.

—¿Qué me ha pasado?

—Estaba usted completamente rígida con los ojos muy abiertos. Boris le hablaba y usted no contestaba, y *eso le dio* miedo.

Lola no parecía oírlo. Después, de pronto, emitió una risa desagradable, rápidamente sofocada. Dijo con esfuerzo:

—¿Se siente mal?

Mateo no contestó.

—¿Eh? ¿Fue eso? ¿Creyó que estaba muerta?

—Ha tenido miedo –dijo Mateo evasivamente.

—¡Uf! –hizo Lola.

Hubo un nuevo silencio. Ella había cerrado los ojos y sus mandíbulas temblaban. Parecía hacer un violento esfuerzo para recobrarse. Dijo con los ojos siempre cerrados:

—Deme mi cartera que está sobre la mesa de noche.

Mateo le tendió la cartera: ella sacó una polvera en la que miró su cara con disgusto.

—Cierto que parezco una muerta –dijo.

Dejó la cartera sobre la cama con un suspiro de agotamiento, y agregó:

—Por lo demás, no estoy mucho mejor.

—¿Se siente mal?

—Bastante mal. Pero yo sé lo que es, pasará en el día.

—¿Necesita alguna cosa? ¿Quiere que vaya a buscar a un médico?

—No. Quédese tranquilo. Entonces, ¿lo mandó Boris?

—Sí. Estaba enloquecido.

—¿Está abajo? –preguntó Lola incorporándose un poco.

—No… Yo… yo estaba en el "Dôme", ¿comprende?, y fue a buscarme. Salté a un taxi y aquí estoy.

La cabeza de Lola recayó sobre la almohada.

—Gracias igualmente.

Se echó a reír. Una risa sofocada y penosa.

—En suma, que le entró pánico al angelito. Se largó sin más historias. Y lo mandó aquí para que se asegurara de que yo estaba bien muerta.

—¡Lola! –dijo Mateo.

—Es así –dijo Lola–. ¡Nada de remilgos!

Volvió a cerrar los ojos y Mateo creyó que iba a desvanecerse. Pero ella continuó secamente al cabo de un momento:

—¿Quiere decirle que se tranquilice? Yo no estoy en peligro. Son malestares que me asaltan a veces cuando he… En fin, él sabrá por qué. Es el corazón, que flaquea un poco. Dígale que venga aquí inmediatamente. Lo espero. Me quedaré aquí hasta la noche.

—Entendido –dijo Mateo–. ¿Realmente no necesita nada?

—No. Esta noche estaré curada e iré a cantar allá.

Y agregó:

—Todavía no ha terminado conmigo.

—Entonces, hasta luego.

Se dirigió hasta la puerta, pero Lola lo volvió a llamar. Y dijo con voz implorante:

—¿Me promete hacerlo venir? Estábamos... nos habíamos peleado un poco anoche; dígale que no le guardo rencor, que no se hablará de nada. ¡Pero que venga! ¡Se lo ruego, que venga! No puedo soportar la idea de que me crea muerta.

Mateo estaba emocionado y dijo:

—Entendido, se lo voy a mandar.

Salió. El paquete de cartas, que había deslizado en el bolsillo interior de su chaqueta, pesaba fuertemente contra su pecho: "¡La cara que va a poner!, pensó Mateo. Tendré que devolverle la llave; él se las arreglará para volverla a meter en la cartera." Trató de repetirse alegremente: "¡Qué olfato tuve en no agarrar el dinero!" Pero no estaba alegre, poco importaba que su cobardía hubiera tenido consecuencias favorables; lo que contaba era que *no había podido* coger el dinero. "De cualquier modo, pensó, me alegro de que no se haya muerto."

—¡Eh, señor –gritó el chofer–, es por aquí!

Mateo se volvió, extraviado:

—¿Qué es lo que pasa? ¡Ah, es usted! –dijo reconociendo el taxi–. Bueno, lléveme al "Dôme".

Se sentó y el taxi arrancó. Quería apartar el pensamiento de su humillante derrota. Tomó el paquete de cartas, desató el nudo y comenzó a leer. Eran unas pocas líneas secas que Boris había escrito desde Laon, durante las vacaciones de Pascuas. A veces se hablaba allí de cocaína, pero en términos tan velados que Mateo se dijo con sorpresa: "No sabía que fuera tan prudente". Las cartas empezaban todas con un "Mi querida Lola", y luego venían breves informes de las jornadas de Boris. "Me baño. Me he peleado con mi padre. He conocido a un ex luchador que va a enseñarme el catch. Me fumé un Henry Clay hasta el final sin dejar caer la ceniza". Boris las terminaba siempre con estas palabras: "Te quiero mucho y te beso. Boris." Mateo imaginó sin trabajo en qué disposiciones debió de leer Lola esas cartas, su decepción siempre prevista y sin embargo siempre nueva, y el esfuerzo que tuvo que hacer todas las veces para decirse con ánimo: "En el fondo, me ama; lo que pasa es que no sabe decirlo". Pensó: "Y aun así las ha guardado". Volvió a hacer cuidadosamente el nudo y se metió el paquete en el bolsillo: "Boris tendrá que arreglarse para deslizarlas en la maleta sin que ella lo vea". Cuando el taxi se detuvo, parecíale a Mateo que era el aliado natural de Lola. Pero no podía pensar en ella sino en pasado. Al entrar en el "Dôme" tenía la impresión de que iba a defender la memoria de una muerta.

Se hubiera dicho que Boris no había hecho un solo movimiento desde la partida de Mateo. Estaba sentado de costado, con los hombros curvados, la boca abierta y la nariz apretada. Ivich le hablaba al oído con animación, pero se calló cuando vio entrar a Mateo. Mateo se acercó y tiró el paquete de cartas sobre la mesa:

—Aquí están –dijo.

Boris tomó las cartas y las hizo desaparecer rápidamente en su bolsillo. Mateo lo miraba inamistosamente:

—¿No fue muy difícil? –preguntó Boris.

—Nada difícil, lo único que hay es que Lola no está muerta.

Boris levantó los ojos hacia él: no parecía comprenderle.

—Lola no está muerta –repitió estúpidamente.

Se agobió más aún; parecía aplastado. "Pardiez, pensó Mateo, empezaba a acostumbrarse."

Ivich miraba a Mateo con ojos chispeantes:

—¡Lo hubiera jurado! –dijo–. ¿Y qué tenía?

—Simple desvanecimiento –contestó Mateo con rapidez.

Callaron. Boris e Ivich se tomaban tiempo para digerir la noticia. "Esto es una farsa", pensó Mateo. Boris levantó por fin la cabeza. Tenía los ojos vidriosos.

—¿Fue… fue ella quien le devolvió las cartas? –preguntó.

—No. Estaba desvanecida todavía cuando las cogí.

Boris bebió un trago de cognac y dejó el vaso sobre la mesa:

—¡Caray! –dijo como para sí mismo.

—Ella dice que eso le ocurre a veces cuando toma la droga. Y me dijo que usted tenía que saberlo.

Boris no contestó; Ivich parecía haberse recobrado.

—¿Y qué le dijo? –preguntó con curiosidad–. Debió de sobresaltarse cuando lo vio a los pies de la cama.

—No mucho. Yo le dije que Boris había tenido miedo y que había venido a pedirme ayuda. Naturalmente, le dije que había ido a ver lo que tenía. Acuérdese de eso –dijo a Boris–. Trate de no equivocarse. Y después se arreglará usted para volver a poner las cartas en su lugar sin que ella lo vea.

Boris se pasó la mano por la frente:

—Es más fuerte que yo –dijo–; la veo muerta.

Mateo estaba harto:

—Ella quiere que usted vaya a verla en seguida.

—Yo... yo hubiera creído que estaba muerta –repitió Boris como para excusarse.

—¡Bueno, pues no lo está! –dijo Mateo exasperado–. Tome un taxi y vaya a verla.

Boris no se movió.

—¿No oye? –preguntó Mateo–. Es tan desgraciada como las piedras, esa pobre mujer.

Y alargó la mano para coger el brazo de Boris, pero Boris se desprendió con una violenta sacudida.

—¡No! –gritó en voz tan alta que una mujer se volvió en la terraza. Y continuó más bajo con testarudez blanda e invencible–: No iré.

—Pero –dijo Mateo atónito– sepa que las historias de ayer han terminado; me prometió que no se hablaría de eso.

—¡Las historias de ayer...! –dijo Boris, alzándose de hombros.

—Bueno, ¿entonces?

Boris lo miró con malos ojos.

—Me causa horror.

—¿Porque la creyó muerta? Vamos, Boris, recóbrese, toda esta historia es grotesca. Se había equivocado usted, bueno, ya está, se terminó.

—A mí me parece que Boris tiene razón –dijo Ivich con vivacidad. Y agregó con voz cargada de una intención que Mateo no comprendía–: Yo... en su lugar, haría otro tanto.

—¿Pero entonces usted no comprende? La va a hacer reventar de veras.

Ivich sacudió la cabeza; tenía su siniestra carita irritada. Mateo le lanzó una mirada de odio. "Ésta le calienta la cabeza", pensó.

—Si vuelve al lado de ella será por piedad –dijo Ivich–. Usted no le puede exigir eso; no hay nada más repugnante, aun para ella.

—Que trate al menos de verla. Se dará cuenta.

Ivich hizo una mueca de impaciencia:

—Hay cosas que usted no siente –dijo.

Mateo quedó desconcertado y Boris se aprovechó de esa ventaja:

—Yo no quiero volver a verla –dijo con voz testaruda–. Para mí está muerta.

—¡Pero eso es idiota! –gritó Mateo.

Boris lo miró con aire sombrío:

—No quería decírselo, pero si vuelvo a verla tendré que *tocarla*. Y eso –agregó con asco– no puedo hacerlo.

Mateo sintió su impotencia. Miraba con cansancio aquellas dos cabecitas hostiles.

—Bueno, pues entonces espere un poco... hasta que su recuerdo se borre. Dígame que irá a verla mañana, o pasado mañana.

—Eso sí –dijo con aire falso–, mañana.

Boris pareció aliviado.

Mateo estuvo a punto de decirle: "Al menos telefonéele que no puede ir". Pero se contuvo y pensó: "No lo hará. Voy a telefonearle yo mismo". Y se levantó.

—Tengo que ir a casa de Daniel –dijo a Ivich–. ¿Para cuándo sus resultados? ¿A las dos?

—Sí.

—¿Quiere que yo vaya a verlos?

—No, gracias, irá Boris.

—¿Cuándo la veo?

—No sé.

—Mándeme un expreso en seguida, para decirme si ha pasado.

—Sí.

—No se olvide –dijo Mateo al alejarse–. ¡Salud!

—¡Salud! –contestaron los dos al mismo tiempo.

Mateo bajó al sótano del "Dôme" y consultó la guía. ¡Pobre Lola! Seguramente mañana Boris volvería al "Sumatra". "¡Pero el día que va a pasar esperándolo!... No querría estar en su pellejo."

—¿Quiere darme con Trudaine 00-35? –pidió a la gorda telefonista.

—Las dos cabinas están ocupadas –respondió ella–. Tiene que esperar.

Mateo esperó. Por las dos puertas abiertas veía el mosaico blanco de los servicios. La noche anterior, delante de otros "tocadores"... Extraño recuerdo de amor.

Sentíase lleno de rencor contra Ivich. "Tienen miedo de la muerte", se dijo. "Por mucho que estén frescos y limpitos, tienen unas almitas pequeñas y siniestras porque sienten miedo. Miedo de la muerte, de la enfermedad, de la vejez. Se aferran a su juventud, como un moribundo a la vida. ¡Cuántas veces he visto a Ivich manosearse la cara delante de un espejo! Le asusta ya tener arrugas. Pasan el tiempo rumiando su juventud, no hacen proyectos más que a corto plazo, como si no tuvieran por delante más que cinco o seis años. Después... Después Ivich habla de matarse, pero estoy tranquilo, jamás se atreverá; removerán cenizas. Y a fin de cuentas, yo estoy arrugado, tengo una piel de cocodrilo y músculos anudados, pero yo tengo todavía años y años por vivir... Empiezo a creer que somos nosotros los que hemos sido jóvenes. Queríamos hacernos los hombres, éramos ridículos, pero me pregunto si el único medio de salvar la juventud no consiste en olvidarla." Sin embargo, seguía incómodo, los sentía *allá arriba*, con las cabezas pegadas, cómplices cuchicheantes, y a pesar de todo eran fascinantes.

—¿Y ese teléfono? –preguntó.

—Un momento, señor –contestó agriamente la gorda–. Tengo un cliente que ha pedido Amsterdam.

Mateo se volvió y dio algunos pasos: "¡No he podido coger el dinero!" Una mujer bajó la escalera, viva y liviana, de ésas que dicen con cara de niña "Voy a hacer pipí". Vio a Mateo, vaciló y continuó su camino deslizándose a largas zancadas, se hizo toda espíritu, toda perfume, entró convertida en flor en el servicio. "No he podido coger el dinero; mi libertad es un mito. Un mito –Brunet tenía razón– y mi vida se construye debajo de él con un rigor mecánico. Una nada, el sueño orgulloso y siniestro de no ser nada, de ser siempre algo distinto a lo que soy. Es por ser de mi edad, por lo que sirvo de juguete desde hace un año a esos dos mocosos; en vano; yo soy un hombre, una persona adulta, y fue una persona adulta, un señor, el que besó a la pequeña Ivich en un taxi. Es para no ser de mi clase por lo que escribo en las revistas de izquierda; en vano; yo soy un burgués, no he podido coger el dinero de Lola, sus tabús me atemorizan. Es para escapar a mi vida por lo que me acuesto por acá y por allá, con permiso de Marcela, y por lo que me niego obstinadamente a presentarme en la alcaldía, en vano: yo estoy casado, vivo en familia." Se había apoderado de la guía, la hojeaba distraídamente, y leyó: "Hollebecque, autor dramático. Norte. 77-80". Le dolía el estómago y se dijo: "Ya está. Querer ser lo que soy es la única libertad que me queda. Mi única libertad: querer casarme con Marcela". Estaba tan harto de sentirse zarandeado entre dos corrientes contrarias, que casi se sintió reconfortado.

Apretó los puños y pronunció interiormente con una gravedad de persona adulta, de burgués, de señor, de jefe de familia: "*Yo quiero casarme con Marcela*".

¡Puf! No eran más que palabras, una opción infantil y vana. "Esto también, pensó, esto también es un engaño: no necesito voluntad alguna para casarme con ella; no tengo, más que dejarme ir." Volvió a cerrar la guía, y contemplaba, abrumado, los despojos de su dignidad humana. De pronto le pareció que veía su libertad. Estaba fuera del alcance, cruel, joven y caprichosa como la gracia: y lo único que le ordenaba era que plantara a Marcela. No fue más que un instante; no hizo más que entrever esa inexplicable libertad que tomaba las apariencias de un crimen: le daba miedo y además estaba tan lejos. Se quedó aferrado a su voluntad demasiado humana, a esas palabras demasiado humanas: "Me casaré con ella".

—Para usted, señor –dijo la telefonista–. La segunda cabina.

—Gracias –dijo Mateo.

Entró en la cabina.

—Descuelgue, señor.

Mateo descolgó dócilmente el tubo.

—¡Hola! ¿Trudaine 00-35? Es un encargo para la señora Montero. No, no la moleste. Ya subirá usted a decírselo. De parte del señor Boris que no puede ir.

—¿Del señor Moris?

—No, Moris no; Boris. B, como Bernardo; O, como Octavio; que no puede ir. Sí. Así es. Gracias; adiós, señora.

Al salir, pensó rascándose la cabeza: "Marcela debe estar retorciéndose; debería telefonearle, ya que estoy en eso". Miró a la señorita del teléfono con aire indeciso.

—¿Quiere otro número? –preguntó ella.

—Sí... deme Segur 25-64.

Era el número de Sarah.

—Hola, Sarah, es Mateo –dijo.

—Buenos días –dijo la ruda voz de Sarah–. ¿Qué tal? ¿Se arregla el asunto?

—En absoluto –dijo Mateo–. A la gente le cuesta dar. Justamente quería preguntarle; ¿no podría usted dar un salto hasta la casa de ese tipo, y rogarle que me diera crédito hasta fin de mes?

—Pero a fin de mes se habrá ido.

—Yo le mandaré el dinero a América.

Hubo un breve silencio.

—Siempre se puede probar –dijo Sarah sin entusiasmo–. Pero no va a ser fácil. Es un viejo avaro y además atraviesa una crisis de hipersionismo, detesta todo lo que no es judío desde que lo han echado de Viena.

—Inténtelo, sin embargo, si eso no la molesta.

—No me molesta en absoluto. Iré en seguida de almorzar.

—Gracias, Sarah, usted vale lo que pesa en oro –dijo Mateo.

XIII

—Mateo es demasiado injusto –dijo Boris.

—Sí –dijo Ivich–, se figura que le ha hecho un favor a Lola.

Ella emitió una risita seca y Boris se calló, satisfecho: nadie lo comprendía como Ivich. Volvió la cabeza hacia las escaleras de los servicios y pensó con severidad: "Sí, ha ido demasiado lejos. *No se debe* hablar a

nadie como él me ha hablado. Yo no soy Hourtiguère".
Miraba la escalera y esperaba que Mateo le sonriera al
salir de nuevo. Pero Mateo reapareció y salió sin diri-
girles una mirada, y a Boris se le oprimió el corazón.

—Va muy orgulloso –dijo.

—¿Quién?

—Mateo. Acaba de salir.

Ivich no respondió. Tenía un aire indiferente y miraba su mano vendada.

—Me guarda rencor –dijo Boris–. Le parece que no
soy moral.

—Sí –dijo Ivich–, pero ya se le pasará. –Se encogió
de hombros–. No me gusta cuando se pone moral.

—A mí sí –dijo Boris. Y agregó, después de reflexionar–: Pero yo soy más moral que él.

—¡Psché! –dijo Ivich. Se balanceó un poco en la
banqueta; parecía tonta y mofletuda. Dijo en tono
ruin–: A mí me tiene sin cuidado la moral. Me tiene sin
cuidado.

Boris se sintió muy solo. Le hubiera gustado aproxi-
marse a Ivich, pero Mateo seguía aún entre ellos. Dijo:

—Mateo es injusto. No me ha dejado tiempo para
explicarme.

Ivich dijo con aire imparcial:

—Hay cosas que no se le pueden explicar.

Boris no protestó, por costumbre, pero pensaba que
uno podía explicarle todo a Mateo, siempre que estuviera de buen humor. Siempre le parecía que no hablaban del mismo Mateo: el de Ivich era más soso.

Ivich se rió débilmente:

—Qué obstinado pareces, pedazo de mula –dijo.

Boris no respondió. Rumiaba lo que hubiera debido
decir a Mateo: que él no era un bruto egoísta y que ha-

bía experimentado una terrible sacudida cuando creyó que Lola estaba muerta. Hasta había previsto por un momento que iba a sufrir, y eso lo había escandalizado. El sufrimiento le parecía inmoral y además realmente no podía soportarlo. Entonces había hecho un esfuerzo sobre sí mismo. Por moralidad. Y algo se había rajado, había una "panne", era preciso esperar que se repusiera.

—Es estupendo –dijo–; cuando pienso en Lola, ahora, me hace el efecto de una pobre vieja.

Ivich emitió una risita y Boris se sintió chocado. Agregó con espíritu de justicia:

—No ha de estar contenta en este momento.

—Ya lo creo que no.

—Yo no quiero que sufra –dijo él.

—Bueno, pues no tienes que ir a verla –dijo Ivich en tono cantarín.

Boris comprendió que ella le tendía una emboscada, y respondió vivamente.

—No voy a ir. Por lo pronto a ella… sigo viéndola muerta. Y además no quiero que Mateo se imagine que puede manejarme como a un pelele.

Sobre ese punto no cedería; él no era Hourtiguère. Ivich dijo con dulzura:

—Hay algo de cierto en que te maneja como a un pelele.

Era una mala pasada, Boris lo comprobó sin enfadarse: Ivich tenía buenas intenciones, quería hacerle romper con Lola, era por su bien. Todo el mundo procuraba siempre el bien de Boris. Sólo que ese bien variaba según las personas.

—Yo se lo hago creer así –respondió con serenidad–. Es mi táctica con él.

Pero estaba herido en lo vivo y guardaba rencor a Mateo. Se agitó un poco en la banqueta e Ivich lo miró con aire inquieto.

—Tú piensas demasiado –dijo–. No tienes más que imaginarte que ella está muerta de veras.

—Claro que sí, sería muy cómodo, pero no puedo –dijo Boris.

Ivich pareció divertida:

—Es curioso –dijo–, yo puedo. Cuando no veo más a las gentes, ya no existen.

Boris admiró a su hermana y se calló; no se sentía capaz de semejante fuerza de carácter. Dijo al cabo de un momento:

—Me pregunto si habrá cogido el dinero. ¡Estaríamos listos!

—¿Qué dinero?

—El de Lola. Él necesita cinco mil francos.

Ivich pareció intrigada y descontenta. Boris se preguntó si no hubiera hecho mejor conteniendo su lengua. Era cosa sabida que se lo decían todo, pero de cuando en cuando uno podía hacer excepción a la regla.

—Pareces estar de punta con Mateo –dijo.

Ivich frunció los labios:

—Me fastidia –dijo–. Esta mañana se me hacía el *hombre*.

—Sí... –dijo Boris.

Se preguntaba qué habría querido decir Ivich, pero no lo dejó ver: debían comprenderse a medias palabras, si no el encanto hubiera quedado roto. Hubo un silencio y luego Ivich agregó buscamente:

—Vámonos. Yo no puedo soportar el Dôme.

—Yo tampoco –dijo Boris.

Se levantaron y salieron. Ivich cogió del brazo a Boris. Boris sentía un ligero y tenaz deseo de vomitar.

—¿Te parece que rabiará mucho tiempo? –preguntó.

—¡No lo creo! –dijo Ivich, impaciente.

Boris dijo pérfidamente:

—También está rabioso contigo.

Ivich se echó a reír.

—Es muy posible, pero lo sentiré otro día. Tengo otras cosas de qué preocuparme.

—Es cierto –dijo Boris confuso–; estás fastidiada.

—Enormemente.

—¿A causa de tu examen?

Ivich se encogió de hombros y no contestó. Dieron algunos pasos en silencio. Boris se preguntaba si era realmente a causa de su examen. Por lo demás, lo hubiera deseado: hubiera sido más moral.

Levantó los ojos y se encontró con que el bulevar Montparnasse era formidable bajo esa luz gris. Parecía octubre. A Boris le gustaba mucho el mes de octubre y pensó: "En octubre del año pasado, yo no conocía a Lola". En el mismo momento se sintió liberado: "Lola vive". Por primera vez desde que había dejado su cadáver en la habitación oscura, sentía que Lola vivía y era como una resurrección. Pensó: "No es posible que Mateo me guarde rencor mucho tiempo, puesto que ella no está muerta". Hasta ese minuto él sabía que ella sufría, que lo esperaba con angustia, pero ese sufrimiento y esa angustia le parecían irremediables y congelados como los de las personas que han muerto desesperadas. Pero había habido error: Lola vivía, reposaba en su cama con los ojos abiertos, estaba llena de una pequeña cólera viviente como cada vez que él llegaba tarde a sus citas. Una cólera que no era ni más ni menos respetable que las demás: puede que algo más fuerte. Él no tenía hacia ella esas obligaciones inciertas y temibles que imponen los muertos, sino deberes serios, en suma, deberes de familia. Desde ese momento, Boris pudo evocar sin horror la cara de Lola. Y no fue la cara de una muerta la que acudió a su llamado, sino esa cara todavía joven y furiosa que ella volvía hacia él la víspera, cuando le gritaba: "Estás mintiendo, tú no has visto a Picard". Al mismo tiempo sintió dentro de sí un sórdido rencor contra esa falsa muerta que había provocado tantas catástrofes. Y dijo:

—No volveré a mi hotel: es capaz de ir a buscarme allí.

—Ve a dormir a casa de Claudio.

—Sí.

A Ivich se le ocurrió una idea:

—Deberías escribirle. Es más correcto.

—¿A Lola? Oh, no.

—Sí.

—No sabría qué decirle.

—Yo te escribiré la carta, hombre.

—¿Pero para decirle qué?

Ivich lo miró con estupor:

—¿Acaso no quieres romper con ella?

—Yo no sé.

Ivich pareció fastidiarse, pero no insistió. Ivich no insistía nunca; cualquier día. Pero de todos modos, entre Mateo e Ivich, Boris tendría que andarse con cuidado: por el momento, tenía tan pocas ganas de perder a Lola como de volverla a ver.

—Ya veremos –dijo–. Es inútil ponerse a pensar. Se sentía a gusto en ese bulevar, la gente tenía buena facha, él los conocía de vista a casi todos, y había un rayito de sol bastante alegre que acariciaba los vidrios de la "Closerie des Lilas".

—Tengo hambre –dijo Ivich–; voy a desayunar.

Entró en la tienda de comestibles Demaría. Boris la esperó fuera. Se sentía débil y enternecido como un convaleciente, y se preguntaba en qué podría pensar para procurarse alguna pequeña satisfacción. Su elección se fijó bruscamente en el *Diccionario histórico-etimológico del argot*. Y se sintió regocijado. Ahora el *Diccionario* estaba en su mesa de noche, ocupándola por completo: "Es un *mueble* –pensó, todo radiante–; he dado un golpe magistral". Y además, como una felicidad nunca viene sola, pensó en el cuchillo, lo sacó del bolsillo y lo abrió. "¡Estoy en vena!" Lo había comprado la víspera y ya ese cuchillo tenía una historia, había hendido la piel de los seres que le eran más caros. "Corta brutalmente", pensó.

Pasó una mujer y lo miró con insistencia. Estaba *formidablemente* bien vestida. Él se volvió para verla de espaldas; ella también se había vuelto y ambos se miraron con simpatía.

—Aquí estoy –dijo Ivich.

Tenía dos grandes manzanas del Canadá. Se frotó una contra el trasero, y cuando estuvo bien lustrosa la mordió y tendió la otra a Boris.

—No, gracias –dijo Boris–. No tengo hambre. –Y agregó–: Me resulta chocante.

—¿Qué?

—Que te frotes las manzanas en el trasero.

—Es para lustrarlas –dijo Ivich.

—Mira la mujer que pasó –dijo Boris–. Era una conquista.

Ivich comía con aire bonachón.

—¿Todavía? –dijo con la boca llena.

—Por ahí no –dijo Boris–. Detrás de ti.

Ivich se volvió y enarcó las cejas.

—Es bonita –dijo simplemente.

—¿Viste sus trapos? Mi vida no ha de pasar sin que yo consiga una mujer como ésa. Una mujer del gran mundo. Debe de ser muy bueno.

Ivich seguía mirando a la mujer que se alejaba. Tenía una manzana en cada mano y parecía tendérselas.

—Cuando me canse de ella te la pasaré –dijo Boris generosamente.

Ivich mordió la manzana:

—Qué te crees –dijo.

Le tomó el brazo y lo arrastró bruscamente. En la otra acera del bulevar Montparnasse había un bazar japonés. Ambos cruzaron la calzada y se detuvieron delante del escaparate.

—Mira las copitas –dijo Ivich.

—Son para el *sakké* –dijo Boris.

—¿Y eso qué es?

—Aguardiente de arroz.

—Vendré para comprármelas. Las haré tazas de té.

—Son demasiado pequeñas.

—Las llenaré varias veces seguidas.

—O bien podrías servir seis a la vez.

—Sí –dijo Ivich encantada–. Tendré seis copitas llenas delante de mí, y beberé ya en una, ya en otra.

Retrocedió un poco y dijo apasionadamente y con los dientes apretados:

—Oh, querría comprarme todo el bazar.

Boris criticaba la afición de su hermana por las chucherías. Sin embargo, quiso entrar en el bazar, pero Ivich lo retuvo.

—Hoy no. Ven.

Volvieron a subir la calle Denfert-Rochereau, e lvich dijo:

—Por tener cosas como ésas –¡pero entonces, una habitación llena!– sería capaz de venderme a un viejo.

—Tú no sabrías hacerlo –dijo Boris severamente–. Eso es un oficio. Hay que aprender.

Caminaban lentamente: era aquel un momento de dicha; seguramente Ivich había olvidado su examen, pues parecía contenta. En esos momentos, Boris tenía la impresión de que ambos no formaban más que uno. En el cielo había grandes claros de azul y nubes blancas aborregadas; el follaje de los árboles estaba pesado de lluvia, y olía a humo de madera como en la calle mayor de una aldea.

—Me gusta este tiempo –dijo Ivich, atacando su segunda manzana–. Está un poco húmedo, pero no es pegajoso. Y además, no hace mal a los ojos. Me siento con ánimo para hacer veinte kilómetros.

Boris se aseguró discretamente de que había algunos cafés en las proximidades. Cuando Ivich hablaba de hacer veinte kilómetros a pie, no había vez en que no pidiera sentarse inmediatamente después.

Ivich miró el león de Belfort y dijo, extática:

—Ese león me gusta. Parece mágico.

—¡Hum! –dijo Boris.

Respetaba los gustos de su hermana aun cuando no los compartiera. Por lo demás Mateo, los había garantizado, diciéndole un día: "Su hermana tiene mal gusto, pero un mal gusto mejor que el gusto más certero: es un mal gusto *profundo*". En tales condiciones, no había caso de discutir. Pero personalmente, Boris era más bien sensible a la belleza clásica.

—¿Seguimos por el bulevar Arago? –preguntó.

—¿Cuál es?

—Aquél.

—De acuerdo –dijo Ivich–, está todo brillante.

Caminaron en silencio. Boris no notó que su hermana se ensombrecía y se ponía nerviosa; caminaba torciendo los pies expresamente. "La agonía va a comenzar", pensó Boris con un espanto resignado. Ivich entraba en agonía cada vez que esperaba los resultados de un examen. Boris levantó los ojos y vio a cuatro obreros jóvenes que venían a su encuentro y que los miraban burlonamente. Boris estaba acostumbrado a esas risas y las consideró con simpatía. Ivich, con la cabeza baja, no parecía haberlos visto. Cuando los tipos llegaron donde ellos estaban, se separaron. Dos pasaron a la izquierda de Boris, y los otros dos a la derecha de Ivich.

—¿Hacemos un sandwich? –propuso uno de ellos.

—Cara de pedo –dijo Boris amablemente.

En ese momento Ivich saltó en el aire, y lanzó un grito penetrante que sofocó inmediatamente poniéndose la mano delante de la boca.

—Me comporto como una cocinera –dijo, roja de confusión.

Los jóvenes obreros estaban ya lejos.

—¿Qué pasa? –preguntó Boris, atónito.

—Ése me tocó –dijo Ivich, con asco–. Tipo asqueroso.

Y agregó con severidad.

—No es nada, no hubiera debido gritar.

—¿Cuál fue? –dijo Boris, furioso.

Ivich lo retuvo.

—Quédate tranquilo, por favor. Son cuatro. Y además, ya me he puesto bastante en ridículo.

—No es porque te hayan tocado –explicó Boris–. Es que no puedo soportar que te hagan eso cuando estoy yo contigo. Cuando estás con Mateo, nadie te toca. ¿Qué soy yo, entonces?

—Es que es así, hijo mío –dijo Ivich tristemente–. Yo tampoco puedo protegerte. Nosotros no somos respetables.

Era cierto. Y aquello dejaba asombrado a Boris muchas veces; cuando se miraba en los espejos, él se veía de aspecto intimidante.

—Nosotros no somos respetables –repitió.

Se apretaron el uno contra el otro y se sintieron huérfanos.

—¿Qué es eso? –preguntó Ivich al cabo de un momento.

Indicaba un largo muro, negro a través del verde de los castañas.

—Es la Santé –dijo Boris–. Una prisión.

—Es formidable –dijo Ivich–. Jamás he visto nada más siniestro. ¿Y se escapan de aquí?

—Es raro –dijo Boris–. He leído que una vez un preso consiguió saltar desde lo alto del muro. Se aferró a la gruesa rama de un castaño y después saltó.

Ivich reflexionó y señaló con el dedo un castaño.

—Debe haber sido ése –dijo–. ¿Si nos sentáramos en el banco que está al lado? Yo estoy cansada. Puede que veamos saltar a algún otro preso.

—Puede ser –dijo Boris sin convicción–. Pero, sabes, lo hacen más bien de noche.

Cruzaron la calzada y fueron a sentarse. El banco estaba mojado. Ivich dijo con satisfacción:

—Está fresco.

Pero inmediatamente después comenzó a agitarse y

a tironearse los cabellos. Boris tuvo que golpearle la mano para que no se arrancara los bucles.

—Tócame la mano –dijo Ivich–; está helada.

Era cierto. E Ivich estaba lívida, parecía sufrir, todo su cuerpo estaba agitado de pequeños sobresaltos. Boris la vio tan triste, que trató de pensar en Lola, por simpatía.

Ivich levantó bruscamente la cabeza: tenía un aire de resolución sombría.

—¿Tienes los dados? –preguntó.

—Sí.

Mateo había regalado a Ivich un juego de dados en un saquito de cuero. Ivich se lo regaló a Boris y los dos jugaban con él a menudo.

—Juguemos –dijo Ivich.

Boris sacó los dados del saquito. Ivich agregó:

—Dos manos y una buena. Empieza.

Se apartaron uno del otro. Boris se sentó a caballo hizo rodar los dados sobre el banco. Había hecho un póker de reyes.

—Al primer tiro –dijo.

—Te odio –dijo Ivich.

Frunció el ceño y antes de agitar los dados sopló cuchicheando sobre sus dedos. Era un conjuro. "Esto es serio, pensó Boris. Está jugando el resultado de su examen". Ivich tiró y perdió: tenía trío de damas.

—Segunda mano –dijo, mirando a Boris con ojos chispeantes. Esta vez sacó trío de ases.

—Al primer tiro –anunció ella a su vez.

Boris tiró y estuvo a punto de obtener un póker de ases. Pero antes de que los dados terminaran de correr, adelantó la mano so pretexto de recogerlos y empujó dos sigilosamente, con la punta de los dedos índice y medio.

Dos reyes ocuparon el lugar del as de corazones y del póker.

—Pares dobles –anunció como despechado.

—Yo he ganado una –dijo Ivich, triunfante–. Ahora la buena.

Boris se preguntaba si lo había visto hacer trampa. Pero después de todo, eso no tenía gran importancia: Ivich no tenía en cuenta más que el resultado. Ganó la buena por dos pares contra uno, sin que él tuviera que intervenir.

—¡Bueno! –dijo Ivich simplemente.

—¿Quieres seguir jugando?

—No, no –dijo ella–, está bien. ¿Sabes?, jugaba para saber si sería aprobada.

—No sabía –dijo Boris–; bueno, pues estás aprobada.

Ivich se encogió de hombros.

—No creo en esto –dijo.

Callaron ambos y permanecieron sentados uno junto al otro, con la cabeza baja. Boris no miraba a Ivich, pero la sentía temblar.

—Tengo calor –dijo Ivich–, qué horror: tengo las manos mojadas, estoy sudando de angustia.

En realidad, su mano derecha, hacía un momento tan fría, estaba ardiente. Su mano izquierda, inerte y vendada, reposaba sobre sus rodillas.

—Este vendaje me fastidia –dijo–. Parezco un herido de guerra. Tengo ganas de arrancármelo.

Boris no respondió. A lo lejos, un reloj dio una campanada e Ivich se sobresaltó:

—¿…son las doce y media? –preguntó con aire extraviado.

—Es la una y media –dijo Boris, consultando su reloj.

Ambos se miraron y Boris dijo:

—Bueno, pues ahora tengo que ir allá.

Ivich se pegó a él y le rodeó los hombros con sus brazos.

—No vayas, Boris, queridín mío, no quiero saber nada, volveré a Laon esta noche y... No quiero saber nada.

—Estás disparatando –dijo Boris con dulzura–. Forzosamente tienes que saber el resultado cuando hables con nuestros padres.

Ivich dejó caer sus brazos.

—Entonces ve –dijo–. Pero vuelve lo más pronto posible, yo te espero aquí.

—¿Aquí? –dijo Boris, estupefacto–. ¿No prefieres que hagamos el camino juntos? Podrías esperarme en un café del Barrio Latino.

—No, no –dijo Ivich–, yo te espero aquí.

—Como quieras. ¿Y si llueve?

—Boris, te lo ruego, no me tortures, vete rápido. Yo me quedaré aunque llueva, aunque tiemble la tierra, no puedo sostenerme sobre las piernas, no tengo fuerzas ni para levantar un dedo.

Boris se levantó y se marchó a grandes zancadas. Después de haber cruzado la calle, se volvió. Veía a Ivich de espaldas: aplastada sobre el banco, la cabeza hundida entre los hombros, parecía una vieja mendiga. "Después de todo a lo mejor la aprueban", se dijo. Dio algunos pasos y de pronto volvió a ver la cara de Lola. La verdadera. "¡Es desgraciada!", pensó y el corazón le empezó a latir con violencia.

XIV

Dentro de un momento. Dentro de un momento recomenzaría su búsqueda infructuosa. Dentro de un momento, obsesionado por los ojos rencorosos y cansados de Marcela, por la cara sigilosa de Ivich, por la máscara mortuoria de Lola, volvería a encontrar un sabor de fiebre en el fondo de su boca y la angustia vendría a aplastarle el estómago. Dentro de un momento. Se hundió en el sillón y encendió la pipa; estaba desierto y tranquilo, se abandonaba a la frescura sombría del bar. Estaba ese tonel barnizado que les servía de mesa, esas fotos de actrices y esos gorros de marineros colgados en las paredes, ese aparato de radio invisible que cuchicheaba como un surtidor, esos señores importantes, gordos y ricos, en el fondo de la sala, que fumaban cigarros y bebían oporto –los últimos clientes, hombres de negocios, pues los otros se habían marchado a almorzar ya hacía rato; podía ser la una y media, pero uno se imaginaba fácilmente que era por la mañana, la jornada estaba allí, inmóvil como una mar inofensiva, Mateo se diluía en ese mar sin pasión, sin olas, no era ya más que un "negro spiritual" apenas perceptible, un tumulto de voces distinguidas, una luz de color de herrumbre y el balanceo de todas las hermosas manos que se balanceaban, portadoras de cigarros, como carabelas cargadas de especias. Mateo sabía que sólo le prestaban este ínfimo fragmento de vida barata, y que tendría que devolverlo dentro de un momento, pero se aprovechaba de él sin aspereza: el mundo reserva aún muchas humildes y pequeñas facilidades a los tipos fracasados, y les guarda la mayor parte de sus gracias pasajeras, a condición de que las gocen modestamente.

Daniel estaba sentado a su izquierda, solemne y silencioso. Mateo podía contemplar a gusto su hermoso rostro de jeque árabe, y esto era también una pequeña felicidad para los ojos. Mateo estiró las piernas y sonrió para sí mismo.

—Te recomiendo el jerez que tienen –dijo Daniel.

—Está bien, pero siempre que tú me lo ofrezcas: yo estoy sin blanca.

—Yo te invito –dijo Daniel–. Pero dime: ¿quieres que te preste doscientos francos? Me avergüenza ofrecerte tan poco...

—Bah –dijo Mateo–, ni siquiera vale la pena.

Daniel había vuelto hacia él sus grandes ojos acariciadores, e insistió:

—Te lo ruego. Tengo cuatrocientos francos para terminar la semana: vamos por mitades.

Mucho cuidado con aceptar, porque eso no estaba en las reglas del juego.

—No –dijo Mateo–. No, te aseguro, eres muy amable.

Daniel clavaba en él una mirada pesada de solicitud:

—¿Realmente no necesitas nada?

—Si –dijo Mateo–; necesito cinco mil francos. Pero no en este momento. En este momento necesito un jerez y tu conversación.

—Deseo que mi conversación esté a la altura del jerez –dijo Daniel.

No había dicho ni una palabra de su expreso, ni de las razones que le habían impulsado a citar a Mateo. Mateo le estaba más bien agradecido: siempre las sabría demasiado pronto. Y dijo:

—¿Sabes? Ayer vi a Brunet.

—¿De veras? –dijo Daniel cortésmente.

—Me parece que esta vez todo ha acabado entre nosotros.

—¿Habéis reñido?

—Reñido no. Peor que eso.

Daniel había adoptado un aire consternado; Mateo no pudo evitar una sonrisa:

—¿A ti te importa Brunet? –preguntó.

—Bueno, pues... ¿sabes?, nunca he sido tan íntimo de él como tú –dijo Daniel–. Yo lo estimo mucho, pero si estuviera en mi mano lo haría embalsamar y lo colocaría en el museo del hombre, sección siglo veinte...

—No estaría mal allí –dijo Mateo.

Daniel mentía: había querido mucho a Brunet, en otro tiempo. Mateo saboreó el jerez y dijo:

—Es bueno.

—Sí –dijo Daniel–, es lo mejor que tienen. Pero la provisión se les está agotando y no pueden renovarla a causa de la guerra de España.

Dejó su vaso vacío y tomó una aceituna de un platillo.

—¿Sabes –dijo– que voy a hacerte una confesión?

Punto final: aquella felicidad humilde y ligera acababa de deslizarse en el pasado. Mateo miró de reojo a Daniel: Daniel tenía un aspecto noble y perspicaz.

—Empieza –dijo Mateo.

—Me pregunto qué efecto te va a producir –continuó Daniel con voz vacilante–. Me desolaría que me guardaras rencor por ello.

—No tienes más que hablar y lo sabrás –dijo Mateo sonriendo.

—¡Bueno! Pues adivina a quién he visto anoche.

—¿A quién has visto anoche? –repitió Mateo decepcionado–. Pues no sé, puedes haber visto a un montón de gente.

—A Marcela Duffet.

—¿A Marcela?

Mateo no estaba muy sorprendido: Daniel y Marcela no se habían visto muy a menudo, pero Marcela parecía sentir simpatía por Daniel.

—Tienes suerte –dijo–, porque no sale nunca. ¿Dónde la encontraste?

—Pues en su casa... –dijo Daniel, sonriendo–. ¿Dónde quieres que fuera si no sale nunca?

Y agregó bajando los párpados con aire modesto:

—Para decírtelo todo, ella y yo nos vemos de cuando en cuando.

Hubo un silencio. Mateo miraba las largas pestañas negras de Daniel que palpitaban un poco. Un reloj dio dos campanadas, una voz de negro cantaba dulcemente: "There's cradle in Caroline". Nos vemos de cuando en cuando. Mateo volvió la cabeza y fijó la mirada en el pompón rojo de un gorro de marinero.

—Os véis –repitió sin comprender–. Pero... ¿y dónde?

—Pues en su casa, acabo de decírtelo –dijo Daniel con un matiz de fastidio.

—¿En su casa? ¿Quieres decir que tú vas a su casa? Daniel no contestó. Mateo preguntó.

—¿Qué idea se te ocurrió? ¿Cómo pasó eso?

—Pues muy sencillamente. Yo siempre he sentido la más viva simpatía por Marcela Duffet. Admiraba mucho su valor y su generosidad.

Calló un momento y Mateo repitió con estupor: "El valor de Marcela, su generosidad". No eran esas cualidades las que él estimaba más en ella. Daniel prosiguió:

—Un día que me aburría se me ocurrió ir a llamar a su casa y ella me recibió muy amablemente. Eso es todo: después hemos continuado viéndonos. Nuestro único error ha sido ocultártelo.

Mateo se hundió en los perfumes espesos, en el aire algodonado de la habitación rosada; Daniel estaba sentado en la *bergère*, miraba a Marcela con sus grandes ojos de gacela, y Marcela sonreía torpemente como si fueran a fotografiarla. Mateo sacudió la cabeza; aquello no pegaba, era absurdo y chocante, esos dos no tenían absolutamente nada en común, no hubieran podido entenderse.

—¿Tú vas a su casa y ella me lo había ocultado?

Dijo con tranquilidad:

—Es una broma.

Daniel levantó los ojos y contempló a Mateo con aire sombrío:

—¡Mateo! –dijo con su voz más profunda–. Me harás justicia si reconoces que yo no me he permitido jamás la menor broma acerca de tus relaciones con Marcela: son demasiado preciosas.

—No digo que no –dijo Mateo–, no digo que no. Lo cual no impide que esto sea una broma.

Daniel dejó caer los brazos, desalentado.

—Está bien –dijo tristemente–. Quedemos en eso, entonces.

—No, no –dijo Mateo–, continúa, eres muy divertido: yo no caigo y eso es todo.

—Tú no me facilitas la tarea –dijo Daniel, con reproche–. Ya me es bastante penoso el acusarme ante ti. –Suspiró–: Hubiera preferido que creyeras en mi palabra. Pero ya que necesitas pruebas...

Había sacado del bolsillo una cartera repleta de billetes. Mateo vio los billetes y pensó: "¡Qué perro!" Pero perezosamente, por fórmula.

—Mira –dijo Daniel.

Tendía una carta a Mateo. Mateo tomó la carta: era la letra de Marcela. Leyó:

"Tenía usted razón como siempre, mi querido Arcángel. Eran realmente pervincas. Pero no comprendo ni una palabra de lo que escribe. De acuerdo con el sábado, ya que no estoy libre mañana. Mamá dice que lo reñirá mucho por los bombones. Venga pronto, querido Arcángel: esperamos con impaciencia su visita. Marcela".

Mateo miró a Daniel. Y dijo:

—¿Entonces... es cierto?

Daniel hizo una seña con la cabeza: se mantenía muy derecho, fúnebre y correcto como un testigo de duelo. Mateo releyó la carta de punta a punta. Estaba fechada el 20 de abril: "Ella ha escrito esto". Ese estilo precioso y risueño se le parecía tan poco. Se frotó la nariz con perplejidad y después se echó a reír a carcajadas:

—Arcángel. Te llama Arcángel, jamás se me hubiera ocurrido eso. Un arcángel caído, me imagino, un tipo por el estilo de Lucifer. Y también ves a la vieja: es completo.

Daniel pareció desconcertado.

—En buena hora –dijo secamente–. Yo temía que te enfadaras...

Mateo volvió la cabeza hacia él y lo miró con incertidumbre; bien veía que Daniel había contado con su cólera.

—Es cierto –dijo–, debería enojarme, sería lo normal. Y advierte que tal vez ocurra. Pero, por el momento, estoy apabullado.

Vació su copa, asombrándose a su vez de no sentirse más irritado.

—¿Y la ves a menudo?

—No con regularidad: Pongamos alrededor de dos veces por mes.

—¿Pero qué es lo que podéis encontrar para deciros?

Daniel se sobresaltó y sus ojos brillaron. Dijo con voz demasiado dulce:

—¿Tienes tú algún tema de conversación que proponernos?

—No te enfades –dijo Mateo con voz conciliadora–. Todo esto es tan nuevo, tan imprevisto para mí... que casi me divierte. Pero no tengo malas intenciones. Entonces, ¿es cierto? ¿Os gusta conversar a vosotros dos? pero no te enfurezcas, te lo ruego; trato de darme cuenta, ¿pero de qué habláis?

—De todo –dijo Daniel con frialdad–. Evidentemente, Marcela no espera de mí conversaciones muy elevadas. Pero eso la descansa.

—Es increíble, sois tan diferentes.

No conseguía desembarazarse de esa imagen absurda: Daniel tan ceremonioso, tan lleno de gracias sigilosas y nobles, con sus aires de Cagliostro y su larga sonrisa africana, y Marcela, frente a él, rígida, torpe y leal... ¿Leal? ¿Rígida? No debía de ser tan rígida. "Venga usted, Arcángel, esperamos su visita." Era Marcela quien había escrito eso, era ella quien se ejercitaba en esas burdas gentilezas. Por primera vez, Mateo se sintió rozado por una especie de cólera: "Marcela me ha mentido –pensó con estupor–, me miente desde hace seis meses". Y continuó:

—Me asombra tanto que Marcela me haya ocultado algo.

Daniel no respondió.

—¿Fuiste tú quien le pediste que se callara? –preguntó Mateo.

—Fui yo. No quería que tú patrocinaras nuestras relaciones. Ahora, que la conozco desde hace bastante tiempo, eso ya no tiene importancia.

—Fuiste tú quien se lo pidió –repitió Mateo algo más conforme. Y agregó: –¿Pero ella no opuso ninguna dificultad?

—Le asombró mucho.

—Sí, pero no se negó.

—No. No debía de encontrarlo culpable. Se rió, me acuerdo, y dijo: "Es un caso de conciencia". Ella piensa que a mí me gusta rodearme de misterio. –Y agregó con una ironía velada que resultó muy desagradable a Mateo–: Al principio me llamaba Lohengrin. Después, como ya has visto, su elección recayó en Arcángel.

—Sí –dijo Mateo. Pensaba: "Se está burlando de ella", y se sentía humillado por cuenta de Marcela. Su pipa se había apagado; alargó la mano y tomó maquinalmente una aceituna. Era grave: no se sentía *bastante* abatido. Un estupor intelectual, sí, como cuando uno descubre que se ha equivocado en toda la línea... Pero antes, había en él algo viviente que hubiera sangrado. Y dijo simplemente, con voz sombría:

—Nos lo decíamos todo...

—Tú te lo imaginabas –dijo Daniel–. ¿Acaso es posible decirlo todo?

Mateo se encogió de hombros, con irritación. Pero estaba enfadado sobre todo contra sí mismo.

—¡Y esa carta! –dijo–. ¡Esperamos su visita! Me parece que estoy descubriendo otra Marcela.

Daniel pareció aterrado.

—¡Otra Marcela, qué rápido vas! Escucha, tú no vas, de cualquier modo, por una niñería...

—Tú mismo me reprochabas, hace un momento, que no tomara las cosas bastante en serio.

—Es que tú pasas de un extremo a otro –dijo Daniel. Y prosiguió con aire de comprensión afectuosa–. Lo que hay es que te fías demasiado de tus juicios sobre la gente. Esta pequeña historia prueba simplemente que Marcela es más complicada de lo que tú creías.

—Puede ser –dijo Mateo–. Pero hay otra cosa. Marcela había caído en falta y él tenía miedo de guardarle rencor: –*no podía ser* que perdiera su confianza, en ella, hoy– hoy, cuando se vería obligado acaso a sacrificarle su libertad. Era menester que la estimara, si no aquello sería demasiado duro.

—Además –dijo Daniel–, nosotros siempre tuvimos la intención de decírtelo, pero era tan chusco hacer de conspiradores que siempre lo dejábamos de un día para otro.

¡Nosotros! Decía: nosotros; alguien podía decir nosotros hablando de Marcela a Mateo. Mateo miró a Daniel inamistosamente; ése hubiera sido el momento de odiarlo. Pero Daniel era desarmante, como siempre. Mateo le dijo bruscamente:

—Daniel, ¿por qué lo ha hecho ella?

—Bueno, pues ya te lo he dicho –respondió Daniel–; porque yo se lo he rogado. Y además, debía resultarle divertido tener un secreto.

Mateo sacudió la cabeza.

—No, hay otra cosa. Ella sabía muy bien lo que hacía. ¿Por qué lo ha hecho?

—Pero... –dijo Daniel–, me imagino que no debe

ser siempre cómodo eso de vivir dentro de tu aureola. Marcela se ha buscado un rincón de sombra.

—¿Me encuentra dominante?

—No me lo ha dicho, precisamente, pero es lo que he creído comprender. Qué quieres, tú eres una fuerza, agregó sonriendo. Advierte que ella te admira, admira esa manera que tienes de vivir en una casa de cristal y de gritar desde el techo lo que se tiene costumbre de guardar para sí mismo: pero eso extenúa. Ella no te ha hablado de mis visitas, porque temía que tú formalizaras sus sentimientos hacia mí, que tú la apremiaras para que les diera un nombre, que los desmontaras para devolvérselos hechos pedacitos. Y esos sentimientos ¿sabes?, necesitan la oscuridad..., son algo vacilante, muy mal definido...

—¿Te lo ha dicho ella?

—Sí, eso me lo ha dicho. Me dijo: lo que me entretiene con usted, es que no sé en absoluto adónde voy. Con Mateo siempre lo sé.

Con Mateo siempre lo sé. E Ivich: con usted uno nunca tiene que temer lo imprevisto. Mateo sintió un golpe en el corazón.

—Y ella, ¿por qué no me habló nunca de todo esto?

—Pretende que ha sido porque tú jamás la interrogas.

Era cierto, Mateo bajó la cabeza: cada vez que se trataba de penetrar en los sentimientos de Marcela, sentía una pereza invencible. A veces, cuando creía notar una sombra en sus ojos, se encogía de hombros. "Bah, si hubiera algo me lo diría; ella me lo dice todo." Y esto era lo que yo llamaba mi confianza en ella. Lo he estropeado todo.

Se sacudió y dijo bruscamente:

—¿Por qué me dices esto *hoy*?

—De cualquier modo tenía que decírtelo algún día.

Este aire evasivo estaba hecho para picar la curiosidad; Mateo no se dejó engañar.

—¿Por qué *hoy* y por qué *tú*? –continuó–. Hubiera sido más… normal, que ella me hablara la primera.

—Verás –dijo Daniel con fingido embarazo–, puede que me haya engañado pero… he… he creído que así importaba a tu interés y al de ella.

Bueno. Mateo se endureció: "Cuidado con el mal golpe: esto no hace más que empezar". Daniel agregó:

—Voy a decirte la verdad; Marcela ignora que yo te haya hablado y aún ayer no parecía decidida a ponerte al corriente tan de inmediato. Hasta te agradeceré que le ocultes cuidadosamente nuestra conversación.

Mateo se rió involuntariamente:

—¡Ahí estás tú, Satán! Siembras secretos en todas partes. Ayer aún conspirabas contra mí con Marcela, y hoy me pides mi complicidad contra ella. Eres un traidor endemoniado.

Daniel sonrió:

—Yo no tengo nada de Satán –dijo–. Lo que me ha decidido a hablar es una verdadera inquietud que sentí ayer tarde. Me pareció que había un grave mal entendido entre vosotros. Naturalmente, Marcela es demasiado orgullosa para hablarte ella misma.

Mateo apretó fuertemente el vaso en la mano; empezaba a comprender.

—Es a propósito de ese… –Daniel acabó con pudor– de este accidente vuestro.

—Ah –dijo Mateo–. ¿Tú le dijiste que sabías?

—No, no. No le he dicho nada. Fue ella la que me habló primero.

—¡Ah!

"Ayer mismo, en el teléfono, parecía temer que yo se lo dijera. Y esa misma noche se lo dice todo. Una comedia más". Agregó:

—¿Y entonces?

—Bueno, pues eso no marcha. Hay algo descompuesto.

—¿Y qué es lo que te permite decir eso? —preguntó Mateo, apurado.

—Nada preciso, es más bien… la manera como ella me ha presentado las cosas.

—¿Y qué es lo que hay? ¿Me guarda rencor por haberle hecho un chico?

—No me parece. No es eso. Por tu actitud de ayer, más bien. Me habló de ella con rencor.

—¿Y yo qué he hecho?

—No podría decírtelo exactamente. Mira, esto es lo que ella me ha dicho, entre otras cosas: "Siempre es él quien decide, y si yo no estoy de acuerdo con él, va de suyo que puedo protestar. Sólo que eso es completamente a su favor, porque él tiene su opinión ya formada, y nunca me da tiempo para formarme yo una". No te garantizo los términos.

—Pero yo no he tenido que tomar ninguna decisión –dijo Mateo, desconcertado–. Siempre hemos estado de acuerdo sobre lo que habría que hacer en semejante caso.

—Sí. ¿Pero te preocupaste por su opinión, anteayer?

—No, en realidad –dijo Mateo–. Yo estaba seguro de que ella pensaba como yo.

—Sí, en fin, no le preguntaste nada. ¿Cuándo considerasteis por última vez esa… eventualidad?

—No sé, hace dos o tres años.

—Dos o tres años. ¿Y no crees que ella ha podido cambiar de opinión entretanto?

En el fondo de la sala, los señores se habían levantado, se congratulaban riendo, y un mozo trajo sus sombreros, tres flexibles negros y un hongo. Salieron haciendo un gesto amistoso al barman, y el mozo paró la radio. El bar recayó en un silencio seco; había un sabor de desastre en el aire. "Esto acabará mal", pensó Mateo. Y no sabía muy bien lo que iba a acabar mal, ¿ese día tormentoso, ese asunto de aborto, sus relaciones con Marcela? No, era algo más vago y más amplio: su vida, Europa, esa paz sosa y siniestra. Volvió a ver los cabellos rojos de Brunet: "Habrá guerra en septiembre". En ese momento, en el bar desierto y oscuro, uno llegaba casi a creerlo. Había algo de podrido en su vida, en ese verano.

—¿Ella tiene miedo de la operación? –preguntó.

—Yo no sé –dijo Daniel con aire distante.

—¿Desea que me case con ella?

Daniel se echó a reír:

—Pero yo no sé nada, me preguntas demasiado. De todas las maneras, eso no ha de ser tan sencillo. ¿Sabés? Tú deberías hablarle esta noche. Sin hacer alusión a mí, naturalmente: como si te hubieran sobrevenido escrúpulos. Según estaba ayer, me asombraría que no te lo dijera todo: parecía estar muy fastidiada.

—Está bien. Trataré de hacerla hablar.

Hubo un silencio y luego Daniel agregó con aire forzado:

—En fin, ya está; yo te he advertido.

—Sí. Gracias de cualquier modo –dijo Mateo.

—¿Me guardas rencor?

—En absoluto. Es precisamente el género de favor

que tú puedes hacer: algo que le cae a uno sobre la cabeza como un ladrillo.

Daniel se rió muy fuerte: abría la boca bien grande, y se le veían los dientes deslumbrantes y el fondo de la garganta.

Yo no hubiera debido hacerlo, pensaba ella con la mano posada sobre el teléfono, yo no hubiera debido hacerlo, nosotros nos decíamos todo siempre, él piensa: Marcela me lo decía todo. Ah, él lo piensa, y ahora sabe, *sabe*, con aplastante estupor en la cabeza, y esa vocecita en su cabeza. Marcela me lo decía siempre todo, está allí, en este momento, está allí en su cabeza, es intolerable, preferiría cien veces que me odiara, pero él está allí sentado en la banqueta del café, con los brazos separados como si acabara de romperse algo. Es un hecho, la conversación *ha tenido lugar*. Ni visto, ni oído, yo no estaba allí, yo no he sabido nada, pero es, se ha producido, las palabras han sido dichas y yo no sé nada, la voz grave subía como un humo hacia el techo del café, la voz saldrá de aquí, la voz hermosa y grave que hace temblar siempre la placa del auricular, saldrá de aquí, dirá está hecho. Dios mío, Dios mío, ¿qué irá a decir? Yo estoy desnuda, estoy llena, y esa voz saldrá toda vestida de la placa blanca, no hubiéramos debido hacerlo, no hubiéramos debido hacerlo, ella casi hubiera odiado a Daniel si hubiera sido posible odiarlo, ha sido tan generoso, tan bueno, es el único que se ha preocupado por mí, ha tomado mi causa en sus manos el Arcángel, ha entregado a mi causa su soberbia voz. Una mujer, muy débil mujer, completamente débil y *defendida* en el mundo de los hombres y de los vivientes por una voz sombría y cálida, la voz saldrá de aquí, dirá Marcela me decía todo, ¡pobre Mateo, querido Arcángel! Ella pensó: el Arcángel, y sus ojos se humedecieron, lágrimas dulces, lágrimas de abundancia y de fertilidad, lágrimas de *verdadera* mujer después de ocho días tórridos, de dulce, dulce mujer *defendida*. Me ha tomado en sus brazos, me ha acariciado, con la agüita danzante de los ojos y la caricia burlescamente sinuosa de las mejillas, y la mueca temblorosa de los labios, durante ocho días ella había mirado a lo lejos un punto fijo, los ojos secos y desiertos: me lo van a matar, durante ocho días había sido Marcela la precisa, Marcela la dura, Marcela la razonable, Marcela el hombre, él dice que yo soy un hombre y he aquí el agua, la débil mujer, la lluvia en los ojos, por qué resistir, mañana seré dura y razonable, una vez, una sola vez las lágrimas, los remordimientos, la dulce compasión de sí misma, y la humildad más dulce todavía, esas manos de terciopelo sobre mis costados, sobre mis nalgas, ella tenía deseos de tomar a Mateo en sus brazos y pedirle perdón, perdón de rodillas: pobre Mateo, mi pobre grandote. Una vez, una sola vez, defendida, perdonada, es tan bueno. De pronto una idea la desinfló en seco, le corría vinagre por las venas, esta noche cuando entre en casa, cuando yo le eche los brazos alrededor del cuello, cuando lo bese, él lo sabrá todo y yo tendré que hacer como que no sé que él sabe. Ah, le estamos mintiendo, pensó con desesperación, le seguimos mintiendo, se lo decimos todo, pero nuestra sinceridad está envenenada. Él sabe, él entrará esta noche, yo veré sus ojos bondadosos, yo pensaré él sabe, y cómo podré soportarlo, mi grandote, mi pobre grandote, por primera vez en mi vida te he causado pena, ¡ah! lo aceptaré todo, iré a casa de la vieja, mataré al chico, me da vergüenza, haré lo que él quiera, todo lo que tú quieras.

El teléfono sonó bajo sus dedos y ella crispó la mano sobre el auricular.

—¡Hola! –dijo–, hola, ¿es Daniel?

—Si –dijo la voz hermosa y tranquila–, ¿quién habla?

—Marcela.

—Buenos días, mi querida Marcela.

—Buenos días –dijo Marcela. Su corazón latía a martillazos.

—¿Ha dormido bien? –La voz grave resonaba en su vientre; era insoportable y delicioso–. La dejé terriblemente tarde, anoche; la señora Duffet podría refunfuñar. Pero espero que no ha sabido nada.

—No –dijo Marcela jadeante–, no ha sabido nada. Dormía como un tronco cuando usted se marchó…

—¿Y *usted*? –insistió la tierna voz–, ¿pudo dormir?

—¿Yo? Sí…, algo. Estoy un poco cansada, ¿sabe?

Daniel se echó a reír con una gran risa lujosa, apacible y fuerte. Marcela se distendió algo.

—No hay que ponerse nerviosa –dijo–. Todo ha andado muy bien.

—¿Todo ha… de veras?

—De veras. Mejor todavía de lo que yo esperaba. Nos habíamos equivocado un poco sobre Mateo, querida Marcela.

Marcela se sintió mordida por un áspero remordimiento. Y dijo:

—¿No es cierto? ¿No es cierto que nos habíamos equivocado?

—Me paró desde las primeras palabras –dijo Daniel–. Me dijo que él había comprendido perfectamente que algo no marchaba, y que eso lo había atormentado durante todo el día de ayer.

—¿Usted... usted le dijo que nosotros nos veíamos? –preguntó Marcela con voz sofocada.

—Naturalmente –dijo Daniel sorprendido–. ¿Acaso no era lo convenido?

—Sí... sí... ¿Y cómo lo ha tomado?

Daniel pareció vacilar.

—Muy bien –dijo–. En definitiva muy bien. Al principio no quería creerlo...

—Ha debido decirle: Marcela me lo decía todo.

—En efecto –Daniel parecía divertido–, me lo dijo en esas mismos términos.

—¡Daniel –dijo Marcela–, tengo remordimientos!

Oyó de nuevo la profunda y alegre risa:

—Resulta curioso, él también. Se ha marchado cargado de remordimientos. Ah, si están ustedes dos en esas disposiciones, me gustaría mucho estar escondido en cualquier parte en su habitación cuando él la vea: promete ser delicioso.

Se rió de nuevo y Marcela pensó con humilde gratitud: "Se ríe de mí". Pero ya la voz se había tornado totalmente grave, y el auricular vibraba como un órgano.

—No, en serio, Marcela, todo marcha a maravilla, ¿sabe? Yo estoy contento por usted. Ni me ha dejado hablar, me ha detenido desde las primeras palabras y me ha dicho: "Pobre Marcela, yo tengo toda la culpa; me aborrezco a mí mismo, pero lo repararé, ¿crees que esté a tiempo de repararlo?" y tenía los ojos enrojecidos. ¡Cómo la quiere a usted!

—¡Oh, Daniel! –decía Marcela–, oh, Daniel... oh, Daniel.

Hubo un silencio y después Daniel agregó:

—Me dijo que quería hablarle, esta noche, con el corazón en la mano: "Abriremos el absceso". Ahora, todo está en sus manos, Marcela. Él va a hacer todo lo que usted quiera.

— ¡Oh, Daniel! ¡Oh, Daniel! –Marcela se recobró un poco y agregó:

—Usted ha sido tan bueno, tan... Querría verlo a usted lo más pronto posible, tengo tantas cosas que decirle, y no puedo hablarle sin ver su cara. ¿Puede mañana?

La voz le pareció más seca, había perdido sus armónicos.

—¡Ah, mañana no! Naturalmente, yo también tengo prisa por verla... Escuche, Marcela, yo le voy a telefonear.

—De acuerdo –dijo Marcela–, telefonéeme pronto. Ah, Daniel, mi querido Daniel.

—Hasta pronto, Marcela –dijo Daniel–. Sea muy hábil esta noche.

—¡Daniel! –gritó Marcela. Pero él había cortado.

Marcela dejó el auricular y se pasó el pañuelo por los ojos húmedos: "¡El arcángel! Se ha escapado bien de prisa, por temor de que se lo agradezca." Se aproximó a la ventana y miró a los transeúntes: mujeres, chiquillos, algunos obreros, le pareció que tenían aspecto de felicidad. Una joven corría por el medio de la calzada llevando a su criatura en los brazos, le hablaba al correr, toda sofocada, y se le reía en la cara. Marcela la siguió con los ojos, después se acercó al espejo y se miró en él con asombro. Sobre la repisa del lavabo había tres rosas rojas en el vaso del cepillo de dientes. Marcela tomó una con vacilación y la hizo girar tímidamente entre sus dedos, después cerró los ojos y se prendió la rosa en la negra cabellera. "Una rosa en mis cabellos..." Abrió los párpados, se miró en el espejo, se esponjó la cabellera y se sonrió, confusa.

XV

—Sírvase esperar aquí, señor —dijo el hombrecillo. Mateo se sentó en una banqueta. Era una antecámara oscura, que olía a coles. A la izquierda, brillaba débilmente una puerta de cristales.

Llamaron y el hombrecillo fue a abrir. Entró una mujer joven, vestida con mísera decencia.

—Haga el favor de sentarse, señora.

La acompañó rozándola hasta la banqueta, y ella se sentó recogiendo las piernas debajo del asiento.

—Yo he venido ya —dijo la joven—. Es por un préstamo.

—Sí, señora, perfectamente.

El hombrecillo le hablaba en plena cara:

—¿Usted es empleada?

—Yo no. Mi marido.

Y se puso a registrar en la cartera; no era fea, pero tenía un aire duro y acosado; el hombrecillo la miraba con glotonería. Ella sacó de la cartera dos o tres papeles cuidadosamente doblados; él los tomó, se aproximó a la puerta de cristales para ver más claro y los examinó largamente.

—Muy bien —dijo devolviéndoselos—, está muy bien. ¿Dos hijos? Parece usted tan joven... Uno los espera con impaciencia, ¿no es cierto? Pero cuando llegan, desorganizan un poco las finanzas de la familia. ¿Ustedes están un poco apretados en este momento?

La mujer se puso roja, y el hombrecillo se restregó las manos:

—¡Bueno! —dijo bondadosamente—, pues vamos a arreglar todo eso, vamos a arreglarlo, para eso estamos aquí.

La miró un momento, con aire pensativo y sonriente, y después se alejó. La joven lanzó una ojeada hostil a Mateo, y se puso a jugar con el cierre de la cartera. Mateo se sentía incómodo: se había introducido en casa de los verdaderos pobres, y era su dinero el que iba a tomarles, un dinero opaco y gris, que olía a coles. Bajó la cabeza y miró el suelo entre sus pies: volvía a ver los billetes sedosos y perfumados en la maleta de Lola; no era el mismo dinero.

La puerta de cristales se abrió y apareció un señor alto, de bigotes blancos. Llevaba sus cabellos de plata cuidadosamente peinados hacia atrás. Mateo lo siguió a su despacho. El señor le indicó amablemente un sillón de cuero gastado, y ambos se sentaron. El señor apoyó los codos sobre la mesa y juntó sus blancas y hermosas manos. Llevaba una corbata verde oscuro, discretamente adornada con una perla.

—¿Usted desea recurrir a nuestros servicios? –preguntó paternalmente.

—Sí.

Miró a Mateo: sus ojos azul claro eran un poco saltones.

—¿Señor...?

—Delarue.

—¿No ignora usted que los estatutos de nuestra sociedad prevén exclusivamente un servicio de préstamos a empleados?

La voz era hermosa y blanca, un poco gruesa, como las manos.

—Yo soy empleado –dijo Mateo–. Profesor.

—¡Ah, ah! –dijo el señor, con interés–. Nos alegramos muy particularmente de ayudar a los universitarios. ¿Usted es profesor de liceo?

—Sí, del liceo Buffon.

—Perfecto –dijo el señor con aplomo–. Bueno, pues vamos a cumplir las pequeñas formalidades de costumbre... Por lo pronto, tengo que preguntarle si tiene usted sus documentos de identidad, cualquiera de ellos, pasaporte, libreta militar, tarjeta de elector...

Mateo le tendió sus papeles. El señor los tomó y los consideró un instante, con distracción.

—Bien. Están muy bien –dijo–. ¿Y a cuánto asciende la suma que usted desearía?

—Yo querría seis mil francos –dijo Mateo.

Reflexionó un instante y dijo:

—Pongamos siete mil.

Estaba agradablemente sorprendido. Y pensó: "No hubiera creído que esto marchase tan rápido".

—¿Usted conoce nuestras condiciones? Prestamos por seis meses, sin renovación posible. Nos vemos obligados a pedir un veinte por ciento de interés, porque tenemos gastos enormes y corremos grandes riesgos.

—Bueno, bueno –dijo Mateo, rápidamente.

El señor sacó de un cajón dos hojas, impresas.

—¿Quiere tener la amabilidad de llenar estos formularios? Y firme al final de la página.

Era un pedido de préstamo en doble ejemplar. Había que indicar nombre, edad, estado civil, dirección. Mateo se puso a escribir.

—Perfecto –dijo el señor, recorriendo las hojas con la mirada–. Nacido en París... en 1905... de padre y madre franceses... Bueno, pues es todo, por el momento. A la entrega de los siete mil francos, le vamos a pedir que nos firme un reconocimiento de deuda en papel sellado. El sellado es por su cuenta.

—¿A la entrega? ¿Entonces no pueden dármelos inmediatamente?

—¿Inmediatamente? Pero mi estimado señor, necesitamos por lo menos quince días para reunir nuestros informes.

—¿Qué informes? Usted ha visto mis papeles...

El señor consideró a Matco con divertida indulgencia:

—¡Ah –dijo– los universitarios siempre son los mismos! Todos unos idealistas. Advierta, señor, que en este caso particular, yo no pongo en duda su palabra. Pero de manera general, ¿qué nos prueba que los papeles que nos exhibe no sean falsos? –Tuvo una risita triste–. Cuando uno maneja dinero aprende a ser desconfiado. Es un feo sentimiento, estoy de acuerdo, pero nosotros *no tenemos derecho* a ser confiados. Entonces, ya ve usted –concluyó–, es menester que hagamos nuestra pequeña investigación: nosotros nos dirigimos directamente a su Ministerio. No tema usted: con toda la discreción requerida. Pero entre nosotros, usted sabe lo que son las administraciones: dudo mucho de que pueda usted esperar razonablemente nuestra ayuda antes del 5 de julio.

—Es imposible –dijo Mateo con la garganta contraída. Y agregó–: Necesitaría el dinero esta noche o mañana por la mañana a más tardar; lo necesito urgentemente. ¿No sería posible... con un interés más elevado?

El señor pareció escandalizado y alzó en el aire sus dos hermosas manos.

—¡Pero si nosotros no somos usureros, mi estimado señor! Nuestra Sociedad ha recibido palabras de aliento del ministerio de Trabajos Públicos. Es un organismo oficial, por así decirlo. Cobramos intereses normales que han sido establecidos en consideración a nuestros gastos y a nuestros riesgos, y no podemos prestarnos a ninguna maniobra de ese género.

Agregó con severidad:

—Si está usted apremiado, hubiera debido venir antes. ¿No había leído nuestros anuncios?

—No –dijo Mateo, levantándose–, he sido tomado de sorpresa.

—Entonces, lo lamento... –dijo el señor fríamente–. ¿Hay que romper los formularios que usted acaba de llenar?

Mateo pensó en Sarah: "Habrá obtenido seguramente un plazo".

—No los rompa –dijo–. Yo me arreglaré de aquí a entonces.

—Pero naturalmente –dijo el señor con aire afable–, siempre encontrará un amigo que le adelante por quince días lo que usted necesita. Entonces, ¿ésta es en realidad su dirección –dijo señalando con el índice en el formulario–: calle Huyghens, 12?

—Sí.

—Bueno, pues en los primeros días de julio le mandaremos una pequeña citación.

Se levantó y acompañó a Mateo hasta la puerta.

—Adiós, señor –dijo Mateo–. Gracias.

—A sus órdenes –dijo el señor, inclinándose–. Será hasta que tenga el gusto de volver a verlo.

Mateo cruzó la antecámara a grandes pasos. La joven seguía allí; mordía uno de sus guantes con aire extraviado.

—¿Quiere molestarse en pasar, señora? –dijo el señor detrás de Mateo.

Afuera temblaban en el aire gris lumbres vegetales. Pero ahora Mateo tenía todo el tiempo la impresión de estar emparedado. "Otro fracaso", pensó. No tenía ya más esperanza que Sarah.

Había llegado al bulevar de Sebastopol; entró en un café y pidió ficha telefónica en el mostrador.

—En el fondo y a la derecha, los teléfonos.

Al marcar el número, Mateo murmuró: "¡Con tal de que ella lo haya conseguido! ¡Oh, con tal de que ella lo haya conseguido!" Era una especie de plegaria.

—Hola –dijo–. Hola, ¿Sarah?

—Hola, sí –dijo una voz–. Habla Weysmüller.

—Es Mateo Delarue –dijo Mateo–. ¿Podría hablar con Sarah?

—Ha salido.

—¡Ah! ¡Qué fastidio!... ¿Usted no sabe cuándo volverá?

—No, no lo sé. ¿Quiere dejarle algo dicho?

—No. Dígale sólo que yo he telefoneado.

Cortó y salió. Su vida no dependía ya de él; estaba en las manos de Sarah; no le quedaba más que esperar. Hizo parar un ómnibus y subió, se sentó junto a una vieja que tosía en su pañuelo. "Entre judíos siempre se entienden, pensó. Consentirá, consentirá seguramente."

—¿Denfert-Rochereau?

—Tres boletos –dijo el guarda.

Mateo tomó los tres boletos y se puso a mirar por el vidrio; pensaba en Marcela con un rencor triste. Los vidrios temblaban, la vieja tosía, las flores bailaban sobre su sombrero de paja negra. El sombrero, las flores, la vieja, Mateo, todo era llevado por la enorme máquina; la vieja no levantaba la nariz de su pañuelo, y sin embargo todavía tosía en la esquina de la calle de los

Osos y del bulevar de Sebastopol, tosía en la calle Réaumur, tosía en la calle Montorgueil, tosía sobre el
Pont-Neuf, por encima de un agua gris y tranquila.
"¿Y si el judío no consintiera?" Pero este pensamiento
no llegó a hacerle salir de su letargo; no era ya más que
una bolsa de carbón entre otras bolsas, en el fondo de
un camión. "Peor para mí, esto habrá acabado y esta
noche le diré que me caso con ella." El ómnibus, enorme e infantil, se lo llevaba, lo hacía virar a derecha, a
izquierda, lo sacudía, lo golpeaba, los acontecimientos
lo golpeaban contra el respaldo del asiento, contra el
vidrio, sentíase mecido por la rapidez de su vida, pensaba: "Mi vida ya no es mía; mi vida no es más que un
destino". Y miraba brotar uno tras otro los pesados
edificios negros de la calle de los Saints-Pères, miraba
su vida que desfilaba. Me casaré, no me casaré: "Eso
no me concierne ya; es cara o cruz".

Hubo un frenazo en seco y el ómnibus se detuvo.
Mateo se enderezó y miró con angustia la espalda del
chofer: toda su libertad acababa de refluir sobre él. Y
pensó: "No, no, no es cara o cruz. Ocurra lo que ocurra será por mí como ha de ocurrir". Aun si se dejaba
llevar, desamparado, desesperado, aun si se dejaba llevar como una vieja bolsa de carbón habría elegido su
perdición, era libre, libre para todo, libre para hacerse
el tonto o la máquina, libre para aceptar, libre para rechazar, libre para tergiversar; casarse, plantarla, arrastrar durante años ese grillete al pie: él podía hacer lo
que quisiera, nadie tenía derecho a aconsejarlo, no habría para él Bien ni Mal sino inventándolos. A su alrededor las cosas se habían agrupado en redondo, y esperaban sin hacer una seña, sin entregar la menor
indicación. Estaba solo, en medio de un monstruoso si-

lencio, libre y solo, sin ayuda y sin excusa, condenado a decidir sin apelación posible, condenado para siempre a ser libre.

—Denfert-Rochereau –gritó el guarda.

Mateo se levantó y bajó; se adelantó por la calle Froidevaux. Estaba cansado y nervioso, y veía sin cesar una maleta abierta en el fondo de una habitación oscura, y en la maleta, unos billetes olorosos y suavecitos; era como un remordimiento: "Ah, hubiera debido agarrarlos", pensó.

—Hay un expreso para usted –dijo la portera–. Acaba de llegar.

Mateo tomó el expreso y rompió el sobre; en el mismo instante las paredes que lo aprisionaban se derrumbaron y le pareció que cambiaba de mundo. Había allí tres palabras, en el medio de la página, escritas con gruesa letra inclinada:

"Aplazada. Inconsciente. Ivich".

—¿Al menos no es una mala noticia? –preguntó la portera.

—No.

—Ah, bueno. Porque usted estaba todo desconcertado.

Aplazada. Inconsciente. Ivich.

—Es uno de mis antiguos alumnos que ha fracasado en sus exámenes.

—Ah, es que ahora son más exigentes, según me han dicho.

—Mucho más.

—Imagínese. Todos esos jóvenes que se licencian –dijo la portera–. Después, ahí los tiene con sus títulos. ¿Y, qué quiere usted que se haga con ellos?

—Dígame usted.

Releyó por cuarta vez el mensaje de Ivich. Estaba chocado por su grandilocuencia inquietante. Aplazada, inconsciente... "Está a punto de hacer una estupidez, pensó. Es claro como la luz, está a punto de hacer una estupidez."

—¿Qué hora es?

—Las seis.

Las seis. Ella supo el resultado a las dos. Hace ya cuatro horas que anda suelta por las calles de París. Mateo se hundió el expreso en el bolsillo.

—Señora Garinet, présteme cincuenta francos –dijo a la portera.

—Pero es que no sé si los tengo –dijo la portera, atónita. Buscó en el cajón de su mesa de trabajo:

—Tome, no tengo más que cien francos, me devolverá usted el resto esta tarde.

—De acuerdo –dijo Mateo–. Gracias.

Salió. Pensaba: "¿Dónde puede estar?". Tenía la cabeza vacía y le temblaban las manos. Un taxi desocupado pasaba por la calle Froidevaux. Mateo lo detuvo:

—Hogar de Estudiantes, calle Saint-Jacques, 173. Muy rápido.

—Está bien –dijo el chófer.

"¿Dónde puede estar? A lo mejor se ha marchado ya a Laon, o a lo peor... y tengo cuatro horas de retraso", pensó. Estaba inclinado hacia adelante, y apoyaba fuertemente el pie derecho sobre la alfombra para acelerar.

El taxi se detuvo. Mateo bajó y llamó a la puerta del Hogar.

—¿Está la señorita Ivich Serguin?

La señora lo miró con desconfianza.

—Voy a ver –dijo.

Volvió casi en seguida:

—La señorita Serguin no ha vuelto desde esta mañana. ¿Quiere dejarle algo dicho?

—No.

Mateo volvió a subir al coche.

—Hotel de Polonia, calle de Sommerard.

Al cabo de un momento, golpeó contra el vidrio.

—Aquí, aquí –dijo–, el hotel, a la izquierda.

Saltó el suelo y empujó la puerta vidriera.

—¿Está el señor Serguin?

El grueso empleado albino estaba en la caja. Reconoció a Mateo y le sonrió:

—No ha vuelto esta noche.

—Y su hermana..., una señorita rubia, ¿ha venido hoy?

—Oh, conozco a la señorita Ivich –dijo el mozo–. No, no ha venido; la única que ha telefoneado dos veces ha sido la señora Montero para llamar al señor Boris, que fuera a verla en seguida en cuanto volviera; si lo ve, puede decírselo.

—Está bien –dijo Mateo.

Salió. ¿Dónde podía estar? ¿En el cine? No era muy probable. ¿Arrastrándose por las calles? En todo caso, todavía no había salido de París, porque si no, hubiera pasado por el Hogar para llevarse sus maletas. Mateo sacó el expreso del bolsillo y examinó el sobre: había sido despachado de la sucursal de correos de la calle Cujas, pero eso no probaba nada.

—¿Dónde vamos? –preguntó el chófer.

Mateo lo miró con aire incierto y se sintió bruscamente iluminado: "Para que haya escrito eso, es menester que haya recibido un golpe en la nariz. Seguramente se ha emborrachado".

—Escuche –dijo–, va a subir lentamente, por el bulevar Saint-Michel a partir de los muelles. Busco a una persona y tendré que recorrer todos los cafés.

Ivich no estaba ni en el Biarritz, ni en la Fuente, ni en el D'Harcourt, ni en el Biard, ni en el Palacio del Café. En Capoulade, Mateo vio a un estudiante chino que la conocía. Se adelantó hacia él. El chino bebía un oporto encaramado a un taburete del bar.

—Perdóneme –dijo Mateo levantando la cabeza hacia él–. Creo que usted conoce a la señorita Serguin. ¿No la ha visto hoy?

—No –dijo el chino. Hablaba con dificultad–. ¿Le ha pasado algo malo?

—¡Le ha pasado algo malo! –exclamó Mateo.

—No –dijo el chino–. Pregunto si le ha pasado algo malo.

—No lo sé –dijo Mateo volviéndole la espalda.

Ni siquiera trataba ya de proteger a Ivich contra sí misma; sólo experimentaba la necesidad dolorosa y violenta de volver a verla. "¿Y si hubiera intentado matarse? Es bastante tonta como para eso", pensó con furor. Después de todo, quizá esté muy sencillamente en Montparnasse.

—A la esquina Vavin –dijo.

Volvió a subir al coche. Le temblaban las manos: se las metió en el bolsillo. El taxi hizo un viraje alrededor de la fuente Médicis, y Mateo percibió a Renata, la amiga italiana de Ivich. Salía del Luxemburgo, con una cartera bajo el brazo.

—¡Pare! ¡Pare! –gritó Mateo al chófer. Salió del taxi y corrió hacia ella.

—¿No ha visto a Ivich?

Renata adoptó un aire digno.

—Buenos días, señor –dijo.

—Buenos días –dijo Mateo–. ¿No ha visto a Ivich?

—¿A Ivich? –dijo Renata–, claro que sí.

—¿Cuándo?

—Hace una hora, más o menos.

—¿Dónde?

—En el Luxemburgo. Estaba con una compañía poco recomendable –dijo Renata, respingada–. Usted sabe que la han suspendido, a la pobre.

—Sí. ¿Y dónde ha ido?

—Querían ir a un dancing. A la Tarántula, creo.

—¿Dónde es eso?

—En la calle Monsieur-le-Prince. Vea, es en la casa de un vendedor de discos: el dancing está en el subsuelo.

—Gracias.

Mateo dio algunos pasos y después volvió hacia atrás:

—Perdóneme; había olvidado también decirle adiós.

—Adiós, señor –dijo Renata.

Mateo volvió al chófer:

—Calle Monsieur-le-Prince, es a dos pasos. Vaya despacio, yo le indicaré.

"¡Con tal de que esté todavía! Voy a recorrer todos los tés danzantes del Barrio Latino."

—Pare, es aquí. Espéreme un momento.

Mateo entró en una casa de discos.

—¿La Tarántula? –preguntó.

—En el subsuelo. Baje la escalera.

Mateo bajó una escalera, respiró un olor fresco y mohoso, empujó la hoja de una puerta de cuero, y sintió un golpe en el estómago: Ivich estaba allí bailando. Se apoyó en el marco de la puerta y pensó: "Está aquí".

Era un sótano desierto y antiséptico, sin una sombra.

Una luz filtrada caía desde unos artefactos de papel aceitado. Mateo vio unas quince mesas con manteles, perdidas en el fondo de ese mar muerto de luz. Sobre los muros beige, habían pegado pedazos de cartones multicolores que representaban plantas exóticas, pero se abarquillaban ya bajo la acción de la humedad y los cactus estaban hinchados. Un pick-up invisible difundía un pasodoble, y esa música en conserva tornaba la sala todavía más desnuda.

Ivich había puesto la cabeza sobre el hombro de su compañero, y se apretaba estrechamente contra él. Él bailaba bien. Mateo lo reconoció: era el joven alto y moreno que acompañaba a Ivich la víspera, en el bulevar Saint-Michel. Respiraba los cabellos de Ivich y de cuando en cuando los besaba. Entonces ella echaba hacia atrás la cabeza y reía, muy pálida, los ojos cerrados, mientras él le cuchicheaba al oído; estaban solos en medio de la pista. En el fondo de la sala, cuatro jóvenes y una muchacha violentamente maquillada, golpeaban las manos gritando "olé". El tipazo moreno reconducía a Ivich a su mesa, teniéndola por el talle, y los estudiantes se afanaron a su alrededor y la festejaron; tenían un aire ridículo, a la vez familiar y estirado; la envolvían desde lejos con gestos redondeados y tiernos. La mujer maquillada se mantenía reservada. Estaba de pie, pesada y blanda, con la mirada fija. Encendió un cigarrillo y dijo pensativamente:

—Olé.

Ivich se desplomó sobre una silla, entre la joven y un rubiecito que llevaba barba cerrada. Estaba loca de risa.

—¡No, no –dijo agitando la mano delante de la cara, nada de coartada! ¡No necesito coartada!

El barbudo se levantó con obsequiosidad para ceder su silla al lindo bailarín moreno. "Es el colmo, pensó Mateo; le reconocen el derecho de sentarse al lado de ella." El moreno buen mozo parecía encontrar la cosa muy natural; por otra parte, era el único que parecía estar a gusto.

Ivich señaló con el dedo al barbudo:

—Se escapa porque yo le prometí besarlo –dijo riendo.

—Permítame –dijo el barbudo con dignidad–; usted no me lo prometió sino que me amenazó con ello.

—¡Bueno! Pues no te besaré –dijo Ivich–. ¡Besaré a Irma!

—¿Quieres besarme, mi pequeña Ivich? –dijo la joven, sorprendida y halagada.

—¡Sí, ven! –Y la tironeó del brazo, con aplomo.

Los otros se apartaron, escandalizados; alguno dijo: "Vamos, Ivich", con voz suavemente gruñona. El joven moreno la miraba fríamente con una delgada sonrisa: la estaba acechando. Mateo se sintió humillado; para ese joven elegante, Ivich no era más que una presa; él la desvestía con una mirada conocedora y sensual, ella estaba ya desnuda delante de él, que adivinaba sus senos, sus caderas y el olor de su carne… Mateo se sacudió bruscamente y se adelantó hacia Ivich con las piernas flojas; se había dado cuenta de que la deseaba por primera vez, vergonzosamente, a través del deseo de otro.

Ivich había hecho mil monerías antes de besar a su vecina. Finalmente le tomó la cabeza con las dos manos, la besó en los labios y la rechazó violentamente:

—Hueles a goma –dijo con aire de reproche.

Mateo se plantó delante de la mesa.

—¡Ivich! –dijo.

Ella lo miró boquiabierta, y él se preguntó si lo reconocía. Ivich levantó lentamente la mano izquierda y se la mostró:

—Eres tú –dijo–. Mira, mira.

Se había arrancado el vendaje. Mateo vio una costra rojiza y viscosa con montículos de pus amarillo.

—Tú conservaste el tuyo –dijo Ivich, decepcionada–. Es cierto que tú eres prudente.

—Se lo ha arrancado contra nuestra voluntad –dijo la mujer en tono de excusa–. Es un diablillo.

Ivich se levantó bruscamente y miró a Mateo con aire sombrío.

—Sáqueme de aquí –dijo–. Me estoy envileciendo.

Los jóvenes se miraron.

—Sepa usted –dijo el barbudo a Mateo–, que nosotros no le hemos hecho beber. Más bien habríamos tratado de impedírselo.

—En cuanto a eso sí –dijo Ivich con asco–. Unas niñeras, eso es lo que son.

—Salvo yo, Ivich –dijo el lindo bailarín–; salvo yo.

La miraba con aire de complicidad. Ivich se volvió hacia él y dijo:

—Salvo éste, que es un puerco.

—Venga –dijo Mateo dulcemente.

La tomó por los hombros y se la llevó; oía detrás de sí un rumor consternado.

En medio de la escalera Ivich se puso más pesada.

—Ivich –suplicó Mateo.

Ella sacudió los bucles, risueña.

—Quiero sentarme aquí –dijo.

—¡Por favor!

Ivich se puso a resoplar y se levantó la falda por encima de las rodillas.

—Quiero sentarme aquí.

Mateo la cogió por el talle y se la llevó. Cuando estuvieron en la calle, la soltó: ella no se había debatido. Parpadeó y miró a su alrededor con aire moroso.

—¿Quiere volver a su casa? –propuso Mateo.

—¡No! –dijo Ivich con violencia.

—¿Quiere que la lleve a casa de Boris?

—No está en su casa.

—¿Y dónde está?

—Quién sabe dónde diablos estará.

—¿Dónde quiere ir?

—¿Acaso lo sé yo? Es usted quien tiene que buscarlo, puesto que usted me sacó.

Mateo reflexionó un instante.

—Bien –dijo.

La sostuvo hasta el taxi, y dijo:

—Calle Huyguens, 12.

Dirigiéndose a ella:

—La llevo a mi casa. Así podrá tumbarse en el diván y yo le haré té.

Ivich no protestó. Subió penosamente al coche y se dejó caer sobre los almohadones.

—¿Se siente mal?

Ivich estaba lívida.

—Estoy enferma –dijo.

—Voy a decirle que pare en una farmacia –dijo Mateo.

—No –dijo ella violentamente.

—Entonces recuéstese y cierre los ojos. En seguida llegamos.

Ivich se quejó un poco. De pronto se puso verde y se inclinó fuera de la portezuela. Mateo veía su espalda delgada y pequeña, toda sacudida por los vómitos. Alargó la mano y agarró sin ruido el picaporte de la portezuela; temía que se abriera. Al cabo de un momento la tos cesó. Mateo se echó vivamente hacia atrás, tomó la pipa y la cargó con aire absorto. Ivich se dejó caer sobre los almohadones y Mateo volvió a meter su pipa en el bolsillo.

—Hemos llegado –dijo.

Ivich se incorporó penosamente y dijo:

—¡Tengo vergüenza!

Mateo bajó primero y le tendió los brazos para ayudarla. Pero ella lo rechazó y saltó vivamente a la acera. Pagó de prisa al chófer y se volvió hacia ella. Ivich lo miraba indiferente; un agrio olorcillo de vómito se escapaba de su boca tan pura. Mateo respiró apasionadamente ese olor.

—¿Se siente mejor?

—Ya no estoy borracha –dijo Ivich sombríamente–. Pero me late la cabeza.

Mateo la hizo subir suavemente la escalera.

—A cada escalón siento un golpe en la cabeza –dijo ella con aire hostil. En el segundo descansillo se detuvo un instante para tomar aliento.

—Ahora, ya me acuerdo de todo.

—¡Ivich!

—De todo. He rodado con esos tipos asquerosos y me he dado en espectáculo. Y he sido... he sido suspendida en el P. C. B.

—Venga –dijo Mateo–. No falta más que un piso. –Subieron en silencio y de pronto dijo Ivich:

—¿Cómo pudo encontrarme?

Mateo se inclinó para introducir la llave en la cerradura.

—La andaba buscando –dijo– y además, encontré a Renata.

Ivich masculló detrás de su espalda:

—Yo esperaba todo el tiempo que usted viniera.

—Entre —dijo Mateo apartándose. Ella lo rozó al pasar y él sintió deseos de tomarla en sus brazos.

Ivich dio algunos pasos inciertos y entró en la habitación. Miró a su alrededor con aire sombrío.

—¿Ésta es su casa?

—Si —dijo Mateo. Era la primera vez que la recibía en su departamento. Miró sus sillones de cuero verde y su mesa de trabajo, los vio con los ojos de Ivich y le dieron vergüenza.

—Ahí está el diván —dijo—. Recuéstese.

Ivich se arrojó sobre el diván sin decir palabra.

—¿Quiere té?

—Tengo frío —dijo Ivich.

Mateo fue a buscar una colcha y se la extendió sobre las piernas. Ivich cerró los ojos y recostó la cabeza en un almohadón. Estaba sufriendo y había tres arruguitas verticales sobre su frente, en el arranque de la nariz.

—¿Quiere té?

Ella no respondió. Mateo cogió la pava eléctrica y fue a llenarla al grifo de la cocina. En la despensa encontró medio limón todo viejo, todo arrugado y con la cáscara seca, pero exprimiéndolo bien podía ser que se sacaran una o dos gotas. Lo puso en una bandeja con dos tazas y volvió a la habitación.

—He puesto el agua a calentar —dijo.

Ivich no respondió; se había dormido. Mateo, arrastró una silla contra el diván y se sentó sin hacer ruido. Las tres arrugas de Ivich habían desaparecido, su frente estaba lisa y pura; y sonreía, con los ojos cerrados. "¡Qué joven es!", pensó él. Había puesto toda su esperanza en una criatura. Y allí estaba tan débil y tan ligera sobre ese diván; no podía ayudar a nadie; hubiera necesitado, por el contrario, que la ayudaran a vivir. Y Mateo no podía ayudarla. Ivich partiría para Laon, se embrutecería allí un invierno o dos, y luego aparecería un tipo –un tipo joven– que se la llevaría. "Yo, me casaré con Marcela." Mateo se levantó y fue muy despacito a mirar si el agua hervía, después volvió a sentarse junto a Ivich y miró tiernamente ese cuerpecito enfermo y hollado que seguía siendo tan noble en el sueño; pensó que amaba a Ivich y se quedó atónito: el amor era cosa que no *se sentía*, no era una emoción particular, ni tampoco un matiz particular de sus sentimientos; hubiérase dicho más bien una maldición fija en el horizonte, una promesa de desgracia. El agua comenzó a cantar en la pava, e Ivich abrió los ojos

—Le estoy haciendo té –dijo Mateo–. ¿Quiere?

—¿Té? –dijo Ivich con aire perplejo–. Pero si usted no sabe hacer té.

Atrajo sus bucles sobre las mejillas con la palma de la mano y se levantó frotándose los ojos.

—Deme un paquete –dijo–. Voy a hacerle té a la rusa. Sólo que se necesitaría un samovar.

—Yo no tengo más que una pava –dijo Mateo, tendiéndole el paquete de té.

—¡Oh, y además es té de Ceylán! En fin, qué le vamos a hacer.

Se afanó en torno de la pava.

—¿Y la tetera?

—Es cierto –dijo Mateo. Y corrió a buscar la tetera a la cocina.

—Gracias.

Ella seguía sombría pero más animada. Vertió el

agua en la tetera y volvió a sentarse al cabo de unos momentos.

—Hay que dejar que se cargue –dijo.

Hubo un silencio y después ella continuó:

—No me gusta su departamento.

—Ya me lo imaginaba –dijo Mateo–. Si se siente algo repuesta podemos salir.

—¿Y adónde ir? –dijo Ivich–. No –continuó–, estoy bien aquí. Todos esos cafés me daban vueltas alrededor; y además, las gentes, que son una pesadilla. Esto es feo, pero tranquilo. ¿Quiere hacer el favor de correr las cortinas? Encenderíamos esta lamparita.

Mateo se levantó. Fue a cerrar las persianas y soltó las abrazaderas. Las pesadas cortinas verdes se juntaron. Encendió la lámpara de su escritorio.

—Es de noche –dijo Ivich encantada.

Ella se pegó a los almohadones del diván:

—Qué recogido; es como si la jornada hubiera terminado. Quisiera que estuviera oscuro cuando yo salga de acá, tengo miedo de volver a encontrarme con el día.

—Usted se quedará todo el tiempo que quiera –dijo Mateo–. Nadie tiene que venir, y además, si alguien viene lo dejaremos llamar sin abrirle. Soy enteramente libre.

Eso no era cierto. Marcela lo esperaba a las once. Mateo pensó con rencor; que espere.

—¿Cuándo se va usted?

—Mañana. Hay un tren al mediodía.

Mateo permaneció un momento sin hablar. Después dijo, vigilándose la voz:

—La voy a acompañar a la estación.

—No –dijo Ivich–. Eso me horroriza; allí los adioses

se ablandan y se estiran como la goma. Y además, yo estaré muerta de cansancio.

—Como quiera –dijo Mateo–. ¿Telegrafió ya a sus padres?

—No. Yo... Boris quería hacerlo, pero se lo impedí.

—¿Entonces, tendrá que decírselo usted misma?

Ivich bajó la cabeza.

—Sí.

Hubo un silencio. Mateo miraba la cabeza inclinada de Ivich y sus hombros frágiles: le parecía que ella lo abandonaba poco a poco.

—Entonces –preguntó él–, ¿ésta es nuestra última tarde del año?

—¡Ah –dijo ella con risa irónica–, del año!...

—Ivich, usted no debe... Por lo pronto, yo iré a verla a Laon.

—No quiero. Todo cuanto se relaciona con Laon se ensucia.

—Bueno, pues volverá usted.

—No.

—Hay un turno en noviembre, sus padres no pueden...

—Usted no los conoce.

—No. Pero no es posible que ellos estropeen toda su vida para castigarla por haber fracasado en un examen.

—Ni soñarán en castigarme –dijo Ivich–. Pero será peor: se desinteresarán de mí; saldré de su cabeza, sencillamente. Además, eso es lo que yo merezco –dijo exaltándose–: yo no soy capaz de aprender un oficio y preferiría quedarme en Laon toda mi vida antes que recomenzar el P. C. B.

—No diga eso, Ivich –dijo Mateo, alarmado–. No se resigne desde ahora. Usted tiene horror de Laon.

—Oh, sí, le tengo horror –dijo ella con los dientes apretados.

Mateo se levantó para ir a buscar la tetera y las tazas. Y de golpe la sangre se le subió a la cabeza; se volvió hacia Ivich y murmuró sin mirarla:

—Escuche, Ivich, usted se va a marchar mañana, pero yo le doy mi palabra de que volverá. A fines de octubre. De aquí a entonces, ya me arreglaré.

—¿Usted se arreglará? –preguntó Ivich con cansada sorpresa–; pero si no hay nada que arreglar. Le digo que soy incapaz de aprender un oficio.

Mateo se atrevió a levantar los ojos hacia ella, pero no se sintió tranquilizado; ¿cómo encontrar las palabras que no la resintieran?

—Es que no es eso lo que yo quería decir... Si... si usted hubiera querido permitirme que la ayudara...

Ivich, al parecer, seguía sin comprender; Mateo agregó:

—Yo tendré un poco de dinero.

Ivich tuvo un sobresalto.

—¡Ah!, ¿es eso? –preguntó.

Y agregó secamente:

—Eso es imposible del todo.

—Pero nada de eso –dijo Mateo con calor–, eso no es imposible en absoluto. Escuche: durante las vacaciones, ahorraré un poco de dinero; Odette y Santiago me invitan todos los años a pasar el mes de agosto en su villa de Juan-les-Pins; yo no he ido nunca pero será menester que cumpla algún día. Iré este año y así me divertiré y haré economías... No lo rechace sin saber –dijo vivamente–, sería un préstamo.

Se interrumpió. Ivich se había aplastado y lo miraba desde abajo con aire perverso.

—¡Pero no me mire de ese modo, Ivich!

—Ah, no sé cómo lo estaré mirando, pero sé que me duele la cabeza –dijo Ivich con voz mohína.

Bajó los ojos y agregó:

—Debería volver y acostarme.

—¡Se lo ruego, Ivich! Escúcheme: yo encontraré el dinero y usted vivirá en París, no diga que no; se lo suplico, no diga que no sin reflexionar. Eso no puede molestarla; usted me lo devolverá cuando se gane la vida.

Ivich se encogió de hombros y Mateo agregó vivamente:

—¡Bueno! Pues me lo devolverá Boris.

Ivich no respondió; se había envuelto la cabeza con los cabellos. Mateo seguía plantado delante de ella molesto y desdichado:

—¡Ivich!

Ella seguía callada. Mateo se puso a caminar de arriba abajo de la pieza. Pensaba: "Aceptará, no la soltaré antes de que acepte. Yo… daré lecciones, o corregiré pruebas".

—Ivich –dijo–, va a decirme usted por qué no acepta.

Ocurría a veces que se vencía a Ivich por cansancio; era menester acosarla a preguntas, cambiando el tono en cada una de ellas.

—¿Por qué no acepta? –dijo Mateo–. Dígame por qué no acepta.

Ivich murmuró por fin sin levantar la cabeza:

—Yo no quiero aceptar dinero suyo.

—¿Por qué? Bien que acepta el de sus padres.

—No es la misma cosa.

—En efecto, no es la misma cosa. Usted me ha dicho cien veces que los detestaba.

—No hay ningún motivo para que yo acepte su dinero.

—¿Y lo hay quizá para que acepte el de ellos?

—No quiero que nadie sea generoso conmigo –dijo Ivich–. Cuando se trata de mi padre, no necesito quedarle agradecida.

—Ivich, ¿qué significa ese orgullo? –exclamó Mateo–. Usted no tiene derecho a estropear su vida por una cuestión de dignidad. Piense en la vida que va a llevar allá. Usted se arrepentirá día a día, hora por hora, por haber rechazado esto.

Ivich se alteró:

—¡Déjeme –dijo–, déjeme!

Y agregó en voz baja y ronca:

—¡Oh, qué suplicio es no ser rica! ¡En qué situaciones abyectas coloca eso!

—Pero yo no la comprendo –dijo Mateo dulcemente–. Hasta el mes pasado me decía usted que el dinero era cosa vil, de la que ni siquiera había que ocuparse. Decía usted: me da lo mismo de dónde venga, con tal de tenerlo.

Ivich se encogió de hombros. Mateo no veía más que lo alto de su cabeza y un poco de la nuca entre los bucles y el cuello de la blusa. La nuca era más morena que la piel de la cara.

—¿Acaso no lo ha dicho usted?

—Yo no quiero que usted me dé dinero.

Mateo perdió la paciencia:

—Ah, entonces es porque soy un hombre –dijo con una risa convulsa.

—¿Qué es lo que dice? –preguntó Ivich.

Lo miraba con un odio frío:

—Es una grosería. Jamás he pensado en eso y... y me importa un bledo; ni siquiera lo imagino...

—¿Entonces? Piense que por primera vez en su vida sería usted absolutamente libre; viviría donde usted quisiera, haría lo que le gustara. Usted me ha dicho que le gustaría seguir un curso de filosofía. Bueno, pues podría ensayar. Boris y yo la ayudaríamos.

—¿Por qué quiere usted hacerme bien? –preguntó Ivich–. Yo no se lo he hecho jamás. Yo... yo he sido siempre insoportable con usted, y ahora usted tiene compasión de mí.

—Yo no la compadezco.

—Entonces, ¿por qué me ofrece dinero?

Mateo vaciló y después dijo, apartándose:

—Yo no puedo soportar la idea de no verla más.

Hubo un silencio y luego Ivich preguntó en tono incierto:

—Usted... usted, ¿quiere decir que es... por egoísmo por lo que me ofrece eso?

—Por puro egoísmo –dijo Mateo secamente–. Tengo ganas de volverla a ver y eso es todo.

Se atrevió a volverse hacia ella. Ivich lo miraba enarcando las cejas, la boca entreabierta. Después, de golpe, pareció distenderse.

—Entonces puede ser –dijo con indiferencia–. En ese caso es cosa suya; ya veremos. Después de todo, tiene razón: no importa de dónde venga el dinero.

Mateo respiró. ¡Ya está!, pensó. Pero casi no estaba tranquilizado; Ivich conservaba su aire mohíno.

—¿Cómo le hará tragar el asunto a sus padres? –preguntó para comprometerla más aún.

—Les diré cualquier cosa –dijo Ivich vagamente–. Me creerán o no me creerán. ¿Qué importa, puesto que ya no pagan?

Bajó la cabeza con aire sombrío.

—Va a haber que regresar por allá –dijo.

Mateo se esforzó en velar su irritación:

—¡Pero puesto que volverá usted!

—Oh –dijo ella–, todo es irreal… Digo que no, digo que sí, pero no consigo llegar a creerlo. Está lejos. Mientras que sé muy bien que estaré en Laon mañana por la tarde.

Se tocó el seno y dijo:

—Lo siento aquí. Y además, es menester que haga mis valijas. Tendré para toda la noche.

Se levantó:

—El té debe estar ya. Venga a tomarlo.

Vertió el té en las tazas. Estaba negro como café.

—Le voy a escribir –dijo Mateo.

—Yo también –dijo ella–. Pero no tendré nada que decirle.

—Me describirá usted su casa, su habitación. Yo querría poder imaginármela allá.

—Oh, no –dijo Ivich–. A mí no me gustaría hablar de todo eso. Ya es bastante con tener que vivirlo.

Mateo pensó en las secas cartitas que Boris enviaba a Lola. Pero eso no duró más que un instante; miró las manos de Ivich, sus uñas rojas y puntiagudas, sus muñecas delgadas, y pensó: "Volveré a verla".

—Qué té más ridículo –dijo Ivich rechazando su taza.

Mateo se sobresaltó; acababan de llamar en la puerta de la calle. No dijo nada, esperando que Ivich no lo hubiera oído.

—¡Toma! ¿No acaban de llamar? –preguntó ella.

Mateo se puso un dedo sobre los labios.

—Hace un momento se dijo que no abriríamos –cuchicheó.

—¡Por qué no! ¡Por qué no! –dijo Ivich con voz clara–. Puede que sea importante, vaya pronto a abrir.

Mateo se dirigió a la puerta. Pensaba: "Lo horroriza sentirse en complicidad conmigo". Abrió la puerta en el momento en que Sarah iba a llamar por segunda vez.

—Buenos días –dijo Sarah, sofocada–. Bueno, ¡pues ya me hace usted correr! El ministrito me dijo que usted había telefoneado y vine; ni siquiera me tomé tiempo para ponerme un sombrero.

Mateo la miró con espanto: modelada por su horrible "tailleur" verde manzana, riendo con todos sus dientes cariados, con sus cabellos despeinados y su aire de bondad malsana, hedía a catástrofe.

—Buenos días –dijo vivamente–, usted sabe que estoy con...

Sarah lo empujó amistosamente y adelantó la cabeza por encima del hombro:

—¿Quién está? –preguntó con glotona curiosidad–. ¡Ah! Es Ivich Serguin. ¿Cómo le va?

Ivich se levantó e hizo una especie de reverencia. Parecía decepcionada. Sarah también, por otra parte. Ivich era la única persona a la que Sarah no podía soportar.

—Qué flacucha está –dijo Sarah–. Estoy segura de que no come lo suficiente; no es usted razonable.

Mateo se colocó bien frente a Sarah y la miró fijamente. Sarah se echó a reir.

—Ahora resulta que Mateo me pone ojos feroces –dijo alegremente–. No quiere que yo le hable de régimen.

Se volvió hacia Mateo:

—Regresé tarde –dijo–. El tal Waldinann estaba invisible. No hace veinte días que está en París, y ya me lo tienen embarcado en un montón de negocios turbios. Eran las seis cuando pude ponerle la mano encima.

—Es usted muy amable, Sarah; gracias –dijo Mateo.

Agregó con ímpetu:

—¡Bueno! Ya hablaremos de eso más tarde. Venga a tomar una taza de té.

—¡No, no! Ni siquiera me siento –dijo ella–; tengo que largarme a la librería española donde quieren verme con urgencia porque hay un amigo de Gómez que acaba de llegar a París.

—¿Quién es? –preguntó Mateo para ganar tiempo.

—No lo sé todavía. Me han dicho: un amigo de Gómez. Viene de Madrid.

Sarah miró a Mateo con ternura. Sus ojos parecían extraviados por la bondad.

—Mi pobre Mateo, tengo que darle una mala noticia–: se niega.

—¡Ejem!

Mateo tuvo fuerzas sin embargo para decir:

—¿Sin duda desea usted hablarme particularmente?

Frunció el ceño varias veces. Pero Sarah no lo miraba:

—Oh, ni siquiera vale la pena –dijo tristemente–. Casi no tengo nada que decirle.

Agregó con una voz cargada de misterio:

—He insistido tanto como me ha sido posible. No hay nada que hacer. La persona en cuestión tiene que estar en su casa mañana por la mañana, con el dinero.

—¡Bien! Pues bueno, mala suerte; no hablemos más –dijo Mateo vivamente. Y subrayó las últimas palabras; pero Sarah, que se empeñaba en justificarse, dijo.

—Yo hice lo posible, le supliqué, ¿sabe? Él me dijo:

"¿Es una judía?". Yo le dije que no. Entonces él dijo: "No concedo crédito. Si quiere que yo la desembarace, que pague. Si no, no faltan clínicas en París".

Mateo sintió que el diván crujía detrás de él. Sarah continuaba:

—Él dijo: Jamás *les* concederé créditos; *ellos* nos han hecho sufrir demasiado allá". Y es cierto, ¿sabe?, yo casi lo comprendo. Me habló de los judíos de Viena, de los campos de concentración. Yo no quería creerlo... Su voz se estranguló: "Los han martirizado".

Sarah se calló y hubo un pesado silencio. Después continuó sacudiendo la cabeza:

—Entonces, ¿qué va a hacer?

—No lo sé.

—No piensa usted en...

—Sí –dijo Mateo tristemente–, me imagino que acabaremos en eso.

—Mi querido Mateo –dijo Sarah con emoción.

Él la miró duramente y ella se calló desconcertada; Mateo vio encenderse en sus ojos algo que se parecía a una luz de conciencia.

—¡Bueno! –dijo ella al cabo de un momento–, bueno, pues me escapo. Telefonearé mañana por la mañana sin falta, porque quiero saber.

—De acuerdo –dijo Mateo–; hasta la vista, Sarah.

—Hasta la vista, mi pequeña Ivich –gritó Sarah desde la puerta.

—Hasta la vista, señora –dijo Ivich.

Cuando Sarah se hubo marchado, Mateo recomenzó su paseo a través de la habitación. Tenía frío.

—Esta buena mujer –dijo Mateo riendo– es un huracán. Entra como una borrasca, echa todo por tierra, y vuelve a marcharse como un ventarrón.

Ivich no dijo nada. Mateo sabía que no le contestaría. Fue a sentarse junto a ella y dijo, sin mirarla:

—Ivich, voy a casarme con Marcela.

Hubo un nuevo silencio. Mateo miraba las pesadas cortinas verdes que pendían de la ventana. Estaba cansado.

Explicó a Ivich bajando la cabeza:

—Ella me avisó anteayer que está encinta.

Le costó hacer pasar las palabras; no se atrevía a volverse hacia Ivich, pero sabía que ella lo miraba.

—Me pregunto por qué me dice usted eso –dijo ella con voz helada–. Ésos son asuntos suyos.

Mateo se encogió de hombros y dijo:

—Bien sabe usted que ella era...

—¿Su querida? –dijo Ivich altanera–. Le diré que yo no me ocupo mucho de esas cosas.

Vaciló y dijo después con aire distraído:

—No veo por qué toma usted ese aire abrumado. Si se casa con ella es seguramente porque así lo quiere. De otro modo, según lo que me han dicho, no faltan medios...

—Yo no tengo dinero –dijo Mateo–. He buscado por todas partes...

—Era por eso por lo que le había encargado a Boris que le pidiera prestado cinco mil francos a Lola.

—¿Ah, usted sabía? Yo no le... En fin, sí, era para eso, si usted quiere.

Ivich dijo con voz incolora:

—Es sórdido.

—Sí.

—Además, eso no me interesa –dijo Ivich–. Usted tiene que saber lo que tiene que hacer.

Acabó de beber su té y preguntó:

—¿Qué hora es?

—Las nueve menos cuarto.

—¿Estará oscuro?

Mateo fue a la ventana y levantó la cortina. Una luz sucia se filtraba todavía a través de las persianas.

—No del todo todavía.

—Oh, bueno, mala suerte –dijo Ivich levantándose–, me voy a ir de cualquier modo. Tengo que hacer todas esas valijas –dijo en tono gemebundo.

—Bueno, entonces hasta la vista –dijo Mateo.

No sentía deseo de retenerla.

—Hasta la vista.

—¿La veré en octubre?

Lo había dicho a su pesar. Ivich tuvo un violento sobresalto.

—¡En octubre! –dijo ella con los ojos chispeantes–. ¡En octubre! ¡Ah, no!

Se echó a reír.

—Perdóneme –dijo–, pero tiene un aire tan gracioso. Yo no he pensado jamás en aceptar su dinero: lo necesitará usted todo para poner su casa.

—¡Ivich! –dijo Mateo, tomándola por el brazo.

Ivich lanzó un grito y se desprendió bruscamente:

—Déjeme –dijo–, no me toque usted.

Mateo dejó caer su brazo. Sentía crecer dentro de sí una cólera desesperada.

—Yo lo había sospechado –prosiguió Ivich, jadeante–. Ayer por la mañana, cuando usted se atrevió a tocarme... yo me dije, éstas son maneras de hombre casado.

—Así es –dijo Mateo rudamente–. No vale la pena insistir. He comprendido.

Ella estaba allí, plantada delante de él, roja de cólera, con una sonrisa de insolencia en los labios; Mateo tuvo miedo de sí mismo. Se lanzó afuera empujándola, y golpeó la puerta de entrada detrás de sí.

XVI

Tú no sabes amar, tú no lo sabes,
en vano te tiendo los brazos.

El café de "Los Tres Mosqueteros" brillaba con todas sus luces en la tarde indecisa. Una muchedumbre de ociosos se había agrupado delante de la terraza y bien pronto, de café en café, de vitrina en vitrina, el encaje luminoso de la noche iba a extenderse sobre París; las gentes esperaban la noche escuchando música, parecían felices, se apretaban con frío ante ese primer enrojecimiento nocturno. Mateo bordeó esa muchedumbre lírica; la dulzura de la tarde no era para él.

Tú no sabes amar, tú no lo sabes,
jamás, jamás lo has de saber.

Una calle larga y recta. A sus espaldas, en una habitación verde una pequeña conciencia llena de odio lo rechazaba con todas sus fuerzas. Ante él, en una habitación rosada, una mujer inmóvil lo esperaba sonriendo de esperanza. Dentro de una hora entraría a paso de lobo en la habitación rosada, y se dejaría sorber por esa dulce esperanza, por esa gratitud, por ese amor. Para toda la vida, para toda la vida. Uno se tira al agua por menos que eso.

—¡Pedazo de estúpido!

Mateo se lanzó hacia adelante para evitar el auto;

chocó contra la acera y se encontró en el suelo; había caído sobre las manos.

—¡Maldito sea!

Se levantó, con las palmas ardientes, y consideró con gravedad sus manos embarradas. La mano derecha estaba negra con algunas raspaduras; la izquierda le dolía; el lodo manchaba su vendaje. "No me faltaba más que esto, murmuró seriamente, no me faltaba más que esto." Sacó su pañuelo, lo humedeció con saliva y se frotó las palmas con una especie de ternura; tenía ganas de llorar.

Por un segundo estuvo en suspenso, mirándose con estupor. Y después estalló en risa. Se reía de sí mismo, de Marcela, de Ivich, de su torpeza ridícula, de su vida, de sus mezquinas pasiones; recordaba sus antiguas esperanzas, y se reía de ellas porque habían desembocado en eso, en ese hombre lleno de gravedad que había estado a punto de llorar porque se había caído; se contemplaba sin vergüenza, con una diversión fría y encarnizada, y pensaba: "Decir que yo me tomaba en serio". La risa se detuvo después de algunas sacudidas; ya no había nadie para reír.

El vacío. El cuerpo se vuelve a poner en marcha, arrastrando los pies, pesado y cálido, con estremecimientos y ardores de cólera en la garganta, en el estómago. Pero nadie lo ocupa ya. Las calles se han vaciado como por un desaguadero; algo que las llenaba hasta hacía un momento, ha sido chupado. Las cosas han permanecido allí, intactas, pero su haz está deshecho; penden del cielo como enormes estalactitas, o suben de la tierra como absurdos menhires. Todas sus pequeñas solicitaciones acostumbradas, sus menudos cantos de cigarra, se han disipado en el aire y callan.

Antes había un porvenir de hombre que se lanzaba contra ellas y que ellas reflejaban en un desperdigamiento de tentaciones diversas. El porvenir ha muerto.

El cuerpo gira hacia la derecha, se hunde en un gas luminoso y danzante, en el fondo de una grieta roñosa entre bloques de hielo rayados de lumbres. Hay masas sombrías que se arrastran rechinando. A la altura de los ojos, se balancean unas flores peludas. Entre esas flores, en el fondo de esa grieta, una transparencia se desliza y se contempla con pasión helada.

"¡Iré a cogerlos!" El mundo volvió a aparecer, ruidoso y atareado, con autos, gentes, vitrinas; Mateo volvió a encontrarse en medio de la calle de la Partida. Pero aquello no era el mismo mundo, ni siquiera el mismo Mateo exactamente; en el confín del mundo, más allá de los edificios y las calles, había una puerta cerrada. Registró en su cartera y sacó de ella una llave. Eran los únicos objetos del mundo: entre ellos no había nada más que un amontonamiento de obstáculos y de distancias. "Dentro de una hora. Tengo tiempo de ir a pie." Una hora: justo el tiempo de llegar hasta esa puerta y abrirla; más allá de esa hora no había nada. Mateo caminaba con paso parejo, en paz consigo mismo; sentíase perverso y tranquilo: "¿Y si Lola se hubiera quedado en cama?". Volvió a meterse la llave en el bolsillo y pensó: "Pues bueno, mala suerte; me llevaré el dinero igualmente".

La lámpara iluminaba mal. Cerca de la ventana abohardillada, entre la foto de Marlene Dietrich y la de Robert Taylor, había un calendario publicitario que ostentaba un espejito picoteado de herrumbre. Daniel se acercó a él bajándose un poco, y comenzó a rehacer el nudo de su corbata; tenía prisa por estar enteramente vestido. En el espejo detrás de él, casi borrado por la penumbra y la mugre blanca del espejo, vio el perfil flaco y duro de Ralph y le empezaron a temblar las manos: tenía ganas de apretar ese cuello delgado en el que sobresalía la nuez y de hacerlo crujir entre sus dedos. Ralph volvía la cabeza hacia el espejo, no sabía que Daniel lo estaba viendo, y fijaba en él una mirada rarísima. "Tiene una jeta de asesino, pensó Daniel estremeciéndose –bien mirado, era casi un estremecimiento de placer–, el machito está humillado y me odia." Se detuvo un rato anudándose la corbata. Ralph lo seguía mirando y Daniel gozaba de ese odio que los unía, un odio recocido, que parecía viejo de veinte años, una posesión; aquello lo purificaba. "Un día, un tipo como ése vendrá a atacarme por la espalda." El joven rostro se agrandaría en el espejo, y después todo habría terminado, sería la muerte infame que le convenía. Giró sus talones y Ralph bajó los ojos vivamente. La habitación era un horno.

—¿No tienes una toalla?

Daniel tenía las manos húmedas.

—Mire en el lavabo.

En el lavabo había una toalla roñosa. Daniel se secó las manos cuidadosamente:

—En este lavabo no ha habido agua nunca. No parece que os lavéis mucho, vosotros.

—Nos lavamos en la canilla del pasillo –dijo Ralph en tono mohíno.

Hubo un silencio y después explicó:

—Es más cómodo.

Se ponía los zapatos, sentado en el borde de la cama jaula, el busto flexionado, levantada la rodilla derecha.

Daniel contemplaba ese dorso fino, esos brazos jóvenes y musculosos que salían de una camisa Lacoste de mangas cortas: es gracioso, pensó imparcialmente. Pero aquella gracia horrorizaba. Un instante más y él estaría fuera, y todo aquello sería cosa del pasado. Pero él sabía lo que le esperaba fuera. En el momento de ponerse la chaqueta, vaciló: tenía los hombros y el pecho inundados de sudor, y pensaba con aprensión que el peso de la chaqueta iba a pegar la camisa de lino contra su carne húmeda.

—Hace un calor terrible en tu casa –dijo a Ralph.

—Es que está bajo el tejado.

—¿Qué hora es?

—Las nueve. Acaban de dar.

Diez horas por matar antes del día. No se acostaría. Cuando se acostaba después de aquello, era siempre más penoso. Ralph levantó la cabeza.

—Yo querría preguntarle, señor Lalique... ¿usted fue el que le aconsejó a Bobby que volviera a casa de su boticario?

—¿Aconsejado? No. Yo le dije que era idiota que lo hubiera plantado.

—¡Ah, bueno! Es que eso no es lo mismo. Esta mañana vino a decirme que iba a presentar excusas, que era usted quien lo quería así; y no parecía decir la verdad.

—Yo no quiero nada en absoluto –dijo Daniel–, y sobre todo yo no le he dicho ni palabra de presentar excusas.

Ambos sonrieron con desprecio. Daniel quiso volverse a poner la chaqueta, y después le faltó el ánimo.

—Yo le dije: haz lo que quieras –dijo agachándose–. No es cosa mía. Desde el momento en que es el señor

Lalique el que te aconseja... Pero ahora me doy cuenta de lo que es.

Hizo un movimiento rabioso para anudar el lazo de su zapato izquierdo.

—Yo no le diré nada –dijo–, él es así, necesita mentir. Pero hay uno al que le juro que lo voy a atrapar en gran forma.

—¿El boticario?

—Sí. Es decir, no el viejo. El tipo joven.

—¿El practicante?

—Sí. Esa mugre. Todo lo que ha ido a contar sobre Bobby y sobre mí. Tiene que ser poco orgulloso Bobby para haberse ido a meter de nuevo en esa cueva. Pero no tenga miedo, que ya voy a ir a esperarlo una tarde a la salida, a su practicante.

Y sonrió perversamente, complaciéndose en su cólera.

—Me le acercaré, con las manos en los bolsillos y con mi airecito de perro: ¿me reconoces? ¿Sí? Entonces muy bien. Dime un poco, ¿qué es lo que has estado contando sobre mí? ¿Eh? ¿Qué es lo que has estado contando sobre mí? ¡Ya verá el tipo! "¡No he dicho nada! ¡No he dicho nada!" ¿Ah, no has dicho nada? Paf, un golpe en el estómago, lo mando al suelo, le salto encima y le reviento la jeta contra la acera.

Daniel lo miraba con una irritación irónica; pensaba: "Todos iguales". Todos, salvo Bobby, que era una hembra. Después, hablaban siempre de romperle la cara a alguien. Ralph se animaba, con los ojos brillantes y las orejas escarlatas; tenía necesidad de hacer gestos vivos y bruscos. Daniel no pudo resistir al deseo de humillarlo más todavía.

—Oye, puede que sea el otro el que te reviente.

—¿Él? –Ralph reía burlonamente, lleno de odio–.

Todo puede suceder. Pero no tiene más que preguntarle al mozo del "Oriental"; ése es uno que se ha dado cuenta. Un fulano de treinta años con brazos así. Decía que quería enseñarme, eso decía.

Daniel sonrió con insolencia:

—Y tú te lo comiste de un bocado, naturalmente.

—Oh, no tiene más que preguntar –dijo Ralph, herido–. Eran unos diez, los que nos miraban. "¡Te espero fuera!", le dije yo. Vea, estaba Bobby, y también uno alto, que yo he visto con usted, Corbin, que está en los mataderos. Y el otro que me contesta: "¿Pero tú quieres enseñarle a vivir a un padre de familia?", me dijo. ¡Las que le hice! Le mandé una torta en un ojo para empezar, y después de vuelta, le limpio los mocos con el codo. Así. En plena nariz.

Se había levantado, representando los episodios del combate. Giró sobre sí mismo, mostrando sus nalguitas duras, modeladas por el pantalón azul. Daniel se sintió inundado de furor, hubiera querido golpearlo.

—¡Orinaba sangre! –prosiguió Ralph–. ¡Hep! ¡Una toma de piernas y al suelo! ¡Ya no sabía ni cómo se llamaba el padre de familia ése!

Se calló, siniestro y lleno de gravedad, refugiado en su gloria. Parecía un insecto. "Lo mataré", pensó Daniel. No creía mucho en esas historias, pero lo humillaba de cualquier modo que Ralph hubiera derribado a un hombre de treinta años. Se echó a reír.

—Tú quieres hacerte el gallito –dijo penosamente–. Acabarás por darte de narices contra una esquina.

Ralph se echó a reír también y ambos se aproximaron:

—Yo no quiero hacerme el gallo –dijo–, pero no van a ser los gordos los que me den miedo.

—¿Entonces —dijo Daniel— tú no tienes miedo de nadie? ¿Eh? ¿Tú no tienes miedo de nadie?

Ralph estaba congestionado.

—¡No son los más gordos los que son más fuertes! —dijo.

—¿Y tú? A ver si eres fuerte —dijo Daniel, empujándolo—. A ver si eres fuerte.

Ralph permaneció un instante boquiabierto y después sus ojos chispearon.

—Con usted me gusta. Para divertirme, naturalmente —dijo con voz silbante—. Como amigos. No me vencerá usted.

Daniel lo tomó por la cintura:

—Ya vas a ver, "bambino" mío.

Ralph era duro y ágil, sus músculos se deslizaban bajo las manos de Daniel. Ambos lucharon en silencio y Daniel se puso a resoplar; vagamente sentía la impresión de ser un tipo gordo, de bigotes. Ralph consiguió levantarlo, pero Daniel le plantó las dos manos en la cara y Ralph lo soltó. Volvieron a encontrarse, uno frente al otro, sonrientes y llenos de odio.

—¿Ah, quiere usted hacerse el malo? —dijo Ralph en un tono endiablado—. ¿Ah, quiere usted hacerse el malo?

Se lanzó de pronto sobre Daniel, con la cabeza hacia adelante. Daniel esquivó su cabezazo, y lo cogió por la nuca. Estaba ya sin aliento; Ralph no parecía cansado en absoluto. Ambos se empuñaron de nuevo y comenzaron a girar sobre sí mismos en medio de la habitación. Daniel sentía un sabor acre y afiebrado en el fondo de la boca: "Hay que acabar o si no me va a vencer". Empujó con todas sus fuerzas, pero Ralph resistió. Una cólera ciega invadió a Daniel, que pensó: "Soy ridículo". Se agachó bruscamente, atrapó a Ralph por las caderas, lo levantó y lo echó sobre la cama, y con el mismo impulso se dejó caer encima de él. Ralph se debatió y trató de arañarlo, pero Daniel lo tomó de las muñecas, y lo sujetó sobre la almohada. Ambos permanecieron así un buen rato, ya que Daniel estaba demasiado cansado para levantarse. Ralph permanecía clavado sobre la cama, impotente, aplastado bajo ese peso de hombre, de padre de familia. Daniel lo miraba con delicia; los ojos de Ralph estaban llenos de una locura de odio y estaba hermoso.

—¿Quién ha sido el más fuerte? –preguntó Daniel con voz entrecortada–. ¿Quién ha sido el más fuerte, mi buen hombrecito?

Ralph sonrió en seguida y dijo en tono falso:

—Usted es un fortachón, señor Lalique.

Daniel lo soltó y se puso nuevamente en pie. Estaba sin aliento y humillado. Su corazón latía como si fuera a romperse.

—Yo he sido fortachón –dijo–. Ahora ya no tengo aliento.

Ralph estaba de pie, se arreglaba el cuello de la camisa, y no resoplaba. Trató de reír, pero esquivaba la mirada de Daniel.

—El aliento no es nada –dijo mostrándose buen perdedor–. No hay más que entrenarse.

—Tú peleas bien –dijo Daniel–, pero hay la diferencia de peso.

Ambos se rieron sarcásticos, con aire incómodo. Daniel tenía ganas de agarrar a Ralph de la garganta y trompearlo en la cara con todas sus fuerzas. Volvió a ponerse la chaqueta; su camisa, empapada en sudor, se le pegó a la piel.

—Bueno –dijo–, yo me marcho. Buenas tardes.

—Buenas tardes, señor Lalique.

—He escondido algo para ti en la habitación –dijo Daniel–. Busca bien y lo encontrarás.

La puerta volvió a cerrarse, y Daniel bajó la escalera con las piernas flojas. "Ante todo lavarme, pensaba, ante todo lavarme, de pies a cabeza." En el momento en que franqueaba el umbral de la puerta cochera, se le ocurrió un pensamiento que lo detuvo en seco: se había afeitado por la mañana, antes de salir, y había dejado la navaja sobre la chimenea, bien abierta.

Al abrir la puerta, Mateo desencadenó un campanilleo, ligero y afelpado. "No lo había notado esta mañana, pensó: deben de poner el contacto por la noche, después de las nueve." Lanzó una ojeada oblicua a través del vidrio del escritorio, y vio una sombra: había alguien. Caminó sin prisa hasta el tablero de las llaves. Habitación 21. La llave estaba colgada en un clavo. Mateo la tomó rápidamente y se la metió en el bolsillo, después dio media vuelta y volvió hacia la escalera. Una puerta se abrió a su espalda: "Van a llamarme", pensó. No tenía miedo; era algo previsto.

—¡Eh, usted! ¿Dónde va? –dijo una voz dura.

Mateo se volvió. Era una mujer de anteojos, alta y flaca. Tenía un aire importante e inquieto. Mateo le sonrió.

—¿Dónde va? –repitió ella–. ¿No puede preguntar en la caja?

Bolívar. El negro se llamaba Bolívar.

—Voy a la habitación del señor Bolívar, en el tercero –dijo Mateo tranquilamente.

— ¡Bueno! Porque lo he visto andar por el lado del tablero –dijo la mujer, suspicaz.

—Miraba si su llave está ahí.

—¿Y no está?

—No. Está en su habitación –dijo Mateo.

La mujer se acercó al tablero. Una probabilidad sobre dos.

—Sí –dijo con decepcionado alivio–. Está en su habitación.

Mateo empezó a subir la escalera, sin contestarle. En el descansillo del tercero, se detuvo un instante y después deslizó la llave en la cerradura del 21 y abrió la puerta.

La habitación estaba sumergida en la oscuridad. Una oscuridad roja que olía a fiebre y a perfume. Volvió a cerrar la puerta con llave y se adelantó hacia la cama. Ante todo extendió las manos hacia adelante para protegerse de los obstáculos, pero se acostumbró pronto. La cama estaba deshecha; había dos almohadas sobre el colchón, hundida todavía por el peso de las cabezas. Mateo se arrodilló delante de la maleta y la abrió; sentía un ligero deseo de vomitar. Los billetes que había dejado por la mañana, habían caído de nuevo sobre los paquetes de cartas; Mateo cogió cinco; no quería robar nada para sí mismo. "¿Qué voy a hacer con la llave?" Vaciló un momento y después decidió dejarla en la cerradura de la maleta. Al incorporarse advirtió en el fondo de la pieza, a la derecha, una puerta que no había visto por la mañana. Fue a abrirla; era un cuarto de baño. Mateo encendió un fósforo y vio surgir su cara en el espejo, dorado por la llama. Se miró hasta que la llama quedó consumida, y después dejó caer el fósforo y volvió a la habitación. Ahora distinguía claramente los muebles, las ropas de Lola, su pijama, su "robe de chambre", su "tailleur" alineados con

cuidado sobre las sillas y en las perchas; emitió una risita y salió.

El pasillo estaba desierto, pero se oían pasos y risas
de unas personas que subían la escalera. Hizo un movimiento para volver a entrar en la habitación, pero no;
le era completamente igual que lo pescaran. Deslizó la
llave en la cerradura y cerró la puerta con doble vuelta.
Cuando se incorporó vio a una mujer seguida de un
soldado.

—Es en el cuarto –dijo la mujer.

Y el soldado dijo:

—Es alto.

Mateo los dejó pasar, y después bajó. Pensaba divertido que quedaba por hacer lo más difícil; había que
volver a poner la llave en el tablero.

En el primer piso se detuvo y se inclinó sobre el pa-
samano. La mujer estaba en el umbral de la puerta de
entrada, le volvía la espalda y miraba a la calle. Mateo
bajó sin ruido los últimos escalones, y colgó la llave en
el clavo; después volvió a subir a paso de lobo hasta el
descansillo, esperó un instante, y volvió a bajar la escalera ruidosamente. La mujer se volvió y él la saludó al
pasar.

—Adiós, señora.

—Adiós –barbotó ella.

Mateo salió, sentía la mirada de la mujer, pesándo-
le sobre la espalda, y tenía ganas de reírse.

Muerto el perro, se acabó la rabia. Camina a grandes pasos, con las piernas flojas. Tiene miedo y la boca
seca. Las calles son demasiado azules, está demasiado
tibio. *La llama corre a lo largo de la mecha, el tonel de
pólvora está en la punta.* Sube la escalera de cuatro en

cuatro escalones; le cuesta trabajo poner la llave en la cerradura, de tanto que le tiembla la mano. Dos gatos se escapan entre sus piernas: ahora los atemoriza. *Muerto el perro...*

La navaja está ahí, sobre la mesa de noche, bien abierta. La toma por el mango y la mira. El mango es negro, la hoja es blanca. *La llama corre a lo largo de la mecha.* Pasa el dedo por el filo y siente en el extremo del dedo un gusto ácido de cortadura que lo hace estremecer: es *mi mano* la que ha de hacerlo todo. La navaja no ayuda, no es más que inercia; pesa lo mismo que un insecto en su mano. Da algunos pasos por la habitación, pide socorro, un signo cualquiera. Todo está inerte y silencioso. La mesa está inerte, las sillas están inertes, y flotan en una luz inmóvil. El único de pie, el único viviente en la luz demasiado azul. Nada me ayudará, nada se producirá. Los gatos arañan en la cocina. Él apoya la mano sobre la mesa, y la mesa responde a su presión por una presión igual, ni más ni menos. Las cosas son algo servil, dócil, manejable. *Mi mano* lo hará todo. Bosteza de angustia y de hastío. De hastío más aún que de angustia. Está solo en el decorado. Nada lo impulsa a decidirse y nada se lo impide: tiene que decidir solo. Su acto no es más que una ausencia. Esa flor roja entre sus piernas, *no está allí*; ese charco rojo en el piso, *no está allí*. Y mira el piso. El piso es unido, liso: en ninguna parte hay lugar para la mancha. *Estaré acostado en el suelo, inerte, con el pantalón abierto y viscoso; la navaja estará en el suelo, roja, mellada, inerte.* Se fascina con la navaja y con el piso: si pudiera imaginárselos con bastante fuerza, a ese charco rojo y a esa quemadura, con bastante fuerza para que se realizaran por sí mismos, sin que tuviera necesidad de hacer ese gesto. El dolor, yo lo soportaría. Yo lo deseo, yo lo llamo. Pero es ese gesto, ese *gesto*. Mira el suelo, después la hoja. En vano; el aire es suave, la habitación está suavemente oscura, la navaja brilla suavemente, pesa suavemente en la mano. Un gesto, es menester un gesto, el presente vacila a la primera gota de sangre. Es mi mano, *es mi mano*, la que ha de hacerlo todo.

Va a la ventana, mira el cielo. Corre las cortinas. Con la mano izquierda. Enciende la luz. Con la mano izquierda. Hace pasar la navaja a su mano izquierda. Toma su cartera. Saca de allí cinco billetes de mil francos. Toma un sobre de su escritorio y pone el dinero en el sobre. Escribe en el sobre: Para el señor Delarue, calle Huyghens, 12. Coloca el sobre bien en evidencia sobre la mesa, se levanta, camina llevando consigo al animal pegado a su vientre, que se lo chupa y él lo siente. Sí o no. Está cogido en la trampa. Hay que decidirse. Tiene toda la noche. Su mano derecha vuelve a tomar la navaja. Y él tiene miedo de su mano, la vigila. Está completamente rígida en el extremo de su brazo. Dice: "¡Vamos!" Y un pequeño escalofrío risueño lo recorre desde los riñones hasta la nuca. "¡Vamos, acabemos!" Si pudiera *encontrarse mutilado*, como uno se encuentra levantado a la mañana, sin saber cómo se ha levantado. Pero antes hay que hacer ese gesto obsceno, ese gesto de urinario, desabrocharse largamente, pacientemente. La inercia de la navaja sube hasta la mano, hasta el brazo. Un cuerpo vivo y cálido con un brazo de piedra. Un enorme brazo de estatua, inerte, helado, con una navaja en la mano. Y abre los dedos. La navaja cae sobre la mesa.

La navaja está allí, sobre la mesa, bien abierta. Nada ha cambiado. Él puede alargar la mano y cogerla. La navaja obedecerá, inerte. Todavía es tiempo, siempre ha-

LA EDAD DE LA RAZÓN

brá tiempo, tengo toda la noche. Y camina a través de la habitación. Ya no se odia, ya no quiere nada, flota. El animal está allí, entre sus piernas, rígido y duro. ¡Cochinada! Si eso te asquea demasiado, chiquito mío, la navaja está ahí sobre la mesa. *Muerto el perro... La navaja. La navaja.* Gira alrededor de la mesa, sin quitar los ojos de la navaja. ¿Entonces nada me impedirá que la coja? Nada. Todo está inerte y tranquilo. Alarga la mano, toca la hoja... *Mi mano lo hará todo.* Y salta hacia atrás, abre la puerta y se lanza a la escalera. Uno de sus gatos, enloquecido, galopa por la escalera delante de él.

Daniel corría por la calle. Allá arriba la puerta había quedado bien abierta, la lámpara encendida, la navaja sobre la mesa; los gatos vagaban por la escalera sombría. Nada le impedía volver sobre sus pasos, regresar. La habitación lo esperaba, sumisa. Nada estaba decidido, nada quedaría jamás decidido. Había que correr, huir lo más lejos posible, sumergirse en el ruido, en las luces en medio de las gentes, volverse un hombre entre los demás, hacerse mirar por otros hombres. Corrió hasta el "Rey Olaf" y empujó la puerta, sin aliento.

—Deme un whisky –dijo resoplando.

Su corazón latía a martillazos, hasta el extremo de sus dedos, y tenía un gusto de tinta en la boca. Se sentó en el compartimiento del fondo.

—Parece usted fatigado –dijo el mozo respetuosamente.

Era un noruego alto, que hablaba francés sin acento. Miraba amablemente a Daniel, y Daniel sentía que se estaba convirtiendo en un cliente rico, algo maniático, que dejaba buenas propinas. Sonrió:

—No ando muy bien –explicó–. Tengo un poco de fiebre.

El mozo bajó la cabeza y se marchó. Daniel recayó en su soledad. Su habitación lo esperaba allá arriba, completamente dispuesta, la puerta estaba bien abierta, la navaja brillaba sobre la mesa. "Jamás podré volver a entrar en casa." Bebería lo que fuera necesario. Al dar las cuatro, el mozo ayudado por el barman lo llevaría a un taxi. Como todas las veces.

El mozo volvió con un vaso mediano y una botella de agua de Perrier.

—Tal como a usted le gusta –dijo.

—Gracias.

Daniel estaba solo en ese bar soso y tranquilo. La rubia luz espumajeaba a su alrededor; la rubia madera de los tabiques brillaba suavemente; estaba revestida de un barniz espeso y cuando uno la tocaba se pegaba. Vertió el agua de Perrier en su vaso, y el whisky centelleó un momento: atareadas burbujas subieron a la superficie, atropellándose como comadres, y luego esa pequeña agitación se calmó. Daniel miró el líquido amarillo y blanco en el que flotaba un rastro de espuma: se hubiera dicho que era cerveza soplada. En el bar, invisibles, el mozo y el barman hablaban en noruego.

—¡Seguir bebiendo!

Barrió el vaso de un manotón, y lo mandó a estrellarse contra el piso. El barman y el mozo se callaron bruscamente; Daniel se inclinó por encima de la mesa: el líquido se arrastraba lentamente sobre las baldosas, dirigiendo sus pseudopodos hacia la pata de una silla.

El mozo había acudido:

—¡Soy tan torpe! –gimió Daniel sonriendo.

—¿Se lo reemplazo? –preguntó el mozo.

Se había agachado, con los riñones tensos, para enjugar el líquido y recoger los pedazos de vidrio.

—Sí... No –dijo bruscamente Daniel–. Esto es una advertencia –agregó en tono de broma–. No debo tomar alcohol esta noche. Deme entonces una media de Perrier con un gajo de limón.

El mozo se alejó. Daniel se sentía más tranquilo. Un presente opaco volvía a su alrededor. El olor del jengibre, la luz rubia, los tabiques de madera...

—Gracias.

El mozo había destapado la botella y llenado el vaso hasta la mitad. Daniel bebió y dejó el vaso. Pensó: "¡Yo lo sabía! ¡Sabía que no lo haría!" ¡Cuando caminaba a largos pasos por las calles y cuando trepaba la escalera de cuatro en cuatro escalones, sabía que no llegaría hasta el final; lo sabía cuando cogió la navaja en la mano, y no se había engañado ni por un segundo, qué mísero comediante! Solamente, que al final había conseguido infundirse miedo y entonces se había largado. Tomó el caso y lo apretó en su mano: quería asquearse con todas sus fuerzas, jamás encontraría mejor ocasión. "¡Puerco!, cobarde y comediante: ¡puerco!" Un instante creyó que iba a conseguirlo, pero no, eran palabras. Hubiera sido menester... Ah, cualquiera, cualquier juez hubiera aceptado, cualquier juez pero no él mismo, no ese atroz desprecio de sí que jamás tenía suficiente fuerza, ese débil, débil y moribundo desprecio que parecía a cada instante a punto de aniquilarse y que no pasaba. Si alguien *supiera*, si él pudiera sentir caer sobre sí el pesado desprecio de *otro*... Pero no podré jamás, hasta preferiría castrarme. Miró su reloj, las once; ocho horas que matar todavía antes de la mañana. El tiempo no transcurría.

¡Las once! Se sobresaltó de pronto. "Mateo está en casa de Marcela. Ella le está hablando. En este mismo momento, ella le habla, le echa los brazos al cuello, encuentra que él no se declara bastante rápido... Esto también he sido yo quien lo ha hecho." Se puso a temblar con todos sus miembros. Mateo cederá, acabará por ceder, yo le he estropeado la vida.

Ha dejado su vaso y está de pie con la mirada fija: no puede ni despreciarse, ni olvidarse de *sí*. Querría estar muerto y existe, continúa obstinadamente haciéndose, haciéndose existir. Querría estar muerto, piensa que querría estar muerto, piensa que piensa que querría estar muerto... *Hay un medio*.

Había hablado bien alto y el mozo acudió:

—¿Me llamó?

—Si –dijo Daniel distraídamente–. Esto es para usted.

Y tiró cien francos sobre la mesa. Hay un medio. ¡Un medio de arreglarlo todo! Se incorporó y se dirigió hacia la puerta con paso vivo. "Un medio formidable." Emitió una risita; siempre se sentía divertido cuando tenía ocasión de hacerse una buena farsa.

XVII

Mateo volvió a cerrar suavemente la puerta, levantándola un poco sobre sus goznes para que no chirriara, después puso el pie sobre el primer escalón de la escalera, se agachó y se desató el zapato. El pecho le rozaba la rodilla. Se quitó los zapatos, los cogió con la mano izquierda, se enderezó y puso la mano derecha sobre el pasamanos con los ojos levantados hacia la pálida bruma rosada que parecía suspendida en las tinieblas. No se juzgaba ya. Subió lentamente en la oscuridad, evitando el hacer crujir los escalones.

La puerta de la habitación estaba entornada; Mateo la empujó. Dentro había un olor pesado. Todo el calor de la jornada se había depositado en el fondo de esta pieza, como un légamo. Sentada sobre la cama, una mujer lo miraba sonriendo: era Marcela. Se había puesto su hermosa bata blanca con el cordón dorado, se había pintado cuidadosamente y tenía un aire solemne y regocijado. Mateo volvió a cerrar la puerta y permaneció inmóvil, con los brazos caídos, cogido de la garganta por la insoportable dulzura de existir. Él estaba *allí*, se expansionaba allí, junto a esa mujer sonriente sumergida por entero en ese olor de enfermedad, de bombones y de amor. Marcela había echado atrás la cabeza y lo consideraba maliciosamente entre sus párpados entornados. Mateo le devolvió su sonrisa, y fue a depositar los zapatos en el "placard". Una voz henchida de ternura suspiró a su espalda:

—Querido.

Él se volvió bruscamente y se adosó contra el armario.

—¡Hola! –dijo en voz baja.

Marcela levantó la mano hasta la sien y agitó los dedos.

—¡Hola, hola!

Se levantó, fue a echarle los brazos al cuello y lo besó deslizándole la lengua dentro de la boca. Se había pintado de azul los párpados; llevaba una flor en los cabellos.

—Tienes calor –dijo acariciándole la nuca.

Y lo miraba de arriba abajo, con la cabeza algo echada hacia atrás, asomando la punta de la lengua entre los dientes, con aire de animación y de dicha; estaba hermosa. Mateo, con el corazón oprimido, pensó en la flaca fealdad de Ivich.

—Estás muy alegre –le dijo–. Sin embargo, ayer en el teléfono, no parecías sentirte muy bien.

—No, estaba estúpida. Pero hoy me siento bien, hasta muy bien.

—¿Pasaste bien la noche?

—He dormido como un lirón.

Marcela lo besó nuevamente, y Mateo sintió sobre sus labios el rico terciopelo de esa boca, y luego esa desnudez pelada, cálida y presta: su lengua. Se desprendió suavemente. Marcela estaba desnuda bajo su bata; él vio sus hermosos senos y sintió en la boca un sabor de azúcar. Ella le tomó la mano y lo atrajo hacia la cama.

—Ven a sentarte a mi lado.

Él se sentó junto a ella. Marcela seguía teniendo su mano entre las suyas, la oprimía con apretoncitos inhábiles, y a Mateo le parecía que el calor de esas manos remontaba hasta sus axilas.

—Qué calor hace en tu casa –dijo.

Ella no respondió; lo devoraba con los ojos, entreabiertos los labios, con aire humilde y confiado. Él hizo pasar a escondidas la mano izquierda delante de su estómago, y la hundió sigilosa en el bolsillo derecho del pantalón para sacar su tabaco. Marcela sorprendió esa mano a la pasada y lanzó un ligero grito:

—¡Ay! ¿Pero qué es lo que tienes en la mano?

—Me he cortado.

Marcela soltó la mano derecha de Mateo y le cogió la otra al pasar; la volvió como un buñuelo y consideró la palma con ojo crítico.

—Pero ese vendaje está espantosamente sucio, ¡se te va a infectar! Y está lleno de barro, ¿qué significa eso?

—Me he caído al suelo.

Ella emitió una risa indulgente y escandalizada:

—Me he cortado, me he caído al suelo. ¡Mírenme este bendito! ¿Pero en qué has andado entonces? Espera, yo te voy a rehacer el vendaje; no puedes quedarte así.

Desenvolvió la mano de Mateo y bajó la cabeza:

—Es una fea herida, ¿cómo te la has hecho? ¿Habías bebido?

—Te digo que no. Fue anoche en el "Sumatra".

—¿En el "Sumatra"?

Anchas mejillas descoloridas, cabellos de oro, mañana, mañana, me peinaré así para usted.

—Fue una fantasía de Boris —respondió—. Había comprado un cuchillo y me desafió a plantármelo en la mano.

—Y tú, naturalmente, te apresuraste a hacerlo. Pero estás completamente chiflado, mi pobre amigo. Todos esos mocosos te van a manejar como a un pelele. Vea usted esta pobre pata deshecha.

La mano de Mateo reposaba, inerte, entre sus dos manos ardientes; la herida estaba repugnante con su costra negra y viscosa. Marcela levantó lentamente esa mano hasta su cara, la miró fijamente, y luego de golpe se inclinó y apoyó sus labios contra la herida en un arrebato de humildad. "¿Qué le pasa?", se preguntó él. La atrajo hacia sí y la besó en la oreja.

—¿Te sientes bien conmigo? —preguntó Marcela.

—Claro que sí.

—Pues no lo parece.

Mateo le sonrió sin responder. Ella se levantó y fue a buscar su botiquín al armario. Le volvía la espalda, se había alzado sobre la punta de los pies, y levantaba los brazos para alcanzar el estante de arriba; las mangas se le habían deslizado a lo largo de los brazos. Mateo miraba esos brazos desnudos que él había acariciado tan a menudo, y sus viejos deseos le daban náuseas.

Marcela volvió hacia él con pesadez alerta:

—Traiga esa pata.

Había empapado en alcohol una esponjita, y se puso a lavarle la mano. Mateo sentía contra la cadera la tibieza demasiado conocida de aquel cuerpo.

—¡Lame!

Marcela le tendía un trozo de tafetán engomado. Él sacó la lengua y lamió dócilmente la película rosada. Marcela aplicó el trozo de tafetán sobre la herida, tomó el vendaje y lo tuvo suspendido un momento en la punta de los dedos; lo contemplaba con repugnancia cómica:

—¿Qué voy a hacer con este horror? Cuando te hayas marchado iré a echarlo al cubo de la basura.

Le vendó rápidamente la mano con una linda gasa blanca.

—¿Así que Boris te desafió? ¿Y tú te deshiciste la mano? ¡Qué chico grande! ¿Y él hizo lo mismo?

—Por cierto que no –respondió Mateo.

Marcela se rió:

—¡Cómo te ha tomado el pelo!

Se había metido un alfiler en la boca y desgarraba la gasa con las dos manos. Dijo frunciendo los labios sobre el alfiler:

—¿Estaba Ivich?

—¿Cuando me corté?

—Sí.

—No. Bailaba con Lola.

Marcela pinchó el alfiler en el vendaje. Sobre el acero había quedado un poco del rojo de sus labios.

—¡Bueno, ya está! ¿Os divertisteis mucho?

—Más o menos.

—¿Es lindo el "Sumatra"? ¿Sabes lo que yo querría? Que me llevaras alguna vez.

—Pero eso te fatigaría –dijo Mateo, contrariado.

—Oh, por una vez... Lo haríamos con toda solemnidad, ¡hace tanto que no salgo contigo!

¡Que no salgo! Mateo se repetía con irritación esa frase conyugal; Marcela no tenía suerte con las palabras.

—¿Quieres? –dijo Marcela.

—Escucha –dijo él–, de todas las maneras eso no podría ser antes del otoño; en este tiempo va ser necesario que tú reposes seriamente, y luego, en seguida, es el cierre anual de la "boîte". Lola se va de gira al África del Norte.

—Bueno, pues iremos este otoño. ¿Prometido?

—Prometido.

Marcela tosió con embarazo:

—Ya veo que me guardas un poco de rencor –dijo.

—¿Yo?

—Sí... Estuve muy desagradable anteayer.

—Nada de eso. ¿Por qué?

—Sí. Estaba nerviosa.

—Había motivo de sobra. Todo es culpa mía, mi pobre chiquita.

—Tú no tienes nada que reprocharte –dijo ella, con un grito de confianza–. Tú nunca has tenido nada que reprocharte.

Él no se atrevió a volverse hacia ella; se imaginaba demasiado bien la expresión de su cara, no podía soportar esa confianza inexplicable e inmerecida. Hubo un largo silencio; ella esperaba seguramente una palabra tierna, una frase de perdón. Mateo no pudo contenerse:

—Mira –dijo.

Sacó la cartera del bolsillo y la exhibió sobre sus rodillas. Marcela alargó el cuello y apoyó la barbilla en el hombro de Mateo.

—¿Qué es lo que tengo que mirar?

—Esto.

Sacó los billetes de la cartera.

—Uno, dos, tres, cuatro, cinco –dijo haciéndolos chasquear triunfalmente. Habían conservado el olor de Lola. Mateo esperó un momento, con los billetes sobre las rodillas, y como Marcela no decía nada, se volvió hacia ella. Ella había levantado la cabeza y miraba los billetes parpadeando. No parecía comprender. Dijo lentamente:

—Cinco mil francos.

Mateo tuvo un gesto de bonhomía para poner los billetes sobre la mesa de luz.

—¡Claro que sí! –dijo–. Cinco mil francos. Me ha costado trabajo encontrarlos.

Marcela no respondió. Se mordía el labio inferior y miraba los billetes con aire incrédulo; había envejecido de golpe. Miró a Mateo con aire triste pero confiado aún, y dijo:

—Yo creía...

Mateo la interrumpió y dijo redondamente:

—Vas a poder ir a casa del judío. Parece que es formidable. En Viena le han pasado por las manos centenares de mujeres. Y del gran mundo, de la clientela rica.

Se apagaron los ojos de Marcela.

—Tanto mejor –dijo–, tanto mejor.

Había cogido del botiquín un imperdible y lo abría y lo cerraba nerviosamente. Mateo agregó:

—Te los dejo. Me imagino que Sarah te llevará y tú

le pagarás. Quiere que se le pague por anticipado, ese puerco.

Hubo un silencio y luego Marcela preguntó:

—¿Dónde encontraste el dinero?

—Adivina –dijo Mateo.

—¿Daniel?

Mateo se encogió de hombros; ella sabía muy bien, que Daniel no le había querido prestar nada.

—¿Santiago?

—Te digo que no. Ya te lo dije ayer por teléfono.

—Entonces me trago la lengua –dijo ella secamente–. ¿Quién?

—Nadie me los ha *dado* –dijo él.

Marcela tuvo una sonrisa pálida.

—¿No me vas a decir sin embargo que los has robado?

—Sí.

—¿Los has robado? –repuso ella con estupor–. ¡No es cierto!

—Sí. A Lola.

Hubo un silencio. Mateo se enjugó el sudor de la frente:

—Ya te contaré –dijo.

—¡Los has robado! –repitió lentamente Marcela.

Su cara se había vuelto gris; dijo sin mirarlo:

—¡Tenías que desear mucho verte libre del chico!

—Deseaba mucho, sobre todo, que no fueras a la casa de esa vieja.

Ella reflexionaba; su boca había recobrado su pliegue duro y cínico. Mateo le preguntó:

—¿Desapruebas que los haya robado?

—Me importa un bledo.

—Entonces, ¿qué es lo que hay?

Marcela hizo un gesto brusco y el botiquín cayó al suelo. Ambos lo miraron y Mateo lo empujó con el pie. Marcela volvió lentamente la cabeza hacia él, con aire atónito.

—Dime lo que pasa –repitió Mateo.

Ella rió secamente.

—¿Por qué te ríes?

—Me río de mí misma –dijo Marcela.

Se había quitado la flor que llevaba en los cabellos y la hacía girar entre los dedos. Murmuró:

—He sido demasiado tonta.

Su cara se había endurecido. Se quedó con la boca abierta como si tuviera deseos de hablar, pero las palabras no pasaban: parecía tener miedo de lo que iba a decir. Mateo le cogió la mano, pero ella se desprendió. Dijo sin mirarlo:

—Sé que has visto a Daniel.

¡Ya estaba! Marcela se había echado atrás y crispaba las manos sobre las sábanas; parecía aterrada y liberada. Mateo también se sentía liberado; todas las cartas estaban sobre la mesa, habría que ir hasta el fin. Tenían toda la noche para eso.

—Sí, lo he visto –dijo Mateo–. ¿Cómo lo sabes? ¿Eras tú, entonces, quien lo había mandado? ¿Habíais arreglado todo entre los dos, eh?

—No hables tan alto –dijo Marcela–, vas a despertar a mi madre. No fui yo quien lo mandé, pero sabía que él quería verte.

Mateo dijo tristemente:

—¡Es gracioso!

—Oh, sí, es gracioso –dijo Marcela con amargura.

Se callaron. Daniel estaba allí, se había sentado entre los dos.

—Bueno –dijo Mateo–; tenemos que explicarnos francamente; no nos queda otra cosa que hacer.

—No hay nada que explicar –dijo Marcela–. Tú has visto a Daniel, él te dijo lo que tenía que decirte, y al dejarlo, fuiste a robar cinco mil francos a Lola.

—Sí. Y tú, desde hace meses, recibes a Daniel en secreto. Ya ves que hay mucho que explicar. Escucha –preguntó bruscamente–, ¿qué fue lo que hubo anteayer?

—¿Anteayer?

—No hagas que no comprendes. Daniel me dijo que tú me reprochabas mi actitud de anteayer.

—¡Oh, deja eso! –dijo ella–. ¡No te rompas la cabeza!

—Te lo ruego, Marcela –dijo Mateo–; no te obstines. Te juro que tengo buena voluntad, que voy a reconocer todas mis faltas. Pero dime lo que ha habido anteayer. Esto andaría muchísimo mejor si pudiéramos recobrar un poco de confianza el uno en el otro.

—Te lo ruego –dijo él tomándole la mano.

Ella vacilaba, morosa y algo ablandada.

—Bueno, pues... fue como otras veces; a ti te importaba un bledo lo que yo tuviera en la cabeza.

—¿Y qué era lo que tenías en la cabeza?

—¿Por qué quieres hacérmelo decir? Tú lo sabes muy bien, Mateo.

—Es cierto –dijo Mateo–; me parece que lo sé.

Y pensó: "Se acabó, me casaré con ella." Era la evidencia misma. "Tengo que ser bien sinvergüenza para imaginarme que podría cortar." Marcela estaba allí, sufriendo; era desventurada y mala y él no tenía más que hacer un gesto para devolverle la tranquilidad. Le dijo:

—Tú quieres que nos casemos, ¿no es cierto?

Ella arrancó su mano de entre las de él y se levantó

de un salto. Mateo la miró con estupor; se había puesto descolorida y sus labios temblaban:

—Tú... ¿Es Daniel quien te ha dicho eso?

—No –dijo Mateo desconcertado–. Pero es lo que yo había creído comprender.

—¡Es lo que tú habías creído comprender! –dijo ella, riendo–, ¡es lo que tú habías creído comprender! Daniel te dijo que yo estaba fastidiada y tú comprendiste que yo quería que te casaras conmigo. Eso es lo que piensas de mí. ¡Tú, Mateo, después de siete años!

Sus manos también se habían puesto a temblar. Mateo sintió deseos de tomarla en sus brazos, pero no se atrevió.

—Tienes razón –dijo–, no hubiera debido pensar eso.

Ella no parecía oírlo. Mateo insistió:

—Escucha, tengo mis excusas. Daniel acababa de enterarme de que tú lo veías sin decírmelo.

Marcela seguía sin responder. Mateo dijo dulcemente:

—¿Lo que tú quieres es el chico?

—¡Ah –dijo Marcela–, eso no te importa! ¡Lo que yo quiero no te concierne ya!

—Te lo ruego –dijo Mateo–. Todavía es tiempo...

Marcela sacudió la cabeza.

—No es cierto, ya no es tiempo.

—Pero, ¿por qué, Marcela? ¿Por qué no quieres conversar tranquilamente conmigo? Bastaría con una hora; todo se arreglaría, todo se aclararía...

—No quiero.

—Pero, ¿por qué? ¿Pero por qué?

—Porque ya no te estimo bastante. Y, además, porque tú ya no me amas.

Marcela había hablado con seguridad, pero estaba

sorprendida y espantada de lo que acababa de decir; ya no había en sus ojos más que una interrogación inquieta. Y continuó tristemente:

—Para pensar de mí lo que has pensado, es preciso que hayas dejado completamente de amarme...

Era casi una pregunta. Si él la tomaba en sus brazos, si le decía que la amaba, todo podía aún ser salvado. Mateo se casaría con ella, tendrían el chico, vivirían uno al lado del otro toda su vida. Él se había levantado e iba a decirle te amo, cuando se tambaleó un poco y dijo con voz clara:

—Bueno, pues es cierto... no siento ya amor por ti.

La frase estaba pronunciada desde hacía tiempo, y Mateo la seguía escuchando con estupor. Pensó: "Terminado, todo está terminado". Marcela se había echado hacia atrás lanzando un grito de triunfo, pero casi inmediatamente se puso la mano delante de la boca y le hizo señas de que callara:

—Mi madre –murmuró con aire ansioso.

Ambos aguzaron el oído, pero no oyeron más que el lejano rodar de los automóviles. Mateo dijo:

—Marcela, yo me siento todavía unido a ti con todas mis fuerzas...

Marcela se rió, altanera.

—Naturalmente. Sólo que te sientes unido... de otro modo. ¿Es eso lo que quieres decirme?

Mateo le tomó la mano y le dijo:

—Escucha...

Ella desprendió su mano con seca sacudida:

—Está bien –dijo– está bien. Ya sé lo que quería saber.

Se levantó algunas mechas empapadas en sudor que le caían sobre la frente. Y de pronto sonrió, como a un recuerdo.

—Pero dime –empezó con un relámpago de satisfacción rencorosa–, eso no era lo que decías ayer, por teléfono. Tú me dijiste muy claro: "Te amo" y nadie te lo preguntaba.

Mateo no respondió. Marcela dijo con aire aplastante:

—Cómo tienes que despreciarme...

—Yo no te desprecio –dijo Mateo–. Yo tengo...

—Vete –dijo Marcela.

—Estás loca. Yo no quiero irme, es necesario que te explique, que te...

—Vete –repitió ella con voz sorda, los ojos cerrados.

—Pero yo he conservado toda mi ternura por ti –exclamó él desesperado–, yo no pienso en abandonarte. Me quedaré a tu lado toda mi vida, me casaré contigo, me...

—Vete –dijo ella–, vete, no quiero verte más, vete o no respondo ya de mí, me voy a poner a chillar.

Se había puesto a temblar con todo su cuerpo. Mateo dio un paso hacia ella pero Marcela lo rechazó violentamente:

—Si no te vas, llamo a mi madre.

Mateo abrió el armario y cogió los zapatos. Se sentía ridículo y odioso. Ella le dijo, a sus espaldas.

—Recoge tu dinero.

Mateo se volvió.

—No –dijo–, Eso es aparte. Esto no es una razón para que...

Marcela cogió los billetes de la mesa de noche y se los arrojó a la cara. Los papeles volaron a través de la habitación y recayeron sobre la colcha de la cama, junto al botiquín. Mateo no los recogió; miraba a Marcela. Ella se había echado a reír, a sacudidas, con los ojos cerrados. Y decía:

—¡Ah, qué gracioso! Y yo que creía...

Mateo quiso acercarse, pero ella abrió los ojos y se echó hacia atrás mostrándole la puerta. "Si me quedo, va a bramar", pensó él... Giró sobre sus talones y salió de la habitación en calcetines, con los zapatos en las manos. Cuando estuvo al pie de la escalera, se volvió a poner los zapatos y se detuvo un momento con la mano en el picaporte, aguzando el oído. Oyó de pronto la risa de Marcela, una risa baja y opaca, que se alzaba relinchando y recaía en cascadas. Una voz gritó.

—¿Marcela? ¿Qué es lo que pasa? ¡Marcela!

Era la madre. La risa se detuvo en seco y todo recayó en el silencio. Mateo escuchó un momento todavía y como no oyera ya nada, abrió la puerta, suavemente, y salió.

XVIII

Pensaba: "Soy un sinvergüenza" y aquello lo asombraba enormemente. Ya no había en él más que fatiga y estupor. Se detuvo, para respirar, en el descansillo del segundo. Sentía las piernas flojas; había dormido seis horas en tres días, puede que ni eso siquiera: "Me voy a acostar". Tiraría sus ropas en desorden, titubearía hasta su cama y se dejaría caer en ella. Pero sabía que iba a quedarse despierto toda la noche, con los ojos bien abiertos en la oscuridad. Subió; la puerta del departamento había quedado abierta; Ivich había debido huir derrotada; en el escritorio, la lámpara seguía encendida.

Mateo entró y vio a Ivich. Estaba sentada en el diván, muy rígida.

—No me he marchado –dijo.

—Ya lo veo –dijo Mateo secamente.

Ambos permanecieron un momento silenciosos; Mateo oía el rumor fuerte y regular de su propia respiración. Ivich dijo apartando la cabeza:

—He estado odiosa.

Mateo no respondió. Miraba los cabellos de Ivich y pensaba: "¿Lo he hecho por ella?". Ivich había bajado la cabeza y él contempló su nuca morena y dulce con una ternura aplicada; le hubiera gustado sentir que le importaba más que nadie en el mundo, para que su acto tuviera al menos esa justificación. Pero no sentía nada más que una cólera sin objeto, y el acto estaba a sus espaldas, desnudo, huidizo, incomprensible: había robado, había abandonado a Marcela encinta, *por nada*.

Ivich hizo un esfuerzo y dijo con cortesía:

—Yo no hubiera debido meterme a darle mi opinión...

Mateo se encogió de hombros.

—Acabo de romper con Marcela.

Ivich levantó la cabeza y dijo con voz anodina:

—¿La ha dejado usted... sin dinero?

Mateo sonrió: "Naturalmente, pensó. Si lo hubiera hecho, ella ahora me lo reprocharía."

—No. Pude arreglarme.

—¿Encontró usted dinero?

—Sí.

—¿Y dónde?

Él no respondió. Ella lo miró con inquietud:

—Pero usted no ha...

—Sí. Lo he robado, si es eso lo que usted quiere decir. A Lola. Subí a su casa mientras ella no estaba.

Ivich pestañeó y Mateo agregó:

—Por lo demás se lo devolveré. Se trata de un préstamo forzoso, eso es todo.

Ivich, con aire estúpido, repitió lentamente, como lo había hecho Marcela hacía un momento:

—Usted ha robado a Lola.

Su tono fastidió a Mateo. Dijo vivamente:

—Sí, y sepa usted que no tiene nada de difícil; había que subir una escalera y que abrir una puerta.

—¿Por qué ha hecho eso?

Mateo emitió una risa breve.

—¡Si yo lo supiera!

Ella se irguió bruscamente y su rostro se tornó duro y solitario como cuando se volvía en la calle para seguir con los ojos a alguna bella transeúnte o a un muchacho. Pero esta vez, era a Mateo a quien miraba Ivich. Mateo sintió que se sonrojaba. Y dijo con escrúpulo:

—Yo no quería plantarla. Sólo darle el dinero para no estar obligado a casarme con ella.

—Sí, comprendo –dijo Ivich.

No parecía comprender en absoluto y lo miraba. Mateo insistió, volviendo la cabeza:

—Le advierto que más bien ha sido estúpido; fue ella quien me echó. Lo tomó muy mal; yo no sé qué era lo que esperaba.

Ivich no respondió y Mateo se calló, presa de angustia. Y pensaba: "Yo no quiero que me recompense".

—¡Qué hermoso es usted! –dijo Ivich.

Mateo, agobiado, sintió renacer dentro de sí su agrio amor. Le parecía que abandonaba a Marcela por segunda vez. No dijo nada, se sentó al lado de Ivich y le tomó la mano. Ella le dijo:

—Es formidable el aire de soledad que tiene usted.

Mateo tenía vergüenza. Y acabó por decir:

—Me pregunto qué es lo que usted se imagina, Ivich. Todo eso ha sido lamentable, ¿sabe? Yo he robado por enloquecimiento y ahora tengo remordimientos.

—Ya veo que tiene usted remordimientos –dijo Ivich, sonriendo–. Me parece que yo también los tendría en su lugar; uno no puede evitarlos, el primer día.

Mateo apretaba fuertemente la manecita esquiva de uñas puntiagudas. Y dijo:

—Se equivoca; yo no soy...

—Cállese –dijo Ivich.

Desprendió su mano, con gesto brusco, y se tiró todos los cabellos hacia atrás, descubriendo las mejillas y las orejas. Algunos movimientos rápidos le bastaron, y cuando bajó las manos, su cabellera se sostenía completamente sola y su cara estaba desnuda.

—Así –dijo.

Mateo pensó: "Quiere quitarme hasta mis remordimientos". Extendió el brazo, atrajo a Ivich hacia sí, y ella se dejó hacer; Mateo escuchaba en su interior un airecillo vivo y alegre, del que creía haber perdido hasta el recuerdo. La cabeza de Ivich rodó un poco sobre su hombro: sonreía, con los labios entreabiertos. Mateo le devolvió su sonrisa y la besó ligeramente; después la miró y el airecillo se detuvo en seco: "Pero si no es más que una criatura", se dijo. Y se sentía absolutamente solo.

—Ivich –dijo dulcemente.

Ella lo miró con sorpresa.

—Ivich, he... he hecho mal.

Ella había fruncido el ceño y su cabeza estaba agitada por minúsculas sacudidas. Mateo dejó caer los brazos y dijo con cansancio:

—No sé lo que quiero de usted.

Ivich tuvo un sobresalto Y se desprendió rápidamente. Sus ojos chispearon, pero los veló y adoptó un porte triste y dulce. Sólo sus manos seguían furiosas: volaban a su alrededor, se abatían sobre su cabeza y le tironeaban los cabellos. Mateo sentía la garganta seca, pero contemplaba con indiferencia aquella cólera. Pensaba: "Esto también lo he estropeado", y casi estaba contento; era como una expiación. Continuó buscando la mirada que ella le esquivaba obstinadamente.

—No tengo que tocarla.

—Oh, carece de importancia –dijo Ivich, roja de cólera. Y agregó en tono cantarino:

—Parecía usted tan orgulloso de haber tomado una decisión, que creí que venía a buscar una recompensa.

Mateo se volvió a sentar junto a ella y le tomó el brazo dulcemente, un poco por encima del codo. Ella no se desprendió.

—Pero yo la amo, Ivich.

Ivich se puso rígida:

—Yo no querría que usted creyera... –le dijo.

—¿Que yo creyera qué?

Pero adivinaba. Y le soltó el brazo.

—Yo... yo no siento amor por usted –dijo Ivich.

Mateo no respondió. Pensaba: "Se está vengando. Es lo normal". Además, probablemente era cierto; ¿por que había de amarlo? No deseaba ya nada sino quedarse silencioso un largo rato junto a ella, y que ella se fuera al fin, sin hablar. Dijo sin embargo:

—¿Volverá el año que viene?

—Volveré –dijo ella.

Le sonreía con aire casi tierno; debía estimar satisfecho su honor. Era esa misma cara la que había vuelto hacia él la víspera mientras la encargada del tocador le vendaba la mano. Mateo la miró con incertidumbre; sentía renacer su deseo. Ese deseo triste y resignado, que no era deseo *de nada*. Le tomó el brazo, sintió bajo los dedos esa carne fresca, y dijo:

—Yo la...

Se interrumpió. Llamaban a la puerta de la calle. Primero uno, después dos, después un campanilleo ininterrumpido. Mateo se quedó helado, pensando: "¡Marcela!" Ivich había palidecido; seguramente había tenido la misma idea. Ambos se miraron.

—Hay que abrir –cuchicheó ella.

—Me imagino que sí –dijo Mateo.

No se movió. Ahora llamaba con golpes violentos contra la puerta. Ivich dijo, estremeciéndose:

—Es horrible pensar que hay alguien detrás de esa puerta.

—Sí –dijo Mateo–. ¿Quiere... quiere pasar a la cocina? Cerraré la puerta Y nadie la verá.

Ivich lo miró con aire de tranquila autoridad.

—No. Voy a quedarme.

Mateo fue a abrir y vio en la penumbra una gruesa cabeza gesticulante, que parecía una máscara; era Lola. Ella lo rechazó, para entrar más de prisa.

—¿Dónde está Boris? –preguntó–. He oído su voz.

Mateo ni siquiera perdió tiempo en cerrar la puerta: entró en el escritorio pisándole los talones. Lola se había adelantado hacia Ivich con aire amenazador.

—Usted me va a decir dónde está Boris.

Ivich la miró con ojos aterrorizados. Sin embargo, Lola no parecía dirigirse a ella –ni a nadie– y ni siquiera era seguro que la viera. Mateo se interpuso entre ambas:

—No está aquí.

Lola volvió hacia él su rostro desfigurado. Había llorado.

—Yo he oído su voz.

Además de este escritorio –dijo Mateo tratando de atrapar la mirada de Lola–, hay en el departamento una cocina y un cuarto de baño. Puede registrar por todos partes si ese es su gusto.

—Entonces, ¿dónde está?

Lola había conservado puesto su traje de seda negra y su maquillaje de escena. Sus gruesos ojos oscuros parecían haberse cuajado.

—Se separó de Ivich a eso de las tres –dijo Mateo–. Nosotros no sabemos lo que ha hecho después.

Lola se echó a reír como una ciega. Sus manos se crispaban sobre una pequeñísima cartera de terciopelo negro que parecía contener un solo objeto, duro y pesado. Mateo miró la cartera y tuvo miedo; había que despachar a Ivich de inmediato.

—Bueno, pues si usted no sabe lo que hizo, yo puedo enterarlo –dijo Lola–. Fue a mi casa a eso de las siete, cuando yo acababa de salir, abrió la puerta, violentó la cerradura de una maleta y me robó cinco mil francos.

Mateo no se atrevió a mirar a Ivich, y le dijo dulcemente, conservando los ojos fijos en tierra:

—Ivich, vale más que usted se marche; yo tengo que hablar con Lola. ¿Podría... podría volver a verla esta noche?

Ivich estaba descompuesta.

—Oh, no –dijo–, no voy a salir; tengo que hacer mis valijas y además quiero dormir. Desearía tanto dormir.

Lola preguntó:

—¿Se va?

—Sí –dijo Mateo–. Mañana por la mañana.

—¿Y Boris se va también?

—No.

Mateo tomó la mano de Ivich.

—Váyase a dormir, Ivich. Ha tenido usted una ruda jornada. ¿Sigue oponiéndose a que yo la acompañe a la estación?

—Sí. Prefiero que no vaya.

—Entonces, hasta el año que viene.

La miraba, esperando encontrar de nuevo en sus ojos una vislumbre de ternura, pero sólo pudo leer pánico en ellos.

—Hasta el año que viene –dijo Ivich.

—Yo le voy a escribir, Ivich –dijo Mateo tristemente.

—Sí. Sí.

Se disponía a salir. Lola le cerró el paso.

—Perdón. ¿Qué prueba tengo yo de que no va a reunirse con Boris?

—¿Y si así fuera? –dijo Mateo–. Me parece que es libre...

—Quédese aquí –dijo Lola atrapando con su mano izquierda la muñeca de Ivich. Ivich lanzó un grito de dolor y de cólera.

—Déjeme –gritó–, no me toque, yo no quiero que me toquen.

Mateo rechazó vivamente a Lola, que retrocedió algunos pasos gruñendo. Miraba su cartera.

—Individua asquerosa —murmuró Ivich entre dientes. Y se tanteaba la muñeca con el pulgar y el índice.

—Lola —dijo Mateo, sin quitar los ojos de la cartera—, déjela marcharse, tengo un montón de cosas que decirle, pero ante todo, déjela que se vaya.

—¿Me va a decir dónde está Boris?

—No —dijo Mateo—, pero le voy a explicar esa historia del robo.

—Bueno, pues váyase —dijo Lola—. Y si ve a Boris, dígale que he presentado una denuncia.

—La denuncia será retirada —dijo a media voz Mateo, con los ojos siempre fijos en la cartera—. Adiós, Ivich, váyase rápida.

Ivich no respondió y Mateo oyó con alivio el ruido ligero de sus pasos. No la vio marcharse, pero el ruido se extinguió, y él sintió una pequeña opresión en el corazón. Lola se adelantó un paso y gritó:

—Dígale que se ha equivocado de dirección. ¡Dígale que todavía es demasiado joven para imponérseme!

Se volvió hacia Mateo; siempre esa mirada molesta, que no parecía ver.

—¿Y qué? —preguntó Lola duramente—. Adelante con su historia.

—Escuche, Lola —dijo Mateo.

Pero se había echado nuevamente a reír.

—Yo no he nacido ayer —dijo riéndose—. ¡Oh, claro que no! Demasiado me han dicho que podría ser su madre.

Mateo se adelantó hacia ella:

—¡Lola!

—Él se ha dicho: "La vieja me tiene en la sangre; se sentirá demasiado honrada con que yo le deshaga el paco, y todavía me dará las gracias". ¡Pero no me conoce! ¡No me conoce!

Mateo la cogió por los brazos y la sacudió como a un árbol, mientras ella gritaba riéndose:

—¡No me conoce!

Lola se calmó y, por primera vez, pareció que lo veía.

—¡Cállese de una vez! –dijo él, groseramente.

—Diga.

—Lola –dijo Mateo–, ¿usted ha presentado *realmente* una denuncia contra él?

—Sí. ¿Qué tiene usted que decirme?

—Que soy yo quien se los ha robado –dijo Mateo.

Lola lo miraba con indiferencia y él tuvo que repetir:

—¡Soy yo quien le ha robado los cinco mil francos!

—Ah –dijo Lola–, ¿usted?

Y se encogió de hombros.

—La hotelera lo ha visto.

—¿Cómo quiere que lo haya visto, cuando le estoy diciendo que he sido yo?

—Ella lo ha visto –dijo Lola, fastidiada–. Subió a las siete ocultándose. La mujer lo dejó hacer porque yo le había dado esa orden. Yo lo había esperado todo el día; hacía diez minutos que había salido. Seguramente me acechó desde la esquina y subió en cuanto me vio marchar.

Hablaba con voz sombría y rápida, que parecía expresar una convicción inquebrantable: "Se diría que necesita creerlo", pensó Mateo, desalentado. Y dijo:

—Escuche. ¿A qué hora volvió usted a su casa?

—¿La primera vez? A las ocho.

—Pues bueno, los billetes estaban todavía en la maleta.

—Le digo que Boris subió a las siete.

—Es posible que haya subido; quizá iba a verla a usted. ¿Pero usted no miró en la maleta?

—Claro que sí.

—¿Miró usted *a las ocho*?

—Sí.

—Lola, habla usted de mala fe –dijo Mateo–. Yo sé que usted no miró. Lo sé. A las ocho yo tenía la llave en mi poder y usted no hubiera podido abrirla. Además, si hubiera descubierto el robo a las ocho, ¿cómo quiere hacerme creer que iba a esperar hasta la medianoche para venir a mi casa? A las ocho usted se ha maquillado tranquilamente, se ha puesto su hermoso vestido negro y se ha marchado al "Sumatra". ¿No es cierto?

Lola lo miró en aire impasible:

—La hotelera lo vio subir.

—Sí, pero *usted* no miró en la maleta. A las ocho, el dinero estaba allí todavía. Yo subí a las diez y lo cogí. Había una vieja en el escritorio, que me vio; ella podrá testimoniar. Usted se apercibió del robo a medianoche.

—Sí –dijo Lola con cansancio–, a media noche. Pero es lo mismo. Sentí un malestar en el "Sumatra" y volví. Me recosté y tomé la maleta que estaba a mi lado. Había allí… había allí unas cartas que yo quería releer.

Mateo pensó: "Es cierto; las cartas. ¿Por qué quiere ocultar que se las han robado?". Ambos callaban; de cuando en cuando, Lola oscilaba hacia adelante y hacia atrás como alguien que duerme de pie. Por fin, pareció despertarse.

—*Usted*, ¿usted me ha robado?

—Yo.

Ella emitió una risa breve.

—Guárdese sus chistes para los jueces, si le complace tragarse seis meses en lugar de él.

—Bueno, pues justamente, Lola: ¿qué interés tendría yo en correr el riesgo de la prisión por Boris?

Ella torció la boca.

—¿Acaso sé yo lo que hace usted con él?

—¡Vamos, eso es idiota! Escuche, le juro que he sido yo; la maleta estaba delante de la ventana, debajo de una valija. Yo cogí el dinero y dejé la llave en la cerradura.

Los labios de Lola temblaban, amasaba nerviosamente la cartera.

—¿Es todo lo que tiene que decirme? Entonces, deje que me vaya.

Ella quería salir, pero Mateo la detuvo.

—Lola, usted no *quiere* dejarse convencer.

Lola lo rechazó de un empujón.

—Entonces, ¿usted no ve el estado en que me encuentro? ¿Por quién me toma con su historia de la maleta? Estaba debajo de una valija, delante de la ventana –repitió imitando la voz de Mateo–. ¿Usted cree que yo no sé que Boris ha venido aquí? Ustedes han complotado juntos lo que había que decirle a la vieja. Vamos, déjeme salir –dijo con aire terrible–, déjeme salir.

Mateo quiso tomarla por los hombros, pero Lola se echó hacia atrás y trató de abrir la cartera; Mateo se la arrancó y la tiró sobre el diván.

—Bruto –dijo Lola.

—¿Es vitriolo o un revólver? –preguntó Mateo sonriendo.

Lola se puso a temblar con todos sus miembros. "Ya está, pensó Mateo. Crisis de nervios." Tenía la impresión de estar sufriendo una pesadilla siniestra y absurda. Pero había que convencerla. Lola dejó de temblar. Se había refugiado cerca de la ventana, y lo acechaba con ojos qué brillaban de odio impotente. Mateo apartó la cabeza; no tenía miedo de su odio, pero había en ese rostro una aridez desolada que resulta insostenible.

—Yo subí a su habitación esta mañana –dijo Mateo tranquilamente–. Saqué la llave de su cartera. Cuando usted se despertó yo iba a abrir la maleta. No tuve tiempo de volver a poner la llave en su lugar, y eso fue lo que me dio la idea de volver a subir por la noche a su habitación.

—Inútil –dijo Lola secamente–; yo lo vi entrar esta mañana. Cuando le hablé, usted no había llegado ni siquiera a los pies de mi cama.

—Yo había entrado ya antes y me había vuelto a marchar.

Lola se rió sarcástica, y el agregó a su pesar:

—Con motivo de las cartas.

Ella no pareció oírlo; era completamente inútil hablarle de las cartas, no quería pensar más que en el dinero, necesitaba pensar en eso para hacer llamear su cólera, su único recurso. Y acabó por decir con una risita seca.

—La desgracia es que él me había pedido los cinco mil francos anoche, ¿comprende? Fue precisamente por eso por lo que nos peleamos.

Mateo sintió su impotencia: era evidente, el culpable no podía ser más que Boris. "Hubiera debido imaginármelo", se dijo agobiado.

—No se tome tanto trabajo, pues –dijo Lola con una sonrisa perversa–. Yo lo atraparé. Si usted consigue enredar al juez, lo atraparé de otro modo, eso es todo.

Mateo miró la cartera, sobre el diván. Lola la miró también.

—El dinero se lo pidió a usted para mí –dijo Mateo.

—Sí. Y fue para usted también por lo que robó un

libro en una librería, por la tarde. Se jactó de ello mientras bailaba conmigo.

Se detuvo en seco y continuó después con una calma amenazadora:

—¡Además, bueno! ¿Fue usted quien me robó?

—Sí.

—Pues bueno, devuélvame el dinero.

Mateo se quedó cortado. Lola agregó en tono de irónico triunfo:

—Devuélvamelo en seguida y retiro mi denuncia.

Mateo no respondió. Lola dijo:

—Basta. He comprendido.

Volvió a tomar su cartera sin que él tratara de impedírselo.

—Por lo demás, ¿que probaría el que lo tuviera? –dijo Mateo penosamente–. Boris hubiera podido confiármelo.

—Yo no le pregunto eso. Yo le pido que me lo devuelva.

—Ya no lo tengo.

—¿De veras? ¿Me lo robó a las diez y a las doce ya no tiene nada? Mis felicitaciones.

—Yo regalé el dinero.

—¿A quién?

—No se lo diré.

Y agregó vivamente:

—No ha sido a Boris.

Lola sonrió sin responder; se dirigió hacia la puerta y él no la detuvo. Pensaba: "Su comisaría corresponde a la calle de los Mártires. Iré a explicarme allí". Pero cuando vio de espaldas esa gran forma negra que caminaba con la rapidez ciega de una catástrofe, sintió miedo, pensó en la cartera e intentó un último esfuerzo:

—Después de todo, puedo decirle para quién era; era para la señorita Duffet, una amiga.

Lola abrió la puerta y salió. Mateo la oyó gritar en la antecámara, y el corazón le dio un salto. Lola reapareció de golpe con el aspecto de una loca:

—Ahí hay alguien –dijo.

Mateo pensó: "Es Boris".

Era Daniel, que entró con nobleza y se inclinó ante Lola.

—Aquí están los cinco mil francos, señora –dijo tendiéndole un sobre–. Sírvase verificar que son los suyos. –Mateo pensó a la vez: "Es Marcela la que lo manda" y "Ha estado escuchando en la puerta". Daniel escuchaba gustosamente en las puertas, para preparar sus entradas en escena.

Mateo preguntó:

—Pero ella...

Daniel lo tranquilizó con un gesto:

—Todo va bien –dijo.

Lola miraba el sobre con un aire desconfiado y astuto de campesina.

—¿Hay cinco mil francos aquí dentro? –preguntó.

—Sí.

—¿Y quién me prueba que son los míos?

—¿No había tomado usted los números? –preguntó Daniel.

—¡Imagínese!

—Ah, señora –dijo Daniel con aire de reproche–, siempre hay que tomar los números.

Mateo tuvo una súbita inspiración: recordó el pesado olor de Chipre y de cosa cerrada que exhalaba la maleta.

—Huélalos –dijo.

Lola vaciló un momento y luego se apoderó con brusquedad del sobre, lo rompió, y se llevó los billetes a la nariz. Mateo temía que Daniel estallara en carcajadas, pero Daniel estaba serio como un Papa y miraba a Lola fingiendo ojos comprensivos.

—¿Obligó usted a Boris a devolvérmelos? –preguntó Lola.

—Yo no conozco a nadie que se llame Boris –dijo Daniel–. Ha sido una amiga de Mateo la que me los ha confiado para que yo se los devolviera. Vine corriendo y sorprendí el final de la conversación de ustedes, de lo cual me excuso, señora.

Lola permaneció inmóvil, con los brazos caídos a lo largo del cuerpo apretando la cartera con la mano izquierda, la derecha crispada sobre los billetes, con aire ansioso y estupefacto.

—Pero, ¿por qué habrá hecho esto *usted*? –preguntó bruscamente–. ¿Qué son para usted cinco mil francos?

Mateo sonrió sin alegría:

—Pues bueno, parece que son mucho.

Y agregó dulcemente:

—Habrá que pensar en retirar su denuncia, Lola. O bien, si quiere, presente la denuncia contra mí.

Lola volvió la cabeza y dijo rápidamente:

—Yo no había presentado la denuncia todavía.

Permanecía plantada en medio de la pieza con aire absorto. Y dijo:

—Había también unas cartas.

—Ya no las tengo. Se las quité esta mañana para él cuando la creía muerta. Eso fue lo que me dio la idea de volver a coger el dinero.

Lola miró a Mateo sin odio, con un inmenso estupor y una especie de interés:

—¡Usted me robó cinco mil francos! –dijo–. ¡Es... es formidable!

Pero sus ojos se extinguieron rápidamente y su rostro se endureció. Parecía sufrir.

—Me marcho –dijo.

Ambos la dejaron marcharse en silencio. Al pasar por la puerta, Lola se volvió:

—Si no ha hecho nada, ¿por qué no vuelve?

—No lo sé.

Lola tuvo un breve sollozo y se apoyó en el marco de la puerta. Mateo dio un paso hacia ella, pero Lola ya se había recobrado:

—¿Cree usted que volverá?

—Así lo creo. Son incapaces de hacer la felicidad de la gente, pero no pueden tampoco plantarla; eso es también algo demasiado difícil para ellos.

—Sí –dijo Lola–. Sí. Bueno, adiós.

—Adiós, Lola. ¿No... no necesita usted nada?

—No.

Salió. Oyeron la puerta que se cerraba.

—¿Quién es esta señora tan vieja? –preguntó Daniel.

—Es Lola, la amiga de Boris Serguin. Está lista.

—Ya se le ve –dijo Daniel

Mateo se sintió incómodo al quedarse solo con él; le parecía que lo habían vuelto a poner bruscamente en presencia de su culpa. Su culpa estaba allí, frente a él, *viviente*, viviendo en los ojos de Daniel, y Dios sabe qué forma había tomado en esa conciencia caprichosa y arbitraria. Daniel parecía dispuesto a abusar de la situación. Estaba ceremonioso, insolente y fúnebre, como en sus peores días. Mateo se endureció y enderezó la cabeza; Daniel estaba lívido.

—Tienes muy mala cara –dijo Daniel con sonrisa maligna.

—Iba a decirte lo mismo –dijo Mateo–. Estamos frescos.

Daniel se encogió de hombros.

—¿Vienes de casa de Marcela? –preguntó Mateo.

—Sí.

—¿Fue ella quien te devolvió el dinero?

—Ya no lo necesitaba –dijo Daniel evasivamente.

—¿Ya no lo necesitaba?

—No.

—Dime al menos si tiene algún medio...

—Ya no se trata de eso, querido –dijo Daniel–; eso es historia antigua.

Había levantado la ceja izquierda, y consideraba a Mateo con ironía, como a través de un monóculo imaginario. "Si quiere asombrarme, pensó Mateo, haría bien procurando que no le temblaran las manos."

Daniel dijo descuidadamente:

—Me caso con ella. Y conservaremos el chico.

Mateo tomó un cigarrillo y lo encendió. Su cabeza vibraba como una campana. Dijo con calma:

—¿Así que la amabas?

—¿Por qué no?

"Se trata de Marcela", pensó Mateo. *¡De Marcela!* No conseguía persuadirse totalmente de eso.

—Daniel –dijo–, no te creo.

—Espera un poco, ya lo verás.

—No, quiero decir: tú no me vas a hacer creer que la amas; me pregunto qué es lo que hay en todo esto.

Daniel parecía cansado: se había sentado en el borde del escritorio, con un pie en el suelo y balanceando el otro con desenvoltura. "Se está divirtiendo", pensó Mateo con cólera.

LA EDAD DE LA RAZÓN

—Te quedarías atónito si supieras lo que hay –dijo Daniel.

Mateo pensó: "¡Pardiez! Era su querida".

—Si no debes decírmelo, cállate –dijo secamente. Daniel lo miró un instante, como si se divirtiera en intrigarlo y después se levantó de golpe, pasándose la mano por la frente:

—Esto se está encaminando mal –dijo.

Contemplaba con sorpresa a Mateo.

—No era de eso de lo que yo quería hablarte. Escucha Mateo, yo soy...

Se rió forzadamente:

—Te vas a tomar en serio si te lo digo.

—Está bien. Dilo o no lo digas –dijo Mateo.

—Pues bueno, yo soy...

Se detuvo nuevamente, y Mateo, impacientado, terminó por él:

—Tú eres el amante de Marcela. Eso lo que querías decir.

Daniel enarcó las cejas y emitió un ligero silbido. Mateo sintió que se ponía escarlata:

—¡No está mal ideado! –dijo Daniel en tono admirativo–. Tú no pedirías sino eso, ¿eh? No, querido, ni siquiera tienes esa excusa.

—Entonces, no tienes más que hablar –dijo Mateo, humillado.

—Espera –dijo Daniel–. ¿No tendrías algo que beber? ¿Whisky?

—No –dijo Mateo–; pero tengo ron blanco. Es una idea formidable –agregó–; vamos a echar un trago.

Se fue a la cocina y abrió el armario. "Acabo de estar innoble", pensó. Volvió con dos vasos y una botella de ron. Daniel tomó la botella y llenó los vasos hasta el borde.

—¿Esto proviene de Rhumerie Martiniquaise? –dijo.

—Sí.

—¿Vas todavía alguna vez?

—A veces –dijo Mateo–. ¡A tu salud!

Daniel lo miró con aire inquisitivo, como si Mateo le disimulara algo.

—A mis amores –dijo levantando el vaso.

—Estás borracho –dijo Mateo, harto.

—Es cierto que he bebido un poco –dijo Daniel–. Pero tranquilízate. Estaba en ayunas cuando subí a ver a Marcela. Fue después...

—¿Vienes de su casa?

—Sí. Con una pequeña etapa en el "Falstaff".

—Tú... tú has debido encontrarla justo después de que yo saliera.

—Yo esperaba que salieras –dijo Daniel sonriendo–. Te vi dar la vuelta a la esquina y subí.

Mateo no pudo retener un gesto de contrariedad:

—¿Me acechabas? –dijo–. Oh, después de todo, tanto mejor; Marcela no se habrá quedado sola. Bueno, ¿y qué es lo que querías decirme?

—Nada en absoluto –dijo Daniel con súbita cordialidad–. Quería simplemente anunciarte mi casamiento.

—¿Eso es todo?

—Eso es todo... Sí. Eso es todo.

—Como quieras –dijo Mateo fríamente. Callaron un momento y luego Mateo preguntó:

—¿Cómo... cómo está ella?

—¿Tú querrías que te dijera que está encantada? –preguntó Daniel irónicamente–. Ten consideración para mi modestia.

—Por favor –dijo Mateo secamente–. Se entiende

que no tengo ningún derecho a preguntar... Pero, en fin, tú has venido aquí...

—Bueno –dijo Daniel–, pues yo creía que me iba a costar convencerla: pero se arrojó sobre mi proposición como la pobreza sobre el mundo.

Mateo vio pasar por sus ojos como un relámpago de rencor, y dijo vivamente para excusar a Marcela:

—Se estaba ahogando...

Daniel se encogió de hombros y se puso a caminar de arriba abajo. Mateo no se atrevía a mirarlo. Daniel se contenía, hablaba suavemente, pero tenía el aspecto de un poseído. Mateo cruzó las manos y fijó los ojos en sus zapatos. Después continuó penosamente, como para sí mismo:

—¿De modo que era el chico lo que ella quería? Yo no había comprendido eso. Si me lo hubiera dicho...

Daniel callaba. Mateo continuó con aplicación:

—Era el chico. Bueno. Ya nacerá... Yo... yo quería suprimirlo. Me imagino que es mejor que nazca.

Daniel no respondió.

—¿Yo no lo veré nunca, se entiende? –preguntó Mateo.

Apenas era una interrogación; y agregó sin esperar la respuesta:

—En fin, ya está. Supongo que debería estar contento. En cierto sentido, tú la salvas... pero no comprendo nada de todo esto. ¿Por qué lo has hecho?

—Seguro que no ha sido por filantropía, si eso es lo que quieres decir –dijo Daniel secamente. Agregó–: Es abyecto tu ron. Dame otro vaso, de cualquier modo.

Mateo llenó los vasos y ambos bebieron.

—Entonces –dijo Daniel–, ¿qué es lo que vas a hacer ahora?

—Nada. Nada más.

—¿Y esa pequeña Serguin?

—No.

—Sin embargo, ya estás liberado.

—¡Bah!

—Bueno, buenas noches –dijo Daniel levantándose–. Había venido a devolverte el dinero y a tranquilizarte un poco; Marcela no tiene nada que temer y tiene confianza en mí. Toda esta historia la ha conmovido terriblemente, pero no es realmente desgraciada.

—¡Te vas a casar con ella! –repitió Mateo–. Ella me odia –agregó a media voz.

—Ponte en su lugar –dijo Daniel duramente.

—Ya sé. Ya me he puesto. ¿Te ha hablado de mí?

—Muy poco.

—¿Sabes? –dijo Mateo–. Me hace un efecto raro que tú te cases con ella.

—¿Tienes algún pesar por ello?

—No. Lo encuentro siniestro.

—Gracias.

—Oh, para vosotros dos. No sé por qué.

—No te inquietes, todo irá bien. Si es un varón, lo llamaremos Mateo.

Mateo se irguió con los puños cerrados.

—Cállate –dijo.

—Vamos, no te enfades –dijo Daniel.

Repitió con aire distraído:

—No te enfades. No te enfades.

No se decidía a marcharse.

—En suma –le dijo Mateo–; ¿tú has venido a ver qué cara tenía yo después de esta historia?

—Hay algo de eso –dijo Daniel–. Francamente, hay

algo de eso. Tú has tenido siempre un aspecto... tan sólido: me fastidiabas.

—Pues bien, ya has podido ver que no soy tan sólido –dijo Mateo.

—No.

Daniel dio algunas pasos hacia la puerta y se volvió bruscamente hacia Mateo; había perdido su aire irónico, pero no por eso andaba mejor.

—Mateo, yo soy pederasta –dijo.

—¿Eh? –dijo Mateo.

Daniel se había echado hacia atrás y lo miraba con ojos atónitos que chispeaban de cólera.

—Eso te asquea, ¿eh?

—¿Tú eres pederasta? –replicó lentamente Mateo–. No, eso no me asquea; ¿por qué me habría de asquear?

—Te lo ruego –dijo Daniel–, no te creas obligado a mostrar tu conciencia amplia...

Mateo no respondió. Miraba a Daniel y pensaba: "Es pederasta". Y no se sentía muy asombrado.

—No dices nada –prosiguió con voz silbante–. Tienes razón. Tienes la reacción debida, no lo dudo, la que todo hombre sano debe tener, pero también haces bien en guardártela.

Daniel estaba inmóvil, con los brazos pegados al cuerpo, y parecía disminuido. "¿Qué le ha dado por venir a torturarse a mi casa?", se preguntó Mateo con dureza. Pensaba que hubiera debido encontrar algo que decir; pero estaba sumergido en una indiferencia profunda y paralizante. Y además, aquello le parecía tan natural, tan normal; él era un sinvergüenza. Daniel era un pederasta, entraba en el orden de las cosas. Dijo por fin:

—Tú puedes ser lo que quieras, eso no me concierne.

—Me lo imagino –dijo Daniel sonriendo altaneramente–. Me imagino, en efecto, que no te concierne. Ya tienes bastante que hacer con tu propia conciencia.

—Entonces, ¿por qué vienes a contármelo?

—Bueno, yo… yo quería ver el efecto que produciría en un tipo como tú –dijo Daniel, componiéndose la garganta–. Y además, ahora que hay alguien que lo sabe, yo… yo conseguiré tal vez creerlo.

Estaba verde y hablaba con dificultad, pero seguía sonriendo. Mateo no pudo soportar esa sonrisa y apartó la cabeza.

Daniel rió sarcástico:

—¿Te quedas estupefacto? ¿Esto desordena tus ideas sobre los invertidos?

Mateo levantó vivamente la cabeza.

—No te hagas el bravo –dijo–. Eres lamentable. No necesitas jactarte ante mí. Puede que te dé asco, pero no más del que me doy yo mismo; nos equivalemos. Además –dijo reflexionando–, por eso me cuentas todas tus historias. Debe ser menos duro confesarse delante de una inmundicia; y uno consigue igualmente el beneficio de la confesión.

—Tú eres un picaruelo –dijo Daniel con una voz vulgar que Mateo no le conocía.

Callaron ambos. Daniel miraba ante sí con un estupor fijo, a la manera de los viejos. Mateo se sintió atravesado por un remordimiento agudo.

—Si es así, ¿por qué te casas con Marcela?

—Eso no tiene nada que ver.

—Yo… yo no puedo permitir que te cases con ella –dijo Mateo.

Daniel se enderezó y unos sombríos rubores vinieron a marcar su rostro de ahogado.

—¿No *puedes*, realmente? –preguntó con solemnidad–. ¿Y cómo harás para impedírmelo?

Mateo se levantó sin contestar. El teléfono estaba sobre el escritorio. Lo tomó y marcó el número de Marcela. Daniel lo miró con ironía y hubo un largo silencio.

—¡Hola! –dijo la voz de Marcela.

Mateo se sobresaltó.

—Hola –dijo–, soy Mateo. Yo... oye, hemos estado idiotas hace un momento. Yo querría... ¡Hola! ¿Marcela? ¿Me oyes? ¡Marcela! –dijo con furor–, ¡hola!

Seguían sin contestar. Mateo perdió la cabeza y gritó en el aparato.

—¡Marcela, yo quiero casarme contigo!

Hubo un breve silencio, después una especie de ladrido en el extremo del hilo, y colgaron. Mateo conservó un momento el auricular apretado en la mano y después lo dejó suavemente sobre la mesa. Daniel lo miraba sin decir ni palabra y no tenía aire de triunfo. Mateo bebió un trago de ron y volvió a sentarse en el sillón.

—¡Bueno! –dijo.

Daniel sonrió.

—Tranquilízate –dijo a manera de consuelo–; los pederastas han sido siempre excelentes maridos, es cosa sabida.

—¡Daniel! Si te casas por realizar un gesto, vas a estropearle la vida.

—Tú eres el último que tendría que decírmelo –dijo Daniel. Y además, yo no me caso con ella por hacer un gesto. Por otra parte, lo que ella quiere ante todo es el chico.

—¿Acaso... acaso lo sabe?

—¡No!

—¿Por qué te casas con ella?

—Porque le profeso amistad.

El tono no era muy convincente. Se sirvieron de beber y Mateo dijo con obstinación:

—Yo no quiero que sea desgraciada.

—Te juro que no lo será.

—¿Ella cree que tú la amas?

—No me parece. Me propuso vivir cada uno por su lado, pero ésa no era mi intención. La instalaré en mi casa. Se entiende que dejaremos que el sentimiento venga poco a poco.

Y agregó con penosa ironía:

—Estoy dispuesto a cumplir hasta el fin con mis deberes de marido.

—Pero acaso...

Mateo enrojeció violentamente:

—¿Acaso te gustan también las mujeres?

Daniel resopló extrañamente y dijo:

—No mucho.

—Ya lo veo.

Mateo bajó la cabeza y le acudieron a los ojos lágrimas de vergüenza. Dijo:

—Me tengo más asco todavía desde que sé que vas a casarte con ella.

Daniel bebió:

—Sí –dijo con aire imparcial y distraído–; pienso que debes sentirte bastante sucio.

Mateo no contestó. Miraba el suelo entre sus pies. "Es un pederasta y va a casarse con ella."

Abrió las manos y raspó con el tacón el suelo; se sentía acosado. De pronto el silencio le pesó y se dijo: "Daniel me está mirando." Levantó la cabeza precipitadamente. Daniel lo miraba, en efecto, y con tal expresión de odio que a Mateo se le oprimió el corazón.

—¿Por qué me miras así? –preguntó.

—¡Tú lo sabes! –dijo Daniel–. ¡Hay alguien que lo sabe!

—¿No te molestaría meterme una bala en el pellejo?

Daniel no contestó. Mateo se sintió quemado súbitamente por una idea insoportable:

—Daniel –dijo–, tú te casas con ella para martirizarte.

—¿Y qué? –dijo Daniel con voz incolora–. Eso sólo me interesa a mí.

Mateo se cogió la cabeza entre las manos:

—¡Dios mío! –dijo.

Daniel agregó vivamente:

—Eso no tiene ninguna importancia. *Para ella*, eso no tiene ninguna importancia.

—¿La odias?

—No.

Mateo pensó tristemente. "No, es a mí a quien odia."

Daniel había recobrado su sonrisa:

—¿Vaciamos la botella? –preguntó.

—Vaciémosla –dijo Mateo.

Bebieron y Mateo advirtió que tenía ganas de fumar. Sacó un cigarrillo del bolsillo y lo encendió.

—Oye –dijo–, lo que eres no me concierne. Ni aun ahora que has hablado. Pero sin embargo hay una cosa que querría preguntarte: ¿por qué tienes vergüenza?

Daniel rió secamente:

—Ahí te esperaba, querido. Tengo vergüenza de ser pederasta *porque soy* pederasta. Ya sé lo que me vas a decir: "Si yo estuviera en tu lugar, no me dejaría abatir;

reclamaría mi sitio en el sol; es una afición como cualquiera otra, etcétera, etcétera." Sólo que eso no me llega. Yo sé que tú me puedes decir todo eso, precisamente porque no eres pederasta. Todos los invertidos tienen vergüenza, eso forma parte de su naturaleza.

—¿Pero no sería mejor... el aceptarse? –preguntó tímidamente Mateo.

Daniel pareció fastidiado:

—Ya me lo dirás el día en que hayas aceptado ser un sinvergüenza –respondió con dureza–. No. Los pederastas que se jactan, o que se exhiben, o simplemente que consienten... están muertos; se han matado a fuerza de sentir vergüenza. Y yo no quiero esa clase de muerte.

Pero parecía aliviado y miraba sin odio a Mateo.

—Yo me he aceptado demasiado –prosiguió con dulzura–. Me conozco hasta en lo más íntimo.

No había nada que decir. Mateo encendió otro cigarrillo. Como quedaba un poco de ron en el fondo del vaso, se lo bebió. Daniel le producía horror. Pensó: "Dentro de dos años, dentro de cuatro años... ¿Seré yo así?" Súbitamente, se sintió presa del deseo de hablar de aquello a Marcela; a ella sola podía hablarle de su vida, de sus temores, de sus esperanzas. Pero recordó que ya no la vería nunca más, y su deseo, en suspenso, innominado, se trocó lentamente en una especie de angustia. Estaba solo.

Daniel parecía reflexionar: tenía fija la mirada y de cuando en cuando sus labios se entreabrían. Lanzó un pequeño suspiro y algo pareció ceder en su rostro. Se pasó la mano por la frente; parecía atónito.

—De cualquier modo, hoy me he sorprendido a mí mismo –dijo a media voz.

Tuvo una sonrisa singular, casi infantil, que parecía

desplazada en su rostro aceitunado donde la barba, mal afeitada, ponía placas azules. "Es cierto, pensó Mateo; esta vez ha ido hasta el fin." Le sobrevino de pronto una idea que le oprimió el corazón: "Él es libre", pensó. El horror que le inspiraba Daniel se mezclaba súbitamente con envidia.

—Debes estar en un estado de ánimo endiablado –dijo.

—Sí, endiablado –dijo Daniel.

Seguía sonriendo con aire de buena fe. Dijo:

—Dame un cigarrillo.

—¿Ahora fumas? –preguntó Mateo.

—Uno. Esta noche.

Mateo dijo bruscamente:

—Querría estar en tu lugar.

—¿En mi lugar? –repitió Daniel sin demasiada sorpresa.

—Sí.

Daniel se encogió de hombros y dijo:

—En este momento, tú resultas ganador en toda la línea.

Mateo rió secamente. Daniel explicó:

—Tú eres libre.

—No –dijo Mateo sacudiendo la cabeza–, uno no es libre porque haya abandonado a una mujer.

Daniel miró a Mateo con curiosidad:

—Sin embargo, esta mañana parecías creerlo así.

—No sé. No era cosa clara. Nada es claro. La verdad es que he abandonado a Marcela, por *nada*.

Fijaba la mirada en las cortinas de la ventana agitadas por un pequeño viento nocturno. Estaba cansado.

—Por nada –continuó–. En toda esta historia yo no he sido más que rechazo y negación. Marcela no está ya en mi vida, pero queda todo el resto.

—¿Qué?

Mateo mostró su escritorio con amplio y vago gesto:

—Todo esto, todo lo demás.

Se sentía fascinado por Daniel. Y pensaba: "¿Acaso será eso la libertad? Daniel ha *actuado*; ahora, no puede ya volverse atrás; debe de parecerle extraño sentir detrás de sí un acto desconocido, que él ya casi no comprende y que va a revolucionar su vida. Pero yo, todo lo que hago lo hago por *nada*; se diría que me roban las consecuencias de mis actos; todo pasa como si pudiera siempre recoger mis actos. No sé qué daría por realizar un acto irremediable.

Dijo en voz alta:

—Anteanoche vi a un tipo que había querido enrolarse en las milicias españolas.

—¿Y qué?

—Bueno, pues se desinfló, y ahora está hecho polvo.

—¿Por qué me dices eso?

—No sé. Porque sí.

—¿Tú has tenido deseos de partir para España?

—Sí. No muchos.

Callaron. Al cabo de un momento, Daniel tiró su cigarrillo y dijo:

—Querría tener seis meses más.

—Yo no –dijo Mateo–. Dentro de seis meses seré igual a lo que soy.

—Con los remordimientos de menos –dijo Daniel.

Se levantó.

—Te ofrezco una copa en el "Clarisse".

—No –dijo Mateo–. No tengo ganas de emborracharme esta noche. No sé muy bien lo que haría si estuviera borracho.

—Nada de sensacional –dijo Daniel–. ¿Entonces, no vienes?

—No. ¿No quieres quedarte otro rato?

—Tengo que beber –dijo Daniel–. Adiós.

—Adiós. Nos... ¿nos volveremos a ver? –preguntó Mateo.

Daniel pareció violento.

—Me parece que va a ser difícil. Marcela me dijo claramente que no quería cambiar nada en mi vida, pero pienso que le resultaría penoso que yo te siguiera viendo.

—¡Ah, bueno! –dijo Mateo secamente–. En ese caso, ¡buena suerte!

Daniel le sonrió sin responder y Mateo agregó bruscamente:

—Me odias.

Daniel se acercó a él y le pasó la mano por el hombro con un pequeñísimo gesto avergonzado y torpe.

—No, en este momento no.

—Pero mañana...

Daniel inclinó la cabeza sin contestar.

—Salud –dijo Mateo.

—Salud.

Daniel salió; Mateo se aproximó a la ventana y levantó las cortinas. Era una noche agradable, agradable y azul; el viento había barrido las nubes y se veían las estrellas por encima de los techos. Mateo se acodó y bostezó largamente. En la calle, debajo de él, un hombre caminaba con paso tranquilo; se detuvo en la esquina de la calle Huyguens y de la calle Froidevaux, levantó la cabeza y miró el cielo: era Daniel. Un aire de música venía por ráfagas de la avenida del Maine, la luz blanca de un faro se deslizó en el cielo, se retardó sobre una chimenea y se descolgó detrás de los techos. Era un cielo de fiesta rural, salpicado de escarapelas, que olía a vacaciones y a bailes campestres. Mateo vio desaparecer a Daniel y pensó: "Me quedo solo". Solo, pero no más libre que antes. Él se había dicho la víspera: "Si al menos Marcela no existiera". Pero era una mentira. "Nadie me ha trabado mi libertad; es mi vida la que se la ha sorbido." Cerró la ventana y volvió a la habitación. El olor de Ivich flotaba aún en ella. Mateo respiró ese olor y revivió aquella jornada de tumulto. Pensó: "Mucho ruido para nada." Para nada; esa vida le había sido otorgada para nada, él no era nada y sin embargo no cambiaría ya; estaba formado. Se quitó los zapatos y permaneció inmóvil, sentado en el brazo del sillón, con un zapato en la mano; tenía aún, en el fondo de la garganta, el calor rojizo y azucarado del ron. Bostezó; había terminado su jornada, había terminado con su juventud. Ya unas morales acreditadas le proponían discretamente sus servicios; estaban el epicureísmo desengañado, la indulgencia sonriente, la resignación, el espíritu de seriedad, el estoicismo, todo cuanto permite saborear como conocedor y minuto por minuto, una vida frustrada. Se quitó la chaqueta, se puso a desatarse la corbata. Se repetía, bostezando: "Es cierto, es cierto después de todo: tengo la edad de la razón".

Este libro se terminó de imprimir en julio de 2016,
en los talleres de Primera Clase Impresores
California 1231 - CABA - Buenos Aires, Argentina